Robert Fabbri

Arminius

Karakter Uitgevers B.V.

Oorspronkelijke titel: *Arminius*

Vertaling: Saskia Peeters

Opmaak binnenwerk: ZetSpiegel, Best
Omslagontwerp: Mark Hesseling, Wageningen
Omslagbeeld: Tim Byrne

ISBN 978 90 452 1200 5
NUR 332

Tweede druk, augustus 2017

Voor Leo en Jodi Fabbri; ik wens jullie samen een lang
en gelukkig leven toe.
Welkom in de familie, Jodi – en, natuurlijk, ook die spruit Carl!

N
SAKSEN
FRISII
CHAUKEN
AMPSIVAREN
ANGRIVARIËRS
Amisia
Visurgis
TEUTOBURG
SEMNONEN
Viadua
BATAVEN
CHERUSKEN
Castra
Vetera
BRUCTEREN
HARZ
LAND
GERMANIA
INFERIOR
Lupia
Aliso
MARSI
Albis
SUGAMBREN
Mattium
SUEBEN
Colonia
Agrippina
CHATTEN
UBIËRS
BELGICA
GERMANIA SUPERIOR
MARCOMANNEN
Rhenus
BOJOHAEMUM
Sorviodurum
Argentoratum
Danuvius
RAETIA
NORICUM
ALPEN
HELVETII
Aventicum
PANNONIA

PROLOOG

RAVENNA, 37 N.C.

'Tegenover Synatos, de *retiarius*, presenteer ik u de *secutor*, Licus van Germania!'

Het goedkeurende gejuich van het publiek overstemde de spelmeester, maar voor Thumelicatz was het een gedempt gegons dat met moeite doordrong in de bronzen helm om zijn hoofd. Hij stapte de arena binnen en hief zijn korte zwaard op naar de tienduizend koppen tellende menigte die 'Licus! Licus!' scandeerde, de afgekorte vorm van zijn verlatijnste naam: Thumelicus. Hij stootte zijn zwaard de lucht in op het ritme van het geschreeuw en hield zijn halfronde rechthoekige schild, versierd met een zwijnenkop, voor zich en groette zo alle delen van de ovale, zandstenen arena.

Thumelicatz had al vroeg in zijn vijf jaar in de arena van zijn *lanista*, Orosius, zijn eigenaar en oefenmeester, geleerd om het publiek te bespelen, ondanks wat hij van hen vond: een populaire gladiator die werd gesteund door de menigte was in elk gevecht in het voordeel en kon, als hij werd verslagen, op hun genade rekenen. Orosius kon putten uit zijn eigen ruime ervaring – hij had vijftien jaar eerder het houten vrijheidszwaard ontvangen, na drieënvijftig gevechten. Na vandaag zou Thumelicatz op één gevecht van dat totaal verwijderd zijn, voornamelijk dankzij de lessen van zijn lanista. Thumelicatz hief zijn zwaard naar zijn mentor, die in het publiek zat; Orosius, een man die ooit werd gevreesd en verafschuwd maar nu schoorvoetend respect kreeg, knikte met zijn hoofd.

Uiteindelijk schreeuwde Thumelicatz de voorgeschreven woorden van een gladiator die een strijd op leven en dood ingaat en bracht hij een groet aan de organisator van de spelen, die onder de enige overkapping in de arena zat. Met een sierlijk handgebaar gaf de geldschieter, de onlangs benoemde prefect van het provinciestadje Ravenna, te kennen dat het bloedvergieten wat hem betrof kon beginnen. Hij trok zijn witte toga met een smalle paarse streep, die wees op zijn ridderschap, recht en hief zijn handpalmen op om de lofbetuiging van het publiek in ontvangst te nemen.

Zweet droop vanonder de vilten muts onder zijn helm over Thumelicatz' gezicht. Hij knipperde met zijn ogen en zocht door de twee smalle kijkgaten in zijn gesloten masker naar zijn tegenstander, de helmloze retiarius Synatos, die een net en een drietand in zijn handen had. Toen hij zijn vijand had gevonden, hield hij zijn blik strak op hem gericht, wetende dat de lichtere en meer wendbare vechter zijn snelheid zou proberen te gebruiken om buiten zijn gezichtsveld te geraken. Met zijn zware helm, schild en brede leren riem rond zijn lendendoek, en de dikke opgevulde linnen windsels om zijn rechterarm en linkeronderbeen en een scheenplaat van gekookt leer aan zijn linkerkant was de secutor relatief traag. Thumelicatz wist uit ervaring dat het cruciaal was dat hij snel een einde aan dit gevecht zou maken, voordat de vermoeidheid toesloeg.

Hij raakte de hamervormige amulet om zijn hals aan. 'Donar, slijp mijn mes, stuur mijn hand en geef me kracht, Grote Donderaar.'

De *rudis*, de houten staf van de scheidsrechter, de *summa rudis*, schoot omlaag tussen de twee vechters. Het publiek werd stil. Thumelicatz' gejaagde ademhaling, die werd versterkt in zijn helm, werd sneller toen hij probeerde zo veel mogelijk zuurstof uit de verstikkende atmosfeer om hem heen te halen. Hij gooide zijn linkerbeen naar voren, trok zijn arm met het zwaard omhoog zodat de kling omlaag wees, op gelijke hoogte met zijn ogen, en duwde zijn schild naar voren terwijl hij Synatos over de rand heen aanstaarde. De retiarius staarde terug, met toegeknepen ogen tegen het ronddwarrelende stof dat op zijn zwarte krullen neersloeg. Hij hurkte, met de linkerkant van zijn gespierde, glimmende lichaam voor, en sloeg met zijn rechterhand zijn verzwaarde net voor zich uit terwijl hij met de drietand in zijn linkerhand steekbewegingen maakte. De drietand stak uit het dikke linnen dat zijn arm beschermde – een schouderkap van maliën erboven completeerde zijn povere bescherming.

De rudis bleef tussen hen in hangen. Thumelicatz hield Synatos' blik vast en probeerde in te schatten wat zijn eerste zet zou zijn. Ze hadden vaak gezamenlijk gevochten in de *ludus*, de gladiatorenschool, en kenden elkaars stijl; ze hadden ook al eens tegenover elkaar gestaan in de arena. Die keer, vijf maanden eerder, had Thumelicatz na een zware strijd gewonnen; hij had Synatos ontwapend en hem het geplooide litteken bezorgd dat over zijn rechteronderarm liep. Het publiek had hun waardering getoond door de verliezer genade te schenken. Thumelicatz was opgelucht geweest. Ondanks dat alle zwaarddragende gladiatoren op een retiarius neerkeken omdat die strikt genomen geen ware gladiator was, kwam Synatos zo dicht bij een vriend als Thumelicatz zichzelf toestond in de afgesloten ludus waar de mannen werden getraind om levens te nemen zonder aanzien des persoons.

Hij zal naar links springen en zijn drietand in de richting van mijn onbeschermde rechterbovenbeen stoten, dacht Thumelicatz toen hij een lichte beweging van de ogen naar dat deel van zijn lichaam waarnam. *Dan werpt hij het net naar mijn hand als ik de klap afweer, in een poging mijn zwaard los te rukken.*

Met een ruw commando om te vechten hief de summa rudis zijn staf. De menigte joelde in afwachting van het bloed dat zou gaan vloeien. Synatos sprong naar links en stak zijn drietand in een bliksemsnelle beweging naar het rechterbovenbeen van Thumelicatz. Thumelicatz verwachtte dit al en stootte zijn zwaard schuin omlaag, tussen twee van de scherpe punten van de drietand in. Met een vonkenregen en metalig geschraap schoof de drietand langs zijn kling omhoog en kwam kletterend tot stilstand tegen de ovale stang. Hij duwde zijn schild naar voren om het net af te weren dat op zijn rechterhand gericht was. Thumelicatz stapte naar voren in een poging dichter bij de retiarius te komen, die verder niets anders had dan een *pugio*, een korte dolk. Synatos zag het gevaar en sprong achteruit. Zijn net liet hij als een ronde schaduw voor zich op de grond liggen om Thumelicatz onderuit te kunnen trekken als hij hem zou volgen.

Een steek van de drietand richting zijn keel dwong Thumelicatz zijn schild omhoog te bewegen. Hij stapte naar achteren toen de drie vlijmscherpe punten met weerhaken zich in het met leer beklede hout haakten, waardoor de rand tegen zijn masker werd geramd. Zijn oren suisden toen de klap in zijn helm weerklonk. Hij rukte zijn schild naar zich toe, in de hoop dat de drietand stevig vastzat en hij hem uit Synatos' greep kon trekken; het schoot los toen het net over zijn hoofd heen viel. Thumelicatz voelde dat het koord langs de rand van het net meteen strakker werd getrokken, waardoor hij vast dreigde te komen zitten. De helmen van de secutors, helemaal glad zonder uitstekende randen, richels of beschermers, waren zo ontworpen dat het net van de retiarius nergens achter kon blijven haken. Thumelicatz trok zijn hoofd naar achteren, onder het net vandaan, en hief zijn zwaard zodat het lemmet door het touw heen sneed. Hij sprong naar achteren, klappen van de drietand afwerend terwijl hij het net doormidden sneed tot het trekkoord het begaf en het wapen zo goed als nutteloos was geworden.

Opnieuw ramde de drietand tegen zijn schild terwijl Synatos zich van het net ontdeed en de lange steel met twee handen vastgreep. Met de extra kracht van die dubbele greep werd de drietand een geducht aanvalswapen. Onder luid geschreeuw van het publiek ramde Synatos het keer op keer omlaag naar Thumelicatz' blote voeten, waardoor Thumelicatz werd gedwongen op en neer te springen en zijn schild nog lager te houden, terwijl hij met zijn zwaard inhakte op de metalen punten en de dikke steel en wachtte op het onvermijdelijke.

Toen het kwam, was hij er klaar voor.

De drie tanden bewogen abrupt omhoog en schoten over zijn schild heen naar de onderkant van zijn hals. Hij dook ineen en hoorde de drietand over de bovenkant van zijn helm schrapen toen hij naar voren bewoog en het schild voor zich uit tegen de borst van zijn tegenstander ramde. Met een explosieve klap werd de lucht uit Synatos' longen geperst. Hij wankelde maar sloeg de steel van zijn wapen hard omlaag op Thumelicatz' schouders terwijl die, op zijn beurt, zijn zwaard in de richting van het hart van de retiarius stak. Dat raakte uit koers en kwam zonder schade aan te richten tegen Synatos' schouderkap terecht. Beide gladiatoren stortten op de grond; het zand bleef direct aan hun bezwete lichamen plakken. Het geschreeuw van de menigte werd nog luider in het vooruitzicht van een worsteling op leven en dood tussen twee mannen die klaarblijkelijk niets anders dan elkaars ondergang voor ogen hadden.

Met een vreselijke knal liet Synatos de steel van zijn drietand met twee handen opnieuw neerkomen op Thumelicatz' schouderbladen. Kreunend van pijn ramde hij zijn vuist met daarin het zwaard tegen de zijkant van het onbeschermde hoofd van de retiarius terwijl hij zijn schild omlaag drukte op zijn borst, waardoor zijn longen zich niet met lucht konden vullen. Hij voelde hoe Synatos zijn greep op de drietand achter hem begon te veranderen en de punten in de richting van zijn ruggengraat draaide. Hij kwam abrupt op zijn knieën omhoog boven zijn languit liggende tegenstander en sloeg daarmee het wapen uit zijn verzwakte greep. Een verblindend wit licht van pijn flitste voor Thumelicatz' ogen op het moment dat Synatos' scheenbeen hard tussen zijn benen omhoog klapte. Hij weerstond de drang van zijn lichaam om dubbel te klappen en zijn edele delen te beschermen en wierp zichzelf achterover terwijl de pijn door zijn onderbuik omhoogtrok als het herhaaldelijk steken van een dolk. Zijn borst schokte en het braaksel spoot zijn mond uit tegen de binnenkant van zijn masker.

Terwijl hij zijn pugio uit de schede trok, duwde Synatos zich omhoog. Hij sprong overeind en wierp zichzelf op Thumelicatz. Nog altijd hyperventilerend van de pijn had Thumelicatz toch de tegenwoordigheid van geest om zijn schild omhoog te stoten en zo eerst de dolk en daarna het lichaam dat er achteraan kwam af te weren. Hij rolde weg naar links en kwam moeizaam op zijn knieën overeind toen Synatos op het zand belandde en zich, met de behendigheid van een hagedis, omdraaide zodat hij zijn tegenstander kon aankijken. Leunend op zijn zwaard kwam Thumelicatz moeizaam overeind. Hij was te zwak om te voorkomen dat Synatos naar zijn drietand toe krabbelde. Met zijn belangrijkste wapen in zijn rechter- en de dolk in zijn linkerhand hief de retiarius zich voor Thumelicatz op. Het gejoel van de menigte was oorverdovend en drong zelfs door tot Thumelicatz' met brons bedekte oren. Ze gingen uit hun dak nu beide gladiatoren weer overeind stonden; en toen rees het gescandeerde 'Licus! Licus!' boven de muur van geluid uit.

Nog altijd pijn lijdend en gebukt onder een groter gewicht dan zijn tegenstander wist Thumelicatz dat hij er snel een einde aan moest maken, voordat hij zo vermoeid was dat hij geen effectieve aanval meer kon inzetten. Hij liet zijn schild hangen, liet de arm met het zwaard zakken en boog zijn knieën alsof hij dat punt van uitputting al had bereikt. Met een triomfantelijke grauw schoot de retiarius naar voren, met zijn drietand op borsthoogte voor zich uit gestoken. Met een snelle, plotselinge beweging ramde Thumelicatz zijn schild in de baan van het wapen, dat erop afketste. Meteen hoekte hij zijn zwaard omhoog naar de dolk die volgde en sloeg die met een metalige klap de lucht in. Zijn rechterarm vervolgde zijn weg en knalde met de vuist, met daarin nog altijd het zwaard, tegen Synatos' gezicht en verpletterde zijn neus met een nat geknerp van kraakbeen. De retiarius vloog naar achteren, een straal bloed volgde zijn baan door de lucht, en hij kwam met een klap die alle lucht uit hem sloeg op de vloer van de arena neer. Thumelicatz stond over zijn slachtoffer gebogen, dat naar hem opkeek en meteen zijn rechterwijsvinger opstak als teken van overgave. De summa rudis stak zijn staf voor Thumelicatz' borst om het gevecht te beëindigen. Thumelicatz zoog de naar braaksel stinkende lucht met schokkende uithalen naar binnen. Het zweet prikte in zijn ogen terwijl hij neerkeek op de man, bijna een vriend, die verslagen aan zijn voeten lag.

Het was nu aan de geldschieter van de spelen om de stemming van het publiek te peilen en over Synatos' lot te beslissen.

Het spreekkoor van 'Licus! Licus!' hield aan toen hij zijn zwaard naar de geldschieter hief in een gebaar dat alle aanwezigen begrepen: leven of dood? De prefect kwam langzaam overeind, met zijn rechterhand voor zijn borst tot een vuist gebald. Hij keek het amfitheater rond.

De toon van de menigte veranderde. Aanvankelijk aarzelend, maar toen onverbiddelijk klonk het: 'Dood! Dood!' Ze hadden een goed geheugen en waren niet van plan een man te sparen die voor de tweede keer door dezelfde tegenstander was verslagen.

Op Synatos' gezicht was af te lezen dat de roep om zijn koelbloedige genadeslag tot hem doordrong en hij draaide zijn hoofd langzaam naar de geldschieter. Hun blikken ontmoetten elkaar. Terwijl hij de blik een paar tellen vasthield en het publiek stil werd, stak de prefect van Ravenna zijn rechterarm naar voren, nog altijd met de duim stevig tegen de vuist gedrukt, als teken van een ongetrokken zwaard. Hij pauzeerde voor een dramatisch effect en de stilte daalde op de ovaal neer. Toen ademde hij diep in, genietend van zijn macht over leven en dood. Plotseling stak zijn duim horizontaal uit zijn vuist, in een nabootsing van een getrokken zwaard: het teken van de dood.

Synatos glimlachte gelaten naar Thumelicatz en kwam op een knie overeind.

De menigte juichte uitgelaten, velen waren zichtbaar opgewonden onder hun tunieken, speelden met zichzelf – sommigen uitzinnig, anderen met een kalm genoegen – bij de gedachte dat er voor hun plezier weer een leven zou worden beëindigd.

Thumelicatz hief zijn zwaard omhoog en draaide zich langzaam om. De walging die hij voelde stond op zijn gezicht dat onzichtbaar was achter zijn helm, en zijn ogen namen elke persoon in het publiek op: bakkers, klerken, lage ambtenaren, beroepsverklikkers, winkeliers, hoerenjongens, handelaren en meer, allemaal even onkrijgshaftig als de vrouwen die ze neukten. Het nutteloze vet van het keizerrijk – wiens enige bestaansrecht het fysieke feit van hun geboorte was – schreeuwde om het leven van een man die het miserabele leven van de meesten van hen in minder dan tien hartslagen kon beëindigen. Was dit waarvoor de Romeinen hun rijk hadden gesmeed, zodat de angsthazen en slappelingen hun krijgshaftige fantasieën konden uitleven, en hun zaad konden verspillen terwijl het bloed van betere mannen werd verspild op het zand?

Thumelicatz liep naar Synatos toe en ging voor hem staan.

De gedoemde retiarius greep zijn rechterbovenbeen vast, hief zijn hoofd op en keek zijn beul recht in de ogen. 'Doe het snel, mijn vriend.'

'Wil je geen wapen in je hand?'

'Nee, ik bewandel een ander pad dan jij. Het mijne leidt naar de Veerman en niet naar het Walhalla.'

Thumelicatz liet zijn hoofd zakken, pakte zijn zwaard en zette het verticaal tussen de onderkant van Synatos' nek en het sleutelbeen, vlak naast zijn schouderkap. Hij sloeg zijn linkerhand over zijn rechterhand om het gevest.

Het lawaai van de menigte had een bijna onmogelijk niveau bereikt.

Synatos slikte, wierp een korte blik op de zon die in een blauwe, wolkeloze hemel brandde en knikte toen.

Met alle kracht in zijn schouders duwde Thumelicatz het lemmet door huid, vlees en long tot de punt de spierwand doorboorde van het orgaan dat nu drie keer zo snel pompte als normaal. Synatos' ogen werden groot van de pijn, zijn borst ging zwoegend op en neer en er klonk een diepe kreun die werd afgekapt toen het bloed zijn keel in stroomde. Thumelicatz voelde de greep van de stervende man op zijn bovenbeen verstrakken, zijn vingernagels doorboorden zijn huid. Hij sloeg er geen acht op, zo ging het altijd. Door zijn polsen eerst naar links en dan naar rechts te draaien, verscheurde hij het hart. Toen pakte hij met zijn linkerhand Synatos' rechterschouder vast en trok hij zijn zwaard los met het natte geslurp van een afnemende zuigwerking.

Synatos bleef even overeind zitten terwijl het bloed uit zijn open mond en neusgaten droop en lange sporen achterliet op zijn kin, zijn ogen nietsziend, zijn uitdrukking star: dood. De menigte zuchtte vergenoegd, op een rauwe, dierlijke manier. Het lijk viel achterover op het zand.

Thumelicatz hief zijn zwaard in de lucht, groette de figuren die hij zo verachtte en wenste dat de dood elk leven zou bezoeken dat als ontoereikend kon worden beschouwd; dat waren ze bijna allemaal. Zonder nog een blik op zijn slachtoffer te werpen draaide hij zich om naar de poorten die open begonnen te gaan. Acht boogschutters liepen in rijen naar binnen, vier links en vier rechts, met de pijlen op de boog, maar de bogen niet gespannen.

Thumelicatz bleef staan en wierp zijn zwaard op de grond.

Twee silhouetten, waarvan een in toga, volgden de boogschutters.

Thumelicatz herkende de gespierde contouren van zijn lanista, Orosius. Een snelle blik op de plek waar de geldschieter van de spelen had gezeten bevestigde de identiteit van de tweede figuur. De prefect van Ravenna hief zijn armen terwijl hij naar het midden van de arena stapte. Orosius bleef in de doorgang staan kijken.

Het publiek juichte hun prefect toe met de terughoudendheid van een volk dat een man eert die eerder bekendstaat om zijn macht dan om zijn populariteit. Als de prefect dit al doorhad, was daar op zijn gezicht niets van af te lezen. Hij liep naar Thumelicatz toe en gebaarde dat het stil moest zijn. Het publiek gehoorzaamde direct.

Hoewel hij ervan schrok, kon Thumelicatz raden wat er stond te gebeuren, maar hij voelde geen blijdschap, geen trots, geen opluchting nadat hij vijf jaar lang met grote regelmaat voor zijn leven had moeten vechten. Hij dacht maar aan één ding en dat was zijn vaderland, het land dat hij nooit had gezien; het land dat hij nooit had gedacht te zien. Het was een land dat hij alleen kende van de verhalen die zijn moeder, die aan Rome werd verraden toen ze zwanger van hem was, hem had verteld in de weinige jaren die hij bij haar was geweest voordat hij op achtjarige leeftijd werd weggehaald om te trainen voor een leven in de arena, waar hij, om het feit wiens zoon hij was, had verwacht te sterven.

De prefect sprak tegen het volk; Thumelicatz hoorde de woorden wel maar kon zich er niet op concentreren. In gedachten zag hij de vader die hij nooit had ontmoet en hij dacht erover terug te keren naar het land dat zijn vader zes jaar voor Thumelicatz' geboorte had bevrijd van de Romeinen: het land Germania Magna. In de loop van vier dagen had zijn vader, Erminatz, bij de Romeinen bekend onder zijn verlatijnste naam Arminius, het uit drie legioenen bestaande leger van Publius Quinctilius Varus en hun hulptroepen verpletterd in een reeks eindeloze veldslagen in het Teutoburgerwoud. Zijn moeder had hem geweldige verhalen verteld over het bloedbad. Ze hadden drie Adelaars veroverd en Rome had zich teruggetrokken achter de Rhenus. Thumelicatz zou terugkeren naar een vrij land; een land waar een man werd beoordeeld op zijn moed en waar lafhartige mannen geen rol speelden, hoeveel zilver ze ook bezaten.

Hij voelde een hand aan zijn elleboog trekken en zijn gedachten keerden terug naar het moment. Hij hoorde de prefect spreken op een toon alsof hij iets herhaalde. 'Zet je helm af, Licus van Germania.'

Thumelicatz schoof zijn duimen onder de rand en duwde ze omhoog. De bronzen helm ging af en het werd gemakkelijker om de lucht naar binnen te zuigen. Met zijn lichtblauwe ogen, samengeknepen in diepliggende oogkassen onder dikke, zwarte wenkbrauwen, keek hij neer op de prefect, die terugdeinsde. Thumelicatz veegde met de rug van zijn hand over zijn gladgeschoren gezicht en verwijderde zo veel mogelijk van het aangekoekte braaksel voordat hij een vinger tegen zijn lange, smalle neus legde en elk neusgat ontdeed van het zure vocht.

De prefect keek hem met een vies gezicht aan. Thumelicatz vroeg zich af of hij zou terugkomen op zijn plan, maar bedacht toen dat de prefect gezichtsverlies zou lijden als hij een gladiator zijn vrijheid niet zou gunnen omdat zijn uiterlijk na een gevecht hem niet aanstond. Hij rochelde en spuugde een mengsel van bloed en slijm op het zand.

De prefect rommelde in de plooi van zijn toga en haalde een houten trainingszwaard tevoorschijn, de soort die Thumelicatz jarenlang had gebruikt, dag in dag uit en uren achter elkaar, om elke voorgeschreven zet in elke combinatie te oefenen tot het net zo vanzelf ging als ademhalen.

Met een theatraal gebaar hield de prefect het in de lucht. 'Ik, Marcus Vibius Vibianus, prefect van de stad Ravenna, schenk de gladiator Licus van Germania zijn vrijheid na vijf jaar in de arena.' Hij hield Thumelicatz het zwaard met beide handen voor, en die pakte het zonder iets te zeggen aan.

Wetend dat hij de menigte niet mocht beledigen, stak Thumelicatz het symbool van vrijlating in de lucht en draaide een keer in de rondte, terwijl hij de lofbetuiging van de burgers van Ravenna, naar hij hoopte de laatste keer, over zich heen liet komen.

'Je kunt mijn beschermeling worden en mijn naam dragen,' zei Vibianus gewichtig.

Thumelicatz keek de prefect aan alsof hij zijn oren niet kon geloven. 'Ik zou nog eerder je teef worden en je miezerige welpen dragen, Romein.' Hij stampte de prefect voorbij naar de poorten, terwijl hij demonstratief de kenmerken van een secutor van zijn lichaam verwijderde en ze onder luid gejuich wegwierp. Hij bespeelde het publiek in de wetenschap dat Vibianus hem niets kon maken zolang hij hun steun genoot.

Vibianus volgde hem, in een poging zijn gezicht te redden, met zijn kin omhoog, als het toonbeeld van een hooghartige magistraat.

'Ik leid hieruit af dat jij en onze hooggeachte prefect geen vaste disgenoten worden,' merkte Orosius op toen hij vanaf de poorten met Thumelicatz opliep. Hij gaf hem een papyrusrol. 'Dit is je bewijs van vrijlating.'

Thumelicatz nam het aan zonder het te lezen. 'Dank je, Orosius. Hoe is dit zo gekomen? Ik dacht dat het mijn lot was om in de arena te sterven.'

'Dat was ook zo, maar niemand heeft de moeite genomen om onze nieuwe prefect bij zijn aantreden van dat feit op de hoogte te stellen. Toen hij me vertelde dat hij bij het publiek in de gunst wilde komen door jou vrij te laten, kon ik hem, als eenvoudige lanista, toch niet tegenspreken?'

Thumelicatz vertraagde zijn pas toen ze door de met fakkels verlichte, bedompte tunnels van het amfitheater liepen die volzaten met doodsbange, geketende gevangenen in afwachting van de kaken van de wilde dieren waarvan het hongerige gebrul door de beroete bakstenen bogen echode. Water drupte van het plafond in groene, slijmerige plassen op de versleten stenen vloer. 'Waarom heb je dit voor me gedaan? Je bent me niets verschuldigd. Het is eerder andersom; ik heb alles aan jou te danken omdat je me persoonlijk hebt getraind.'

Orosius glimlachte en keek zijn metgezel zijdelings aan. 'Zou je het geloven als ik zei dat het was om te voorkomen dat je mijn record zou evenaren en de befaamdste gladiator van Ravenna zou worden?'

'Onzin. Het kan niemand in dit stinkgat iets schelen of hij iets bereikt.'

'Je hebt het mis; het kan de prefect iets schelen. Hij wil een wit voetje halen bij de nieuwe keizer, Gaius Caligula, door de belastingbijdrage van onze stad aan de keizerlijke schatkist te vergroten. Hij is van plan om eerst de burgers voor zich te winnen en dan bezuinigingen door te voeren. Dat heeft ook zijn weerslag op hoeveel hij mij betaalt voor mijn goederen en diensten. Het bedrag dat hij me bood ter compensatie van jouw vrijlating was bespottelijk. Als de keizer erachter komt dat Marcus Vibius Vibianus de zoon van Arminius heeft vrijgelaten in een poging zichzelf populair te maken, zal hij vast naar Rome worden teruggeroepen om uitleg te geven over deze nogal ongewone manier om onze vijanden onder controle te houden. Hij zal op zijn minst het advies krijgen zijn ambities voor de Senaat uit zijn hoofd te zetten.'

'En dan wordt jouw leven hier weer normaal?'

'Meer vraag ik niet. Je kunt je dus maar beter uit de voeten maken voordat iemand hem vertelt dat hij een nogal domme fout heeft gemaakt.'

'Ik moet eerst nog iets doen.'

'Nee hoor, ik heb je prijzengeld al laten ophalen uit de ludus. Je bent een rijk man, je zou bijna jezelf kunnen kopen.'

'Hou het maar, om het tekort in je compensatie op te vullen.'

'Daarvoor is het meer dan genoeg.' Orosius gebaarde naar twee bewakers bij de poorten naar de buitenwereld dat ze ze open moesten maken. 'Wat is er dan zo belangrijk dat je niet meteen kunt vertrekken?'

Thumelicatz stapte de straat op, voor het eerst vrij om te gaan waar hij wilde. Hij knikte naar het zwaard dat in een schede aan Orosius' riem hing. 'Mag ik?'

Orosius maakte de schede los van zijn riem en gaf hem aan Thumelicatz.

'Dank je, Orosius. Ik moet mijn moeder ophalen; zij is een slaaf in het huis van mijn oom.'

Thumelicatz bonsde op de deur van een ruime villa aan de brede, drukke hoofdweg die Ravenna's forum met de citadel verbond. Na een tijdje werd er een kijkgaatje op ooghoogte opengeschoven en verscheen er een donker, vragend oog.

'Ik wil graag Tiberius Claudius Flavus spreken,' kondigde Thumelicatz aan terwijl hij probeerde de spanning niet in zijn stem te laten doorklinken.

'Welke naam kan ik doorgeven, meester?'

'Zeg maar dat het de zoon van zijn broer is.'

Het gaatje klapte dicht.

Thumelicatz wachtte met groeiend ongeduld en vroeg zich af of Flavus, die hij kende als Chlodochar, na zo'n lange tijd de deur nog voor hem open zou durven maken.

Het antwoord kwam in de vorm van het schuiven van een grendel en het geklik van een sleutel.

De deur zwaaide naar binnen toe open.

Met zijn hand op de knop van zijn zwaardgevest liep Thumelicatz voor het eerst in veertien jaar door de hal naar het atrium van zijn ooms huis.

Het atrium was dat van een Romein, niet van een Germaanse krijger van de Cherusken, de stam waartoe Thumelicatz en zijn oom behoorden. Een fijne mozaïekvloer met afbeeldingen uit de *Aeneis* liep rond het impluvium in het midden van de rechthoekige kamer. Er was een fontein met Salacia, een metgezel van Neptunus, afgebeeld als een nimf met een kroon van zeewier. Er hingen geen wapens of andere gereedschappen aan de muren, geen zwijnentanden, geen geweien, niets waarvan Thumelicatz' moeder had verteld dat het de muren van het huis van een edelman sierde. Er waren geen lange houten tafels en banken waaraan zijn volgelingen konden eten en zingen, alleen lage, gepolijste marmeren tafels op sierlijke poten, vol met glazen schalen en bronzen beeldjes van Romeinse goden. Voor Thumelicatz zag het er net zo uit als de andere Romeinse huizen waar hij de rijken van Ravenna had moeten vermaken met zijn schermkunsten terwijl zij zich tegoed deden aan luxe, overvloedige maaltijden. Hij spuugde op de vloer.

'Dat is precies het gedrag dat ik zou verwachten van een slaaf en een gladiator,' klonk het minachtend van de andere kant van de kamer. 'Waarom ben je nog niet dood en hoe heb je toestemming kunnen krijgen om hier te komen?'

Thumelicatz keek op en zag een lange, gezette man in een ridderlijke toga de kamer binnenkomen. Zijn haar was kort en grijzend blond. Een blauwgrijs litteken op de plaats waar zijn rechteroog had moeten zitten ontsierde een rond en week, blozend gezicht.

Thumelicatz spuugde nog eens, nu uit minachting voor de man die hij zag in plaats van voor de cultuur waarmee hij zich omringde. 'Ik ben niet dood omdat ik bescherming geniet van Donar, de god van de krijgers; en ik ben hier omdat ik geen toestemming nodig heb om ergens naartoe te gaan nu ik noch slaaf noch gladiator ben, *oom*.'

Flavus bleef staan. De spottende gereserveerdheid op zijn gezicht veranderde nog voordat Thumelicatz was uitgesproken in geschokte ongerustheid. 'Je liegt. Bewakers!'

Thumelicatz trok het houten zwaard uit zijn riem en liep de kamer verder in toen er achter Flavus vier potige bewakers binnenkwamen, met hun zwaarden getrokken. Thumelicatz bleef links van het impluvium staan.

Flavus gebaarde dat zijn mannen moesten blijven staan. 'Wie heeft je dat gegeven?'

'*Uw* prefect, nog geen uur geleden.'

'Dan zal ik hem zeggen dat hij het terug moet nemen.'

'Dat kan hij niet, al zou hij het willen. Volgens mijn certificaat ben ik een bevrijd Romeins burger. Ik kan in beroep gaan bij de nieuwe keizer en hij zou me in het gelijk moeten stellen.'

'Of hij kan je laten doden, zoals Tiberius jaren geleden al had moeten doen.'

Het was nu Thumelicatz' beurt om een spottende toon aan te slaan. 'U weet heel goed waarom Tiberius me niet heeft laten doden. Dat was om dezelfde reden dat hij het aanbod van de koning van de Chatten, Adgandestrius, om mijn vader te vergiftigen afsloeg; omdat hij nog enig eergevoel had – iets wat u jaren geleden al bent kwijtgeraakt. Breng me nu mijn moeder, en dan laat ik u rotten in de stinkende vruchten van uw verraad.'

'Ze is niet mijn eigendom, ze behoort toe aan de Romeinen; ik pas enkel op haar.'

'Ze is de vrouw van uw broer. Nu hij dood is, hebt u het recht met haar te doen wat u wilt. Geef haar aan mij en ik vertrek met een iets beter beeld van u; ik zal mijn vaders wraak opgeven en u hoort nooit meer iets van mij.'

'En als ik ervoor kies dat niet te doen?'

'Dan kies ik ervoor haar te nemen; en mijn vaders wraak zal die van een door zijn broer vermoorde man zijn.'

Flavus lachte, leeg en vreugdeloos. Hij wees met een duim over zijn schouder. 'En jij denkt dat zíj je zullen laten begaan?'

Thumelicatz keek naar de rij lijfwachten, Germaanse hulptroepen die hun diensttijd hadden volbracht en in dienst van hun commandant waren gebleven, vermoedde hij. 'Als ik aan hen denk, doe ik dat met één tegelijk.' In gedachten maakte Thumelicatz een inschatting van de donkerharige man die helemaal rechts stond en van de oudere man met een volle, blonde baard naast hem.

Iets in de nonchalante toon van zijn neef maakte dat Flavus even aarzelde voordat de blik in zijn enige overgebleven oog harder werd. Hij stapte opzij. 'Dood hem!'

De vier lijfwachten stapten zonder aarzeling en als één man naar voren. Thumelicatz wist dat ze een grote fout hadden begaan. Hij sprong naar rechts, op de verhoogde rand van het impluvium, op het moment dat het zwaard van de donkerharige man omlaag suisde op de plek waar hij even daarvoor nog had gestaan. Thumelicatz trok zijn zwaard uit de schede en maakte de omhooggaande beweging af tot het wapen de kaak van de man raakte en lossneed – zodat hij alleen nog aan het vel van zijn wangen bungelde. Op hetzelfde moment haalde de blonde bewaker horizontaal uit naar zijn bovenbeen. Met een snelle, neerwaartse beweging van zijn linkerhand ving Thumelicatz de klap op met zijn oefenzwaard, waardoor die afketste en door het harde hout heen sneed en met weinig kracht in zijn kuit belandde. Gedreven door de pijn stootte hij het versplinterde restant van het houten zwaard omhoog, in het oog van de blonde man, die met een wanhopige kreet achterover tuimelde. Met een ruk trok Thumelicatz zijn druipende zwaard uit zijn eerste slachtoffer – dat wankelend neerviel – en hij richtte het op de twee overgebleven bewakers. Ze bleven staan, onzeker wat ze moesten doen tegen een man die hun twee kameraden in minder dan vijf hartslagen had uitgeschakeld. Thumelicatz wachtte niet tot ze iets hadden bedacht. Hij gooide zijn wapen van zijn rechter- naar zijn linkerhand en wierp het met gedraaide hand in de richting van de dichtstbijzijnde man. Het lemmet maakte een onscherpe bocht die eindigde met de holle, natte klap van een slagersmes dat een varken in stukken hakt. Het hoofd van de bewaker draaide met de snelheid van de klap naar rechts en bleef aan een paar nog vastzittende pezen op de schouder hangen, vanwaar het zijn makker onthutst aanstaarde terwijl het hart twee laatste, grote samentrekkingen maakte en bloed de lucht in deed spuiten. Het hoofd kantelde naar voren en trok het lichaam mee omlaag op het moment dat Thumelicatz' zwaard in de openstaande, ongelovige mond van de vierde lijfwacht stootte. De punt schoot door de nek naar buiten. Nog voordat de verrassing in de ogen van de man was doorgedrongen, had Thumelicatz zich al omgedraaid om de kamer rond te kijken; zijn oom was verdwenen.

De schreeuw van een vrouw in de binnentuin, achter het huis, galmde door het atrium. Thumelicatz maakte gebruik van de zwaartekracht om zijn zwaard uit zijn laatste slachtoffer te trekken terwijl het lichaam ineenzakte op de met bloed besmeurde mozaïekvloer. Met een snelle blik om zich heen om te kijken of er meer bedienden waren die hun meester wilden verdedigen, rende Thumelicatz naar het *tablinum*, aan de andere kant van het atrium. Hij liep erdoorheen en kwam in de tuin.

'Leg je zwaard neer en je moeder blijft leven!' Flavus stond tussen twee van de zuilen in de gang achter in de tuin. Een vrouw van in de zestig, lang met woest haar en borsten die onder een dunne, knielange tuniek heen en weer bungelden, probeerde zich los te maken uit zijn greep met een mes op haar keel.

Haar blauwe ogen werden groot van herkenning. 'Thumelicatz!'

Achter Flavus stond een andere vrouw van dezelfde leeftijd maar met een grovere bouw verscholen in een deuropening. Er flitste een dolk in haar hand en haar gezicht was vervuld van haat. 'Dood die teef gewoon, man, dan rekenen we daarna af met haar jonk.'

'Stil, Gunda! Thumelicatz, laat je wapen vallen.'

'En wat als ik dat niet doe?'

'Dan snijd ik Thusnelda's keel door.'

Thumelicatz bleef doorlopen, langs een grote vijgenboom die de tuin domineerde. 'En wat gebeurt er dan?'

'Dan ben jij aan de beurt.'

Thumelicatz lachte spottend. 'U bent een oude man, oom; en u zult geen dag ouder worden als mijn moeder iets overkomt.' Hij bleef op twee passen van Flavus en Thusnelda staan. Hij liet demonstratief zijn zwaard zakken, maar hield het stevig vast. 'Dus wat wordt het, oom, de dood voor jullie beiden of het leven?'

Flavus keek zijn neef over Thusnelda's schouder aan, met onzekerheid en angst in zijn ogen.

Thumelicatz hield zijn blik vast. Er gleed een zweem van geamuseerdheid over zijn gezicht. 'U hebt altijd al te veel van het leven gehouden, oom. Daarom hebt u het verkozen boven eer en mijn vader vermoord.'

'Erminatz zou me laten doden, slechts één van ons kon in leven blijven.'

'Mijn man hield van je, Flavus!' schreeuwde Thusnelda. 'Je was zijn jongere broer, hij had het je vergeven als je was teruggekeerd naar Germania en Rome de rug had toegekeerd. Daarom heeft hij jou en mijn vader die avond alleen ontvangen. Hij geloofde in jullie leugen dat jullie naar huis terugkeerden en mij en mijn zoon mee zouden nemen. Jullie hebben zijn vertrouwen en de bloedband beschaamd en hem als verraders vermoord.'

'Ik heb gedaan wat het beste was voor...'

Met een schrille kreet in combinatie met fladderende rokken en haren sprong Gunda uit de schaduwen tevoorschijn, met haar tanden ontbloot en de dolk bovenarms gericht op de zijkant van Thusnelda's nek boven de schouder van haar echtgenoot.

Flavus draaide zich om, waardoor meer van Thusnelda's lichaam werd blootgesteld aan de aanval, en op hetzelfde moment schoot er een ijzeren glinstering omhoog. Thumelicatz' zwaard scheidde de vuist met het mes van Gunda's rechterarm. De geschokte blik op Flavus' gezicht toen hij Gunda's hand door de lucht zag vliegen, met een straal bloed erachteraan, maakte plotsklaps plaats voor pijn en verrassing toen Thusnelda's scherpe tanden in de muis van zijn duim zonken. Ze schudde woest met haar hoofd en scheurde vlees en spierweefsel van het bot, waardoor het gewricht bloot kwam te liggen terwijl ze hard met haar elleboog tegen het middenrif van haar zwager stootte. De dolk tegen haar keel viel kletterend op de grond, maar het geluid werd overstemd door Gunda's ongecontroleerde gekrijs. Haar ogen schoten op en neer tussen haar afgehakte hand op de grond en de stomp die ze in haar linkerhand hield en waar met tussenpozen straaltjes bloed uit spoten.

Thusnelda schopte Flavus' mes weg toen ze zich uit zijn greep had losgemaakt en stapte, bukkend om Gunda's hand van de grond op te rapen, in de veilige omhelzing van haar zoons linkerarm. Ze draaide zich om en keek neer op het echtpaar dat haar gevangen had gehouden, maar nu op de knieën was gebracht. Haar kaken maakten stevige kauwbewegingen en ze spuugde een half vermalen homp vlees in Flavus' opkijkende gezicht. 'Nu is het mijn beurt, Chlodochar. Nu zullen jij en die teef van een vrouw van je ontdekken waar ik de afgelopen tweeëntwintig jaar van heb gedroomd.' Ze wierp een kille lach op Gunda, die zachtjes jammerde en in haar pols kneep om de bloedstroom te stelpen. 'En wees niet bang, liefje, na je dood zullen we altijd aan je blijven denken.' Ze hield de afgehakte hand op. 'Je vingerbotjes zullen er prachtig uitzien in mijn haar.'

Thumelicatz trok aan een touw en maakte het vast aan een lage tak van de vijgenboom. Flavus hing aan zijn polsen, met zijn voeten net boven de grond.

Thusnelda keek omhoog. 'Donar, bescherm mij en mijn zoon op onze reis door vreemde landen en sta ons toe dat we terugkeren naar Germania. Accepteer dit geschenk van bloed, het meest waardevolle geschenk dat ik u kan geven buiten mijn eigen zoon: het bloed van een verwante vrouw die kinderen heeft gebaard.' Thusnelda liet haar blik zakken en keek in de ogen van Gunda, die aan de boomstam was vastgebonden. 'Je bent nu van de Grote Donderaar, teef. Je mag me dankbaar zijn dat ik je miserabele bestaan nog enige zin geef.'

Gunda spuugde in Thusnelda's gezicht. 'Onze zoon, Italicus, zal ons wreken.'

'Italicus! Wat is dat voor een naam voor een zoon van Donar?' Thusnelda hief haar mes en legde het tegen de keel van Gunda. 'Je hebt alles verloren waarmee je bent geboren. Je bent zelfs het vermogen kwijt om een eerzame naam voor je zoon te kiezen.' Ze gaf een ruk met haar arm; scherp ijzer sneed door vlees.

Gunda's ogen werden groot, er borrelde vocht op in haar keel en haar lichaam schokte in het touw.

Thumelicatz stapte naar voren en hief zijn zwaard naar Flavus, die bungelend aan de boom vol afschuw naar de doodsstrijd van zijn vrouw keek. 'Donar, breng ons naar huis en sla me neer met donder en bliksem als ik ooit nog iets met Rome of haar volk van doen heb. Ik wil niets van haar, ik ben klaar met haar; zie erop toe dat ik me aan mijn belofte houd.' De punt van zijn lemmet gleed in Flavus' onderbuik en er klonk een luide snik uit de hangende man. Terwijl hij zijn rechterhand met de linker ondersteunde, trok Thumelicatz het lemmet met een zaagbeweging omhoog. Het sneed omhoog, door spieren en darmen heen, en er kwamen walgelijke gassen en vloeistoffen vrij. De pijn die het veroorzaakte was veel erger dan Flavus' geschreeuw kon uitdrukken. Toen het lemmet bij de borstkas kwam, trok Thumelicatz het eruit en liep hij om zijn oom heen. Hij sloeg zijn armen om het kronkelende lichaam, stak zijn vingers in de open wond en rukte hem open. Grijze, dampende darmen glibberden naar buiten langs Flavus' benen en kwamen neer op zijn voeten. Zijn gekrijs deed Thumelicatz en Thusnelda goed.

Ze keken elkaar aan en glimlachten.

'Ik heb je gemist, mijn zoon.'

'Ik weet het, moeder. Laten we naar huis gaan.'

HOOFDSTUK I

GERMANIA MAGNA, VOORJAAR 41 N.C.

Thumelicatz zag drie krijgers te paard vanuit het westen naderen, op een halve mijl afstand in de vallei. Langs de rand van een omgeploegd en ingezaaid veld, een *rode* die generaties eerder met veel pijn en moeite in het omringende bos was vrijgemaakt, kwamen de ruiters de heuvel af en reden ze om een stuk moerasland heen dat werd gevoed door een rivier die uitmondde in het door riet omzoomde meer verderop. Een licht briesje deed het oppervlak rimpelen. De zilveren en gouden glinstering in de ondergaande zon was een groot contrast met de naaldbomen op de omringende heuvels. De zoete geur van het hars van al die bomen hing in de warme lucht en gaf de naam aan deze hooggelegen heuvels in het hart van Germania Magna: *Harzland* in de taal van de Cherusken – het Land van Hars.

De komst van bewapende mannen leidde niet tot consternatie bij Thumelicatz en zijn verwanten, want aan de punten van hun speren waren berkentakken met jonge blaadjes gebonden, als teken van vreedzame bedoelingen. De twaalf mannen die in deze nederzetting woonden hadden desalniettemin hun wapens uit het langhuis gehaald en stonden nu op het pad dat langs de hele lengte van de omheining rond het kleine groepje huizen liep. Alleen Thumelicatz stond onbewapend in de open toegangspoort. Toch was hij niet zonder bescherming; aan weerskanten van hem stond een reusachtige, kortharige jachthond. Ze gromden diep in hun keel toen de ruiters dichterbij kwamen.

Thumelicatz tikte op de muilkorven van beide honden. 'Beisser, Reisser, *stumm*!' De honden stopten direct met geluid maken en keken op naar hun baas, klaar om hem te volgen in zijn reactie op de nieuwkomers.

Thumelicatz kneep zijn diepliggende ogen dicht tegen de laagstaande zon. Hij wreef over zijn baard, die zo vol was dat hij bijna tot aan zijn hoge jukbeenderen doorliep, en ging toen met een vinger over zijn dunne, bleke lippen terwijl hij de drie krijgers, die nu minder dan honderd passen van hem verwijderd waren, aandachtig bekeek. Hij keek op naar de man die het dichtstbij aan de linkerkant van de omheining stond en fronste. 'Chatten?'

De man gromde en knikte toen. 'Dat klopt, heer, ze dragen allemaal een ijzeren halskraag. Eerste infanteristen, de dapperste van hun krijgers.'

'Hoe lang geleden is het dat de Chatten zich op ons grondgebied hebben gewaagd, Aldhard?'

'Vijf jaar geleden, het jaar voor je terugkeer, heer. Maar toen kwamen ze met getrokken zwaarden en niets aan de punten van hun speren. We hebben ze tot stilstand gebracht toen ze de Visurgis probeerden over te steken. Het was een zware strijd en we hebben die dag flink wat mannen verloren. Hun bloedprijs moet nog worden terugbetaald.'

Thumelicatz knikte. Hij kende de liederen over de laatste aanval van de Chatten op de Cherusken in het jaar voordat hij het houten zwaard had ontvangen. Het jaar voordat hij en zijn moeder de zware tocht over de bergen hadden gemaakt en Italia hadden verruild voor Germania.

De drie krijgers legden het laatste stuk over open terrein af en lieten hun paarden twintig passen voor Thumelicatz stilhouden. Ze staken hun met bladeren versierde speren zo hoog de lucht in dat er geen misverstand kon bestaan over hun bedoelingen.

Thumelicatz bestudeerde de mannen. Ze hadden allemaal lang, vlassig haar in een knot boven op hun hoofd, en lange, goed verzorgde baarden die deels over de ijzeren halskragen, van drie vingers dik, heen hingen. Twee van hen waren van zijn leeftijd, halverwege de twintig, maar het blond van de baard van de middelste ruiter was doorweven met zilver en zijn ijsblauwe ogen hadden rimpels in de hoeken. Thumelicatz richtte zich tot hem. 'Wat brengt jullie zo ver van jullie thuisland?'

'Mijn naam is Warinhari en ik kom van het hof van Adgandestrius, de koning van de Chatten. Ik ben zijn zoon. Mijn vader laat Thumelicatz, zoon van Erminatz, groeten; heb ik het genoegen nu voor hem te staan?'

'Ik ben degene die je zoekt.'

'Het is een voorrecht om de zoon van de grootste krijger van Germania te mogen ontmoeten. Dit najaar tweeëndertig jaar geleden, toen ik nog maar zestien zomers telde, heb ik met je vader gevochten in het Teutoburgerwoud.'

Thumelicatz lachte in zichzelf. Er was in het noorden van Germania Magna geen krijger van vijfenveertig jaar en ouder die niet beweerde aanwezig te zijn geweest bij de strijd die een einde had gemaakt aan de oostwaartse mars van Rome en haar de grenzen van het keizerrijk had laten zien. 'Ik heb gehoord dat de Chatten dapper hebben gevochten – toen ze eenmaal de aanval hadden ingezet.'

Warinhari boog zijn hoofd na dat dubbelzinnige compliment en negeerde de spottende toon. De Chatten hadden de eerste twee dagen van een afstand toegekeken en hun strijdkrachten pas ingezet toen de slag al bijna gewonnen was. 'De Chatten vechten altijd dapper.'

'Wat wil Adgandestrius van mij? De laatste keer dat hij iets van mijn familie wilde, was het mijn vaders dood.'

'Dat was een generatie geleden. Hij moest zijn positie beschermen nadat de alliantie die je vader had opgebouwd uiteen was gevallen. Nu is de situatie anders en heeft mijn vader een voorstel dat betrekking heeft op de veiligheid van alle stammen in Germania. Het is iets wat bij het vuur moet worden besproken, niet hier in de open lucht. Ik wil het snel met je bespreken, want er moet morgen een besluit worden genomen, twee dagen voor de volle maan.'

Thumelicatz keek naar Aldhard, die het hele gesprek had meegeluisterd. Met een discreet knikje van zijn hoofd gaf hij zijn goedkeuring. Thumelicatz wendde zich weer tot de bezoekers. 'Goed dan, ik accepteer jullie tekens van vrede, jullie mogen binnenkomen. Draag jullie wapens met eer en doe niemand hierbinnen kwaad.'

Hoewel het een warme dag was, brandde er een vuur in de ronde haard exact in het midden van het langhuis. De rook onttrok het rieten puntdak bijna aan het zicht terwijl hij zich een weg baande naar een opening in de top. Aan de balken hingen hammen en vissen om ze te verduurzamen in de rook. Afgezien van een paar tafels en banken op de met biezen bestrooide vloer, was het langhuis leeg. Thumelicatz leidde Warinhari naar een kale houten tafel naast het vuur en nodigde hem uit plaats te nemen op de bank aan de ene kant. Hij ging tegenover hem zitten en klapte in zijn handen. Er verscheen een oude slaaf vanachter een lederen gordijn aan de andere kant van de ruimte. Zijn dunne, grijze haar was

kortgeknipt, op de Romeinse wijze, maar zijn baard was lang en ruig.
De slaaf maakte een buiging. 'Ja, meester.'
'Breng ons bier, gerookt vlees en brood en laat mijn moeder weten dat ze erbij moet komen zitten.'
'Ja, meester.' De oude slaaf draaide zich om en liep weg, met zijn ogen strak op de grond gericht.
'En, Aius.'
De slaaf stopte en draaide zich om naar zijn meester.
'Breng de metgezellen van deze man, die buiten wachten, eten en drinken en laat Tiburtius de paarden van mijn gasten verzorgen.'
'Ja, meester.'
Toen Aius wegliep, wendde Thumelicatz zich tot Warinhari. 'Die slaaf en zijn maat Tiburtius hebben allebei mijn vader gediend.'
'Romeins?'
'Uiteraard. Ze hoorden bij Varus' leger dat in het Teutoburgerwoud gevangen is genomen.'
Warinhari fronste met een vragende blik.
'Ze hebben bij al hun goden gezworen nooit een poging te doen om te ontsnappen, dus mijn vader heeft ze de toorn van onze goden bespaard. Ze zijn hem zelfs na zijn dood trouw gebleven. Toen ik terugkeerde, waren ze nog altijd in het langhuis, waar ze zijn paarden en jachthonden verzorgden, zijn wapens en pantser poetsten en de biezen op de vloer vervingen en het haardvuur brandend hielden. Het was alsof hij nog geen vijftien jaar dood was.'
'Ze moeten van hem hebben gehouden.'
'Van hem gehouden? Dat betwijfel ik. Je moet toch weten dat niemand van mijn vader hield. Maar wie hem kende, vreesde hem, want er was niets wat hij niet durfde; geen grenzen die hij niet overging; geen beperkingen die hij niet overschreed.'
Warinhari knikte, in gedachten verzonken. 'Hij was een gevaarlijk man – zowel voor zijn vrienden als voor zijn vijanden.'
'En voor zijn familie,' zei een vrouw die als een silhouet zichtbaar was in de deuropening. Haar haren vielen slordig om haar heen, met botjes erin verweven die rammelden als ze bewoog.
Thumelicatz stond op. 'Moeder, dit is Warinhari. Hij komt in vrede met een voorstel van zijn vader, koning Adgandestrius. Ik wil dat je samen met mij naar hem luistert.'

Thusnelda staarde Warinhari aan toen hij opstond en voor haar boog. Haar donkerblauwe ogen werden spleetjes en de denkrimpels op haar gezicht verraadden haar leeftijd. 'Waarom zou ik luisteren naar de boodschapper van de man die keizer Tiberius heeft aangeboden mijn man te doden?'

'Omdat we nu in een andere tijd leven, moeder. Bovendien heeft Tiberius het aanbod afgeslagen.'

Thusnelda spuugde op de biezen. 'Omdat hij, ondanks dat hij een Romein was, meer eergevoel had dan die wezel-koning van de Chatten.'

'Moeder, dat ligt allemaal achter ons. Adgandestrius zou zijn zoon niet hebben gestuurd als hij niet wilde dat we zijn voorstel heel serieus zouden nemen. We moeten naar hem luisteren.'

Thusnelda stopte haar hand in een leren zak die aan haar riem hing en speelde met iets wat erin zat. Het leek haar te kalmeren. 'Goed dan,' gaf ze toe op het moment dat Aius met een dienblad naar binnen kwam schuifelen. 'Maar ik waarschuw je, Thumelicatz, deze man zal je ertoe verleiden een eed te verbreken – de beenderen hebben gesproken.'

Thusnelda ging naast haar zoon zitten en keek de bezoeker dreigend aan terwijl Aius voor ieder bier in een hoorn schonk en een bord met brood en koud vlees op de tafel tussen hen in achterliet, naast een knetterende talgkaars.

Thumelicatz nam een grote slok van zijn bier en zette zijn hoorn neer. 'Vertel, Warinhari. Welk voorstel vindt je vader zo belangrijk dat hij het risico neemt zijn zoon ermee naar mij toe te sturen?'

'Het heeft met Rome te maken.'

'Dan kom je voor niets. Rome heeft mijn familie verscheurd.' Thumelicatz trok een amulet in de vorm van een hamer onder zijn tuniek vandaan. 'Ik heb aan Donar de Donderaar gezworen nooit meer iets met dat roofzuchtige keizerrijk van doen te hebben. Ik heb de eed bezegeld met de levens van mijn verraderlijke oom en zijn vrouw. En toen de Donderaar zich aan zijn deel van de afspraak had gehouden en mij en mijn moeder veilig thuis had gebracht, heb ik het bevestigd door drie Romeinse handelaren in rijshouten poppen te verbranden in hetzelfde gewijde bos als waarin mijn grootvader, Siegimeri, werd gedwongen zijn twee zoons als gijzelaars aan de Romeinse generaal Drusus af te staan.'

'Dat verhaal is bekend: toen je vader negen was, werden hij en zijn jongere broer naar Rome gebracht.'

Thusnelda leunde naar voren en sloeg haar arm om Thumelicatz heen. 'En ik werd ook meegenomen, en Erminatz heeft zijn zoon nooit gezien. Mijn trouweloze vader, Segestes, heeft me overgegeven aan Germanicus terwijl ik een kind droeg. Ik werd naar Rome gebracht en ben daar bevallen. Twee jaar later keek mijn vader als eregast van de keizer toe hoe ik met mijn zoon en broer door de straten werd gevoerd om de triomf van Germanicus te vieren. Zijn loyaliteit lag meer bij de rijkdommen en macht die Rome hem kon brengen dan bij zijn bloedverwanten. Als bewijs hielp hij uiteindelijk mijn echtgenoot en zijn eigen jongere broer te vermoorden. Wij willen nooit meer iets met Rome te maken hebben, dus ga nu!'

Warinhari keek over de tafel naar de moeder en zoon met hun starre gezichten. Hij dronk zijn hoorn leeg. 'Ik begrijp hoe sterk jullie gevoel is en geloof me als ik zeg dat mijn vader en ik dezelfde haat voor Rome voelen. Maar Rome is een realiteit; zelfs hier in Germania Magna voelen we haar macht. Welke stam tussen de Rhenus en de Albis heeft geen verdragen met Rome die ze dwingt jonge mannen te leveren voor hun hulptroepen en bijdragen te leveren aan hun schatkist? Allemaal; de Chatten, de Frisii, de Chauken, de Angrivariërs, allemaal, zelfs jullie, de Cherusken.'

Thumelicatz sloeg hard met zijn hand op tafel, waardoor de kaars nog harder sputterde en knetterde. 'Dat bewijst niets!'

'Het bewijst dat de arm van Rome lang is en de stammen van Germania te zwak zijn om er weerstand tegen te bieden.'

'Maar wij zijn nog vrij, Warinhari, er is hier geen Romeinse gouverneur. De steden die Rome heeft gebouwd voordat ze door mijn vader werd verslagen, zijn vervallen en overwoekerd door het woud, en we hebben onze eigen wetten. Hoeveel meer vrijheid kunnen we verwachten?'

'De vrijheid die voortvloeit uit het niet langer in angst leven dat er een nieuwe inval komt.'

'De uitbreiding van Rome naar het oosten is gestopt, daar heeft mijn vader voor gezorgd.'

'Gestopt of gestokt? Is het echt voorbij? Kun je diep in je hart kijken en met zekerheid zeggen dat Rome het niet nog eens zal proberen?'

Thumelicatz wreef met beide handen over zijn baard, met zijn ellebogen op de tafel, en hij staarde naar het dunne pluimpje rook dat van de net uitgedoofde kaars omhoog kronkelde. 'Nee,' zei hij na een tijdje.

'Nee, dat kan ik niet. Naarmate Rome verder uitbreidt, krijgt ze meer burgers die in haar legioenen kunnen dienen. Tenzij er een plaag komt, zal haar mankracht altijd blijven groeien. De drie legioenen die mijn vader heeft uitgewist zullen snel zijn vervangen en dan rukt Rome misschien weer op.'

'Exact. Daarom moeten wij ervoor zorgen dat Rome het elders te druk heeft om hiernaartoe te komen.'

Thumelicatz keek op en ving Warinhari's blik. 'Hoe dan?'

'Twee dagen geleden arriveerden er enkele Romeinen aan mijn vaders hof in Mattium. Ze waren op zoek naar jou. Ze hebben een mes dat van je vader is geweest en dat ze je hopen te kunnen teruggeven in ruil voor een gesprek.'

'Mijn vaders mes? Hoe weten ze dat zo zeker?'

'Er staat in runen "Erminatz" gegraveerd op het lemmet. Ik heb het gezien en het lijkt me echt.'

'Hoe zijn ze daaraan gekomen?'

'Twee van hen beweren de zoons te zijn van de centurio die je vader van zijn volk naar de Rhenus heeft geëscorteerd, en vervolgens als gijzelaar verder naar Rome.'

'Erminatz heeft de centurio zijn mes gegeven,' bevestigde Thusnelda. 'Hij vertelde mij dat hij hem had gevraagd het na zijn terugkeer aan zijn moeder te geven. Maar dat heeft hij nooit gedaan, dat oneerlijke Romeinse varken. Waarom denk je dat je de zoons van een dief kunt vertrouwen?'

'Mijn vader, Adgandestrius, spreekt altijd de waarheid en weet het dus wanneer iemand liegt. Deze mannen zijn oprecht.'

'Waarom willen ze mij spreken?' vroeg Thumelicatz terwijl hij de kan oppakte en Warinhari's hoorn weer vulde.

'Ze willen weten waar ze de verloren Adelaar van het Zeventiende Legioen, die je vader in het Teutoburgerwoud heeft afgenomen, kunnen vinden.'

Thumelicatz zette de kan met zo'n harde klap neer dat het bier over de rand klotste, en begon vreugdeloos te lachen. 'Ze willen een mes ruilen voor een Adelaar? Zelfs Erminatz zou niet zoveel waarde hechten aan zijn mes.'

Warinhari lachte niet mee. 'Zolang die Adelaar in Germaans gebied is, zullen de Romeinen ernaar komen zoeken. Germanicus kwam vijf jaar na Teutoburg terug, en het jaar erop weer, en hij heeft je vader drie keer verslagen. Hij is niet alleen teruggekomen om wraak te nemen, maar ook om de Romeinse trots te herstellen. Hij kwam terug voor de drie Adelaars die verloren zijn gegaan in het Teutoburgerwoud. Denk je dat hij anders zou zijn teruggekomen? Hij heeft echter alleen de Adelaars van het Achttiende en Negentiende Legioen teruggevonden voordat Tiberius, die jaloers en vol ontzag was voor wat hij had bereikt, hem terugriep naar Rome.'

'En sindsdien is er niemand terug geweest.'

'Tot nu.'

'Een paar Romeinen met een mes?'

'Het is het begin. Alleen jouw vader wist welke van de zes stammen die hebben deelgenomen aan de strijd de Adelaars hebben gekregen. Germanicus heeft de Marsi en de Bructeren gevonden, en wij hebben het Steenbokembleem van het Negentiende Legioen gekregen. Dan blijven jouw stam en de Chauken of de Sugambren over. Weet jij waar die Adelaar is?'

Thumelicatz aarzelde en knikte toen. 'Ja, dat weet ik.'

'Wil jij die Romeinen helpen om hem terug te halen?'

Thumelicatz greep de hamervormige hanger rond zijn nek vast. 'Als ik dat deed, zou Donar me van bovenaf door de bliksem laten treffen omdat ik mijn belofte brak.'

'Ook als jouw acties de komende generaties van zijn volk van vrijheid zouden verzekeren?'

'Waarom zou de terugkeer van een Adelaar ervoor zorgen dat Rome nooit meer zou proberen het keizerrijk aan de andere kant van de Rhenus uit te breiden?'

Warinhari glimlachte en bracht zijn gezicht dichterbij. 'Rome heeft een nieuwe keizer, Claudius. Een zeverende sukkel, zo hebben we gehoord. De mannen die profiteren van zijn machtspositie willen hem natuurlijk op de troon houden. Daarom moeten ze ervoor zorgen dat het leger zoveel van Claudius houdt dat ze een overwinning voor hem zullen boeken die zo groot is dat hij verzekerd is van zijn positie bij het volk.'

'En die Adelaar verzekert Claudius van de liefde van zijn leger?'

'Inderdaad. Rome schaamt zich voor het verlies. Als Claudius wordt gezien als degene die verantwoordelijk is voor het terugwinnen ervan, doen zijn legioenen voor hem misschien wat ze niet wilden doen voor zijn voorganger, Caligula: ze laten zich inschepen voor een invasie van Britannia.'

Langzaam verscheen er een glimlach op Thumelicatz' gezicht. 'Vier, misschien wel vijf legioenen en hun hulptroepen.'

Warinhari knikte. 'Exact. En die worden weggehaald uit het Rhenusgarnizoen of dat aan de Danuvius in het zuiden. Als zoveel troepen zich aan de overkant van de Noordzee bevinden, hoeven wij...'

'Generaties lang niet bang te zijn voor invasies,' maakte Thumelicatz zijn zin af.

'Ja. We zullen honderd of tweehonderd jaar veilig zijn, en tegen die tijd zijn wij misschien sterker dan Rome en kunnen we de westelijke provincies bedreigen.'

'En haar terugdrijven zodat het westen verzekerd is van een Germaanse toekomst.'

'Wellicht.'

'Waar zijn die Romeinen?'

Thusnelda greep haar zoon bij de arm. 'En je belofte dan, mijn zoon?'

'Moeder, de Donderaar zal begrijpen waarom ik dit doe en me voor deze ene keer vergeven. Ik zal deze Romeinen naar de Adelaar leiden en zijn volk hoeden voor een verovering, zodat ze sterker kunnen worden.'

'Je doet wat goed is, Thumelicatz,' zei Warinhari. 'Over drie dagen zullen de Romeinen bij volle maan bij de Kalkreus in het noorden van het Teutoburgerwoud zijn, op de plaats waar Varus, in de schaduw van de Teutoburgerpas, op de vierde dag van de slag zijn laatste stelling innam.'

Thumelicatz hield Warinhari's blik even vast terwijl het besluit een vaste vorm aannam. Hij knikte langzaam. 'Ik zal er zijn, Warinhari, dat zweer ik. Ik zal luisteren naar wat de Romeinen te zeggen hebben en als ik hen integer acht, zal ik koste wat het kost helpen om de Adelaar terug te halen.'

Er stond een sterke bries vanuit het zuiden, die de lederen zeilen deed opbollen van de vier brede sloepen die stroomafwaarts op de Visurgis voeren. Die ochtend hadden Thumelicatz en zijn verwanten hun vracht en paarden in de boten geladen en waren ze vanuit de vervallen Romeinse rivierhaven naar het noorden gevaren. Ze waren de dag na Warinhari's komst uit het Harzland weggereden en waren de laaglanden in het westen overgestoken om 's avonds hun kamp op te slaan op de rivieroever. Aldhard was een dag eerder met vier mannen vooruit gestuurd om de ontmoetingsplaats naar de wensen van hun heer in orde te maken.

Thumelicatz stond met zijn moeder op de gevechtsbrug voor op de eerste boot. Hij snoof de frisse ochtendlucht op terwijl hij keek hoe watervogels in het ondiepe water naar voedsel doken. 'De lucht wordt kouder, de IJsgoden zijn in de buurt, niet meer dan twee of drie dagen hiervandaan, denk ik.'

Thusnelda vloekte zachtjes.

'Wat zeg je, moeder?'

'De tijd van de IJsgoden is ons niet gunstig gezind. Het was in de drie dagen dat zij over de aarde trekken en vorst brengen in mei, dat je vader als gijzelaar naar Rome werd gebracht. In dezelfde tijd van het jaar verraadde mijn eigen vader mij aan Germanicus. En hij en Chlodochar doodden Erminatz ook toen er in de voorjaarsochtenden ijs op de meren lag.'

'Dat is gewoon toeval.'

'Dat bestaat niet. De drie Nornen weven de draden van het lot van elk leven; alles ligt van tevoren vast.' Haar handen graaiden in de lederen zak om haar middel en haalden er vijf rechte, dunne botjes uit die aan alle kanten met runen waren bedekt. 'Als dat niet zo was, hoe konden de runenbeenderen dan de toekomst voorspellen?'

'Wat vertelden ze toen je ze gisteravond en vanochtend raadpleegde?'

Thusnelda keek naar de beenderen in haar hand en schudde langzaam haar hoofd. 'Ik heb ze gisteravond en vanmorgen niet geraadpleegd, en dat zal ik vanavond ook niet doen.'

Thumelicatz fronste. 'Waarom niet, moeder? U raadpleegt de beenderen altijd als de zon opkomt en ondergaat.'

'Ik ben bang om datgene te zien waarvan ik in mijn hart al weet dat ze het zullen tonen.'

'Denk je dat Donar me mijn belofte niet zal laten breken?'

'Ik weet dat de Donderaar dat niet zal doen. Voor hem blijft een belofte altijd gelden.'

'Moeder, als hij het nodig vindt om mij met de bliksem te treffen omdat ik de vrijheid van zijn volk help zeker te stellen, ga ik zonder morren naar het Walhalla. Door deze daad zal het aantal Romeinse legioenen aan onze grenzen afnemen. We kunnen elkaar weer gaan bevechten en vormen geen dreiging meer voor Rome. Er zal een evenwicht ontstaan langs de Rhenus en de Danuvius. Rome zal geen legioenen hebben om bij ons binnen te vallen, omdat ze het druk hebben in Britannia, maar ze zullen er ook geen noodzaak toe zien omdat wij verdeeld zijn en geen dreiging vormen voor Gallië. En dan wachten we – misschien wel generaties lang – tot ziekte, het goede leven en de vreedzame jaren hun tol eisen van Rome, en dan steken wij de Rhenus over.'

'Maar dan ben jij dood.'

'Natuurlijk ben ik dan dood. We zullen lang moeten wachten.'

'Nee, ik bedoel dat jij doodgaat als je dit doorzet.'

'Denk je dat?'

'Ik weet het zeker.'

'Raadpleeg dan de runenbeenderen zodat we kunnen kijken of Donar me voor deze ene keer mijn belofte zal laten breken.'

Met een trieste blik op haar zoon bracht Thusnelda de beenderen naar haar mond en blies er vier keer op voordat ze ze in haar handpalmen heen en weer schudde. 'Ik roep Lucht op, de geest van de lente en zonsopkomst, de adem van nieuw leven en nieuwe aanwas. Ik roep Vuur op, de geest van de zomer en van de middagzon, de warmte van vitaliteit en overvloed. Ik roep Water op, de geest van de herfst en schemering, van open zeeën, stromende rivieren en zuiverende regen. Ik roep Aarde op, de geest van de winter en van de nacht, diepe wortels, eeuwenoude stenen en winterse sneeuw. Ik roep al deze geesten, Lucht, Vuur, Water en Aarde, op om nu te komen en deze beenderen te sturen.' Ze wierp de vijf botjes voor de voeten van Thumelicatz. Ze kletterden kort over het dek en lagen toen stil.

Thusnelda knielde en liet haar handen over de beenderen heen gaan terwijl ze ze goed bekeek. Ze lagen tegen elkaar aan, maar slechts één bot raakte alle vier de andere aan. Haar gezicht betrok. 'Als je hiermee doorgaat, kan alles wat je hebt genoemd gebeuren. De beenderen vertellen me dat je veel op het spel zet, misschien zelfs je leven, maar ze kunnen niet de gedachten van de Donderaar lezen. Het is niet duidelijk of hij het toestaat dat je je belofte verbreekt. Maar wat wel duidelijk is, is dat er iemand zal komen die het lot van Germania Magna op een dag in zijn handen zal hebben. Die man moet vertrekken met wat hij wil en nooit de behoefte voelen om terug te komen.'

Thumelicatz keek over zijn schouder naar de boot, naar Aius en Tiburtius die de paarden verzorgden en naar de zwijnenkop die op het zeil was geschilderd: het zwijn van de Cherusken, het symbool van de stam waarvan hij evenveel hield als van zijn leven, de stam die al die jaren in het keizerrijk alleen had bestaan in de verhalen van Thusnelda, maar die nu een vaste realiteit was. 'Wat is mijn leven waard tegenover het overleven van de Cherusken en alle andere stammen in ons vaderland? Ik riskeer de toorn van de Donderaar, ook al breek ik mijn belofte voor zijn kinderen. Als mijn leven op het spel staat, dan zij dat zo. Ik ben niet bang, moeder, want ik handel op dezelfde wijze als mijn vader zou hebben gedaan.'

Thusnelda glimlachte zwakjes en keek naar de eindeloze rij bomen op de oever. 'Daarover bestaat geen twijfel.'

De paardenhoeven kwamen krakend neer op groenige menselijke beenderen van alle soorten. Van de kleinste vingerbotjes tot het bekken, ze waren allemaal over het pad uitgespreid, en ze waren er allemaal in overvloed.

Thumelicatz keek naar de schedels die aan beide kanten van het pad aan boomstammen waren gespijkerd, tot het pad uitkwam op een open plek van bijna een mijl lang en driehonderd passen breed. Aan de ene kant lag een lage, beboste heuvel en aan de andere kant een stinkend moeras. De grond bestond hoofdzakelijk uit zand en zou geel zijn geweest als er geen tienduizenden beenderen op lagen; de beenderen van Varus' legioensoldaten die nog altijd op het veld lagen waar ze op de laatste dag van de strijd waren afgeslacht. Germanicus had deze plek bezocht en zijn mannen waren dagenlang bezig geweest om de doden te begraven, maar Thumelicatz had sinds zijn terugkeer zeker de helft van hen laten opgraven en uitstrooien over het slagveld.

'Dat is een passend eerbetoon aan je vader,' zei Thusnelda terwijl ze het grimmige tapijt des doods bekeek.

'Ik betwijfel of Aius en Tiburtius er net zo over zullen denken, moeder.'

Thusnelda keek over haar schouder naar de twee Romeinse slaven. De tranen stroomden over hun wangen bij de aanblik van hun vroegere strijdmakkers die geen respect werd gegund.

Hoewel het de resten van soldaten uit het gehate keizerrijk waren, huiverde Thumelicatz bij de aanblik van zoveel verloren levens. Er waren ongeveer zevenduizend doden gevallen tijdens Varus' laatste stelling.

Aldhard kwam tussen de bomen door de heuvel af rijden en stak het laatste wanhopige bouwwerk van Varus' legioenen over: een lage wal die zich langs bijna de hele lengte van de open ruimte uitstrekte, tegenover de heuvel. Hij was op veel plaatsen kapot, alsof honderden voeten hem hadden vertrapt. Ergens stak de verrotte hoef van een dode ezel omhoog.

'Is alles klaar?' riep Thumelicatz, terwijl hij zijn paard naar links leidde om Aldhard te kunnen aankijken.

'Ja, heer. De tent is opgezet en gedecoreerd en het noodzakelijke offer wordt klaargemaakt.'

'Goed zo. Zijn de hoeders van de beenderen beloond en weggestuurd?'

'Ja, ze vertrekken als ze Odila met het offer hebben geholpen. Ze zullen drie dagen wegblijven.' Hij gebaarde naar alle botten. 'De natuur zal hier in die tijd weinig invloed op hebben. Alleen wij en de priesteres van het heilige bos zijn hier nu.'

'Dank je, Aldhard, je hebt het goed gedaan. Laat een paar mannen hier blijven zodat ze de Romeinen naar ons toe kunnen leiden.'

'Goed, heer.'

'Ik ga de heuvel op en wacht daar.'

Het was geen hoge heuvel, slechts driehonderdvijftig voet. Thumelicatz leidde zijn moeder en de slaven snel naar boven, ondanks het dichte bos. Bovenaan was een open plek met in het midden een beukenbosje. Daar stond een vastgebonden wit paard vredig te grazen naast een altaar dat droop van het bloed. Een vrouw met een woeste bos haar, die snel in zichzelf liep te reciteren, knoopte een pas afgehakt hoofd met de haren vast aan een tak aan de rand van de open plek. Er vlakbij hingen twee andere hoofden, in verschillende stadia van ontbinding. Overal rond de open plek lagen schedels met stukjes huid en haren eraan. In de schaduw van de bomen achter de open plek zag Thumelicatz nog net twee mannen die een lijk zonder hoofd wegsleepten.

'Odila heeft de heuvel gezuiverd,' merkte Aldhard met een goedkeurend knikje op. 'Alles is gereed. Nu moeten we afwachten wat de Nornen voor jou hebben geweven.'

'Jij hebt mijn vader goed gekend, Aldhard. Geloofde hij dat ieders lot van tevoren vaststaat en onvermijdelijk is?'

'Natuurlijk, daarom durfde hij zoveel. Hij wist dat als hij een kans zag, hoe afschuwelijk of vergezocht die ook was, hij hem moest grijpen, want het feit dat hij hem zag betekende dat de Nornen het al hadden geweven. Het was zijn lot om die weg te bewandelen.'

'Zoals het verwoesten van drie legioenen?'

'Exact. En het ontvoeren van je moeder uit haar vaders huis op de dag van haar bruiloft.'

De helling werd vlakker en ze bereikten de top. De bomen waren weggekapt zodat er een weide lag, bezaaid met wilde bloemen. In het midden stond een tien voet hoge, vijftig bij vijftig voet grote tent van rood leer naast een eeuwenoude eenzame eik.

'Dat heb je goed gedaan met maar vier mannen om je te helpen,' zei Thumelicatz terwijl hij van zijn paard sprong.

'Het zou twintig slaven maar twee uur hebben gekost om Varus' commandotent op te zetten, maar wij vijven zijn gisteren bijna de hele dag bezig geweest. Het leer is vochtig en schimmelig omdat het niet meer is uitgepakt sinds je vader tweeëndertig jaar geleden Varus' spullen in beslag nam, maar we hebben het zo goed mogelijk schoongemaakt, net als de meubels en het zilverwerk.'

'En zijn uniform?'

'Zijn uniform is opgepoetst en klaar voor gebruik, heer. Het ligt in het slaapgedeelte.'

Thumelicatz bekeek zijn spiegelbeeld in een halve bronzen spiegel terwijl Aius en Tiburtius zijn spijkersandalen vastmaakten; hij huiverde bij de aanblik. Vanaf het vervormde oppervlak werd hij aangekeken door een Romeinse gouverneur in een compleet militair uniform: een gespierde borstplaat met langs de randen zilveren figuren in de vorm van de huisgoden van de voormalige eigenaar en van Mars als overwinnaar. Een karmozijnrode sjerp was hoog rond het middenrif geknoopt en een cape in dezelfde kleur hing over één schouder. Aan een roodleren riem hingen een pugio en een gladius – het ranke en dodelijke zestig centimeter lange zwaard waarmee je met gemak buiken opensneed. Thumelicatz maakte het beeld compleet door een gepolijste ijzeren helm met dikke, scharnierende wangbeschermers en bronzen inlegwerk op zijn hoofd te zetten. Met de hoge, roodgeverfde, paardenharen pluim op zijn hoofd zag hij eruit als een persoon die hij verachtte: een Romein in de klasse van officieren. Slechts één ding viel uit de toon: zijn volle baard, die onderscheidde hem tenminste van de gehate vijand.

'Je slaat door,' mopperde Thusnelda met een bezorgde frons op haar voorhoofd.

'Ik doe dit zodat die Romeinen de realiteit van hun ondergang al die jaren geleden onder ogen zien. Hun wonden moeten opnieuw worden opengereten zodat ik er zout in kan strooien.' Hij wendde zich tot Aius en Tiburtius, die opzij waren gestapt nu hun meester volledig was aangekleed. 'Klopt het allemaal?'

De twee slaven bekeken hem kort en knikten toen zonder iets te zeggen. Ze wendden hun ogen zo snel mogelijk af van de levende herinnering aan hun oude bestaan.

'En het eten?'

'Dat staat klaar, meester,' antwoordde Aius. 'Net als wij, mocht u een lezing willen.'

'Daar ben ik nog niet uit.' Thumelicatz wierp een laatste blik op zijn spiegelbeeld en liep toen de deur door naar het hoofddeel van de tent. In het vage licht dat binnendrong door de paar open flappen van de tent en werd versterkt door de flakkerende talgkaarsen die overal waren neergezet, liet hij zijn blik door de elegante ruimte gaan die was ingericht met banken, sierlijk gesneden stoelen en tafels, en gedecoreerd met kleine bronzen beelden en aardewerken of glazen schalen. Houten zuilen, zo geschilderd dat ze op marmer leken, ondersteunden het plafond. De vloer was van geboend eikenhout in stukken van drie bij drie voet om ze gemakkelijk te kunnen vervoeren. Hij liep naar een curulische zetel naast een solide houten bureau waar perkamentrollen op lagen, en ging zitten wachten.

Hij werd bijna door slaap overmand en hing tussen rationele gedachten en halfbewuste dromen die nergens over gingen in toen zijn rust werd verstoord door voetstappen die de tent binnenkwamen.

Aldhard stak zijn hoofd tussen twee flappen aan de ene kant van de ruimte door. 'Ze zijn er, meester.'

'Hoeveel?'

'Vier van hen willen met u spreken. Ze worden begeleid door een stuk of vijf *turmae* van de Bataafse hulpcavalerie, honderdvijftig man of zo.'

'Stuur de Romeinen naar binnen en zorg ervoor dat hun begeleiders op de open plek hun kamp voor de nacht kunnen opslaan.'

Aldhard knikte en verdween. Even later klonken er meer voetstappen en gingen de flappen weer open om vier Romeinen in de maliëntunieken van de hulpcavalerie door te laten. Twee van hen waren duidelijk broers: ze hadden dezelfde ronde, zonverbrande gezichten, donkere ogen en grote, bijna stompe neuzen. De jongste van de twee had een opener en inschikkelijkere uitstraling en leek tot Thumelicatz' verrassing de leider te zijn, omdat hij voorop ging. Van de andere twee mannen was er een jong en overduidelijk aristocratisch, met een lange, smalle neus en een hautaine blik. De ander, de oudste van de groep, had een hard, gehavend gezicht, bloemkooloren en schichtige, zoekende ogen die geen detail over het hoofd zagen: ongetwijfeld een straatvechter. Wat houden die officieren er vreemd gezelschap op na, dacht Thumelicatz, die geen moeite deed om op te staan – hoewel hij het graag zou willen, zodat hij boven deze vertegenwoordigers van het kleine volk dat de wereld zoveel ellende had gebracht kon uittorenen.

'Welkom, heren. Ik ben Thumelicatz, zoon van Erminatz.'

De leider deed zijn mond open om Thumelicatz te begroeten maar werd tegengehouden door een opgeheven hand.

'Ik wil jullie namen niet weten, Romeinen, daar heb ik geen behoefte aan. Nadat ik uit jullie keizerrijk ben gevlucht heb ik Donar de Donderaar bezworen dat hij me door de bliksem moest laten treffen als ik ooit nog iets met Rome van doen heb. Op verzoek van mijn oude vijand Adgandestrius heb ik de god echter gevraagd voor deze ene keer een uitzondering te maken, in het belang van mijn volk en Germania.' Hij gebaarde naar de banken die in de ruimte stonden. 'Ga zitten.' De Romeinen namen de uitnodiging aan en gingen elk op een bank zitten. 'Adgandestrius vertelde dat jullie mijn hulp willen om de laatste overgebleven Adelaar terug te halen die jullie legioenen na mijn vaders overwinning hier in het Teutoburgerwoud zijn kwijtgeraakt.'

'Dat klopt,' zei de jongste broer terwijl hij Thumelicatz zelfverzekerd aankeek.

'En waarom denken jullie dat ik zal helpen?'

'Dat zou in jullie eigen belang zijn.'

'Hoe kan het in mijn belang zijn om Rome te helpen? Ik werd op tweejarige leeftijd met mijn moeder, Thusnelda, door de straten van

Rome gevoerd om de triomf van Germanicus te vieren. Dat was een vernedering voor mijn vader. Om hem verder te vernederen werden we naar Ravenna gestuurd, om bij de echtgenote van zijn broer Flavus te gaan wonen. Flavus, die tegen zijn eigen volk voor Rome vocht. Als derde vernedering werd ik op achtjarige leeftijd weggehaald en opgeleid tot gladiator; de zoon van de bevrijder van Germania moest in de arena vechten voor het plezier van de inwoners van een provinciestadje. Ik vocht mijn eerste wedstrijd op mijn zestiende en kreeg tweeënvijftig gevechten later, op mijn twintigste, het houten vrijheidszwaard. Het eerste wat ik na mijn vrijlating heb gedaan, was de rekening vereffenen met mijn oom Flavus en zijn vrouw, en daarna ben ik samen met mijn moeder hier teruggekeerd bij mijn volk. Hoe kunnen mijn belangen en die van jullie, na alles wat Rome mij heeft aangedaan, ooit dezelfde zijn?'

De jongste broer vertelde hem over de geplande invasie van Britannia en Adgandestrius' strategische kijk op de gevolgen daarvan.

Thumelicatz luisterde en hoorde niets wat hij nog niet wist, maar hij vond het fijn om de bevestiging uit de mond van een Romein te krijgen. 'En je kunt garanderen dat Rome niet drie of vier nieuwe legioenen samenstelt om die in Britannia te vervangen?' vroeg hij. 'Natuurlijk niet; Rome heeft de mankracht voor nog een heleboel legioenen en die oude man, Adgandestrius, moet dat weten. Tenzij het keizerrijk wordt getroffen door een vreselijke plaag, zal de bevolking blijven groeien. Aan steeds meer gemeenschappen in de verschillende provincies wordt burgerschap toegekend. Er worden voortdurend slaven vrijgelaten die ook het burgerschap krijgen; zij mogen zich niet bij de legioenen voegen, maar hun zoons wel. Maar ik ben het op de korte termijn met Adgandestrius eens: door een invasie van Britannia zullen wij waarschijnlijk enkele generaties lang veilig zijn.' Thumelicatz haalde de helm van zijn hoofd en zette hem op het bureau. Zijn haren vielen over zijn schouders. 'Als mijn vader er niet was geweest, had er in Germania nu nog een Romein in dit uniform rondgelopen. Maar dankzij hem kan ik het nu dragen terwijl ik zaken doe met de opvolgers van de vorige eigenaar. Ik kan hen ook in zijn tent ontvangen en hapjes aanbieden op zijn schaal.'

Hij klapte twee keer hard in zijn handen. Aius en Tiburtius kwamen naar binnen schuifelen met schalen vol zilveren bekers, kannen bier en borden met eten. Terwijl ze het eten en drinken op de tafels zetten, zag Thumelicatz dat de Romeinen geschokt naar de Romeinse kapsels van de oude slaven keken. 'Ja, Aius en Tiburtius zijn hier allebei gevangengenomen, tweeëndertig jaar geleden. Ze zijn sindsdien onze slaven. Ze hebben nooit geprobeerd weg te lopen. Toch, Aius?'

'Nee, meester.'

'Vertel hun waarom niet, Aius.'

'Ik kan niet terug naar Rome.'

'Waarom niet?'

'De schande, meester.'

'Welke schande, Aius?'

Aius keek nerveus naar de jongste Romein en toen weer naar zijn meester.

'Je kunt het hun vertellen, Aius. Ze zijn hier niet om je mee terug te nemen.'

'De schande van het kwijtraken van de Adelaar, meester.'

'Het kwijtraken van de Adelaar?' zei Thumelicatz nadenkend terwijl hij zijn blauwe ogen op de oude soldaat richtte.

De jaren van onderworpenheid en schaamte tekenden Aius, en hij liet zijn hoofd hangen en zijn borst bewoog een paar keer op en neer toen hij zijn gesnik probeerde te onderdrukken.

'En jij, Tiburtius?' vroeg Thumelicatz terwijl hij zijn andere slaaf aankeek. 'Voel jij nog schaamte?'

Tiburtius knikte zonder iets te zeggen en zette de laatste fles op de tafel naast zijn meester neer.

Het amuseerde Thumelicatz om de geschokte blik op het gezicht van de jongste broer in woede te zien veranderen.

'Waarom hebben jullie niet gedaan wat eerzaam is en de hand aan jullie zelf geslagen?' vroeg de jonge man, die zijn walging nauwelijks kon verbergen.

Er speelde een lachje rond Thumelicatz' mondhoeken. 'Je mag antwoord geven, Aius.'

'Erminatz gaf ons de keus om als offer verbrand te worden in een van hun rijshouten kooien of al onze goden aan te roepen om in leven te blijven voor de taak die hij voor ons in gedachten had. Niemand die zo'n offer heeft gezien en gehoord zal voor het vuur kiezen. Wij hebben gekozen wat elke man zou kiezen.'

'Daar kan ik niets tegen inbrengen, vriend,' reageerde de straatvechter. Thumelicatz zag een blik van heimelijk verlangen over Aius' gezicht gaan bij het horen van het Latijn van de straat. 'Het idee van mijn ballen die worden geroosterd zou genoeg zijn om me alles te laten beloven.'

Thumelicatz haalde het deksel van de kan. 'Ze zouden niet zijn geroosterd; we dragen er altijd zorg voor dat de testikels vooraf worden verwijderd.'

'Dat is erg vriendelijk van jullie.'

'Ik kan jullie verzekeren dat we het niet uit vriendelijkheid doen.' Thumelicatz doopte zijn vingers in de fles en haalde er een klein crèmekleurig, eivormig voorwerp uit dat hij doormidden beet. 'Wij geloven dat het eten van de testikels van onze vijanden ons kracht en vitaliteit geeft.' Hij kauwde luidruchtig en deed alsof hij van de smaak genoot terwijl hij de geschokte blikken van zijn gasten in zich opnam. Hij stopte de andere helft in zijn mond en kauwde daar schijnbaar met evenveel genoegen op terwijl hij zijn slaven gebaarde aan de andere kant van het bureau plaats te nemen.

Hij nam een teug bier om de zeer mannelijke smaak weg te spoelen. 'Na de strijd hier en alle andere slagen die mijn vader in onze vrijheidsstrijd heeft bevochten, hadden we bijna zestigduizend ingelegde testikels. Mijn vader deelde ze uit onder de verschillende stammen. Dit is de laatste fles die de Cherusken nog hebben; ik bewaar hem voor speciale gelegenheden. Misschien moeten we gaan nadenken over hoe we de flessen binnenkort weer kunnen vullen.'

'Je zou gek zijn als je het probeerde,' zei de oudste broer. 'Je zou nooit de Rhenus over komen.'

Thumelicatz knikte instemmend. 'Niet als we zo verdeeld blijven als we nu zijn, en zelfs als het wel zou lukken zouden jullie de middelen van het keizerrijk inzetten om ons meteen neer te slaan. Maar jullie hebben nog steeds de kracht om de rivier de andere kant op over te steken, en daarom zit ik hier, geheel tegen mijn principes, met jullie te praten. Volgens mij heeft een van jullie iets dat ik moet zien.'

De jongste broer haalde een mes tevoorschijn en gaf het aan Thumelicatz. Die bestudeerde het lemmet en zag dat zijn vaders naam er inderdaad in gegraveerd stond. 'Hoe is dit in jullie bezit gekomen?'

'Onze vader was een jonge centurio in het Twintigste Legioen in het leger van Drusus. Nadat Arminius...' Hij stopte toen Thumelicatz hem een kwade blik toewierp. 'Pardon, Erminatz. Nadat Erminatz en zijn broer als gijzelaars waren overgedragen, droeg de generaal, Drusus, de centurie van onze vader op om hen naar zijn huishouding in Rome te brengen. Hij heeft Erminatz vrij goed leren kennen in de twee maanden die de reis duurde. Hoe verder ze naar het westen en vervolgens naar het zuiden reisden, hoe meer Erminatz besefte hoe ver van huis hij werd gebracht. Hij begon wanhopig te worden dat hij zijn ouders nooit meer zou zien, met name zijn moeder. Op de ochtend dat onze vader hem en zijn broer bij het huis van Drusus afleverde, gaf Erminatz hem dat mes, en hij liet hem beloven dat hij het aan zijn moeder zou geven. Onze vader beloofde het, denkend dat hij naar zijn legioen in het oosten zou terugkeren. Drusus was echter drie maanden na hun vertrek van zijn paard gevallen en een maand later aan zijn verwondingen overleden. Mijn vader stuitte op de terugweg op zijn lijkstoet, en zijn legioen was erbij. Ze werden vervolgens in Illyricum gestationeerd en opereerden een paar jaar later, onder Tiberius, opnieuw in Germania Magna. Alleen kwamen ze nu vanuit het zuiden om tegen de Marcomannen te strijden en deden ze het gebied van je vader niet aan. Later, tijdens een andere campagne, werd hij bijna gedood door een speer en moest hij het leger verlaten. Hij heeft dus nooit de kans gehad terug te keren naar het land van de Cherusken en het mes aan Erminatz' moeder te geven.'

Thumelicatz bleef nadenkend naar de runen op het mes staren en knikte toen. 'Je spreekt de waarheid. Dit is precies hoe mijn vader het in zijn memoires heeft opgeschreven.'

'Hij heeft zijn memoires geschreven!' riep de jongste broer uit, niet in staat het ongeloof uit zijn stem te weren.

Thumelicatz negeerde de plotselinge woede die hij voelde opkomen door de neerbuigende opmerking van de Romein. 'Je vergeet dat hij vanaf zijn negende in Rome is opgegroeid. Hij heeft leren lezen en schrijven, maar niet zo goed, omdat het in hem geslagen moest worden. Wij vinden het niet bepaald mannelijke kwaliteiten. Hij had echter een beter idee: hij dicteerde zijn memoires aan zijn verslagen vijanden en hij zou ze in leven houden, zodat ze eruit konden voorlezen als dat nodig was, en vandaag is het misschien nodig. Moeder, kom je even bij ons?'

Thusnelda kwam binnen. Ze keek met een minachtende blik naar de Romeinen voordat ze zich tot haar zoon wendde.

'Moeder, is het nodig om mijn vaders verhaal aan deze Romeinen te vertellen? Wat zeggen de beenderen?'

Thusnelda haalde de runenbeenderen uit haar zak, blies erop en mompelde haar oproep aan Lucht, Vuur, Water en Aarde voordat ze ze op de grond wierp.

Gebukt bestudeerde ze de botten, die ze af en toe aanraakte. 'Mijn echtgenoot zou willen dat zijn verhaal aan deze mannen wordt verteld. Om alles te kunnen begrijpen, moeten ze eerst weten wat jouw achtergrond is, mijn zoon.'

Thumelicatz knikte. 'Het zij zo, moeder. Laten we beginnen.'

Toen Aius en Tiburtius de geschriften op het bureau begonnen af te rollen, wees de jongste broer op hen en zei: 'Hij heeft hen dus gespaard om zijn levensverhaal op te schrijven en voor te lezen?'

'Inderdaad, wie kunnen het levensverhaal van Arminius beter vertellen dan de *aquilifers*, de Adelaardragers, van het Zeventiende en Negentiende Legioen?'

HOOFDSTUK II

'Het verhaal van mijn vader begint bijna vijftig jaar geleden,' informeerde Thumelicatz de Romeinen, 'in de tijd dat Drusus, Augustus' stiefzoon, probeerde de onderwerping van Germania Magna compleet te maken.' Hij knikte naar Aius, die een rol op het bureau uitspreidde, zijn keel schraapte en begon te lezen.

Het was in de tijd van de IJsgoden, in mijn negende levensjaar, dat mijn moeder mijn broer Chlodochar en mij vroeg wakker maakte, nog voor de zon was opgekomen.

'Jullie moeten allebei snel komen,' zei ze terwijl ze mijn voorhoofd streelde en me aankeek met een vreemde blik die ik nooit eerder had gezien in haar liefhebbende ogen, waarin de wegkwijnende gloed van het vuur werd weerspiegeld.

Nu ik eraan terugdenk, herken ik het als een blik van verlangen; verlangen naar een leven dat ze nooit zou hebben, een leven waarin ze haar twee zoons zou grootbrengen tot krijgers van de Cherusken. Op dat moment wist zij dat ze dat leven voorgoed kwijt was; ik wist het nog niet.

'Wat is er, moeder?' vroeg ik, vastbesloten me niet bang te laten maken door haar blik.

'Je vader en je volk hebben jullie beiden nodig. Jullie moeten dapper zijn en weten dat wat er van jullie wordt gevraagd voor ons aller welzijn is.'

Ik herinner me de opwinding die ik voelde omdat ik dapper moest zijn. Dapper als een krijger, dapper als mijn vader, Siegimeri, de koning van de Cherusken. Ik kroop uit het bed met pelzen in de hoek van mijn vaders langhuis, dat ik deelde met mijn oudere zus en jongere broer. Om ons heen kwamen mannen uit hun bedden. Ze praatten zachtjes met elkaar, staken talgkaarsen aan, kamden hun haren en baarden en trokken hun oorlogsuitrusting aan. Mijn kinderlijke opwinding nam toe toen ik in mijn broek stapte en mijn laarzen van hertenvel aantrok: misschien mocht ik mijn vader vergezellen tijdens een aanval tegen de gehate indringers in ons land, de in het ijzer gehulde Romeinen. Eén blik op het verwarde gezicht van mijn zevenjarige broertje dat door mijn zus, Erminhild, werd geholpen bij het aankleden, maakte een einde aan die fantasie. Toch nog nieuwsgierig maakte ik de riem om mijn tuniek dicht en hing ik mijn dierbaarste bezit eraan: een mes dat ik van mijn vader had gekregen, met mijn naam in runen aan een kant van het lemmet.

Ik sloeg mijn mantel om mijn schouders en pakte een reep gerookt hertenvlees en een homp droog brood van een schaal die de vorige avond op een tafel was blijven staan. Daarna liep ik nadenkend kauwend naar buiten, de koude ochtendlucht in. Mijn adem vormde meteen stoomwolkjes en mijn laarzen kraakten op de bevroren ondergrond. De IJsgoden waren die nacht langs geweest.

Slaven hadden de paarden opgezadeld en stonden in het flikkerende licht van de toortsen te wachten tot hun meesters uit het langhuis kwamen. Ik keek hoe de krijgers opstegen en realiseerde me dat ze in een sombere stemming waren. Ik zag niet de nerveuze opwinding die meestal voorafging aan een gevecht. De laatste keer dat ik de mannen zo had gezien was een halve maan eerder, op de laatste dag van de bijeenkomst van de Cherusken hier in de hoge heuvels van onze natuurlijke vesting in het Harzland. Die dag had mijn vader meer dan tienduizend krijgers naar de Albis in het westen geleid, op weg naar een grote Romeinse strijdmacht die in het noorden om het Harzland heen was getrokken. Ze hoopten de indringers te verrassen. Wat er van het leger van Cherusken overbleef, keerde in de volgende dagen druppelsgewijs terug als verslagen mannen, terneergeslagen maar strijdlustig. Uiteindelijk kwam ook mijn vader terug en hij overlegde twee dagen en nachten lang met de leiders van alle clans van de stam. Aan het einde van de vergadering hernieuwde elke man zijn gelofte aan mijn vader, en hij deelde zilver uit voordat ze weer terugkeerden naar hun eigen gebieden.

Toen ik mijn vader vroeg waarom het nodig was geweest om de geloften te vernieuwen die de stam al verbonden zolang de Midden-Aarde bestaat, antwoordde hij geheimzinnig: 'De zaken zijn veranderd.' Meer kreeg ik niet uit hem. Maar toen ons vier dagen later het bericht bereikte over meer dan duizend geketende gevangenen, ooit trotse zwaarddragers van de Cherusken, die als slaven naar het westen werden afgevoerd, besefte ik hoeveel waarheid er in die opmerking zat.

Mijn vaders mannen begonnen op te stijgen, maar hij liet zich niet zien. Tot ik met hem had gesproken, wist ik niet wat er van me werd verwacht. Ik wachtte, stampend met mijn voeten en slaand met mijn armen tegen de kille adem van de IJsgoden die ons land elk voorjaar drie dagen aandoen voordat ze terugkeren naar hun ijszalen onder de Midden-Aarde om hun krachten te herwinnen terwijl mildere goden hun werk doen. Mijn neef Aldhard, die in dezelfde zomer als ik was geboren, kwam tevoorschijn uit de schaduwen bij de latrine en maakte huiverend zijn broek dicht.

'Wat is er aan de hand?' vroeg hij.

Ik haalde mijn schouders op.

Hij zag mijn mantel. 'Ga je met ze mee?'

'Dat denk ik wel. Mijn vader heeft me laten halen.'

Er ontstond beroering onder de mannen en mijn vader kwam het langhuis uit in zijn beste mantel van berenbont en met een dikke gouden torque om zijn hals. Hij tilde mijn broer op en mijn oom Inguiomer zette hem voor zich op het zadel. Daarna gebaarde hij naar een paar slaven die zich in de schaduwen ophielden. Ze stapten naar voren met bossen pas uitgelopen beukentakken en begonnen die over de mannen te verdelen, die ze vervolgens aan de punten van hun speren vastmaakten. Toen wist ik dat er niet zou worden gevochten.

'Ik denk dat we gaan onderhandelen,' zei ik tegen Aldhard.

'Maar waarom neemt hij jou en je broer dan mee?'

'Misschien wil hij ons iets leren.'

Er verscheen een treurige blik op Aldhards gezicht en ik vervloekte het dat ik zo tactloos was. Zijn vader, Vulferam, mijn moeders broer, was niet teruggekeerd van het slagveld en Aldhard wist niet of hij dood was of als slaaf gevangengenomen. De Romeinen hadden de gevallenen op enorme brandstapels laten gooien zodat we onmogelijk konden weten wie nog leefde en wie dood was. Ik wist echter wat Aldhard wenste, wat we allemaal wensten, in die vreselijke onzekerheid: eervol sterven met een zwaard in de hand en dode vijanden aan je voeten of een kort, ellendig leven leiden in de mijnen of arena's van Rome – als je de keuze had tussen dood of levend dood, wie zou er dan voor het laatste kiezen?

Mijn vader klom op zijn paard en gebaarde dat ik bij hem moest komen. Ik sloeg Aldhard op zijn schouder en liep naar hem toe, rondkijkend of ik mijn moeder en zus ergens zag zodat ik afscheid van hen kon nemen. Ze waren nergens te bekennen, maar ik stond er niet bij stil toen ik voor mijn vader op het zadel klom. Ik zou hen die avond en anders misschien de volgende dag weer zien. Mijn vader gaf zijn paard de sporen naar de poort, die langzaam openging. Ik keek niet om toen we erdoorheen reden. Als ik dat wel had gedaan, had ik misschien een glimp opgevangen van mijn moeder voor het langhuis, huilend, met een arm om mijn zus geslagen. Ik weet het niet, maar wat ik wel weet is dat ik mijn moeder pas weer zag toen ik een volwassen man was. En mijn zus zag ik nooit weer.

De onderhandelingen waren al voorbij.

We reden in stilte terwijl voor ons de zon opkwam en volgden de route naar het oosten door de bevroren beboste heuvels van het Harzland. Het gesnuif en gestage stappen van de paarden, het ochtendlied van de vogels en het gemurmel van de beek die we de hele tijd aan onze linkerhand hielden waren de enige geluiden die mijn gedachten onderbraken. Mijn vader had zijn arm stevig om me heen geslagen en ik genoot van zijn zeldzame nabijheid terwijl ik wachtte tot hij iets zou zeggen. Pas toen de zon twee handbreedtes boven de horizon uit was en wij afdaalden naar het vlakke land tussen het Harzland en de rivier de Albis verbrak hij de stilte.

'In het leven van elke man komt er een moment,' fluisterde hij bijna in mijn oor, 'dat hij moet beseffen dat doorgaan in ongunstige omstandigheden dwaasheid is. Voor mij kwam dat moment toen de bloem van de Cherusken brak op de regimentsschilden van Rome.'

Ik probeerde me om te draaien zodat ik hem kon aankijken, maar hij verstevigde zijn greep. 'Maar u gaat toch wel weer vechten, vader?'

'Natuurlijk, maar niet op dezelfde manier als we laatst hebben gedaan, dat is een ding dat zeker is. Het zou dwaasheid zijn om Rome weer uit te dagen tot een open strijd die we alleen moeten voeren. Op die manier kunnen wij de legioenen niet verslaan.'

Mijn naïeve vertrouwen in de kundigheid en moed van onze krijgers vertroebelde mijn jeugdige kijk op de dingen, en ik voelde woede opkomen omdat mijn vader zoiets zei. 'Maar het zijn onderkruipsels, halfslachtige mannen zonder gewicht, dat hebt u zelf gezegd. Onze krijgers torenen hoog boven hen uit.'

Mijn vader hoorde de irritatie in mijn stem en verhief de zijne. 'De grootte van een individuele man speelt alleen een rol in een man-tegen-mangevecht, jongen. Als je duizenden individuen hebt die als één man vechten, maakt het niet uit hoe lang of kort elk van hen is als je niet door hun muur van schilden heen komt om hen met je superieure kracht neer te slaan. Honderden van mijn krijgers zijn ten prooi gevallen aan mannen die een veel betere opleiding en discipline hebben dan wij en ons fysieke voordeel tenietdoen. Ik wil niet dat er nog meer doden vallen in een strijd die nergens toe leidt. Ik wil het voortbestaan van de Cherusken niet op het spel zetten. Ik wil het Walhalla niet binnengaan als de laatste koning van onze stam. Hoe moet ik mijn voorvaders onder ogen komen als die schande boven mijn hoofd hangt?'

'Hoe kunt u ze onder ogen komen als u niet vecht?'

Ik kon de uitdrukking op mijn vaders gezicht niet zien, maar ik voelde dat het er een was van spijt en misschien verdriet. Zijn stem bleef resoluut, maar werd licht gekleurd door die emoties. 'Ik heb gevochten en goed ook, maar we werden toch verslagen. De tijd van vechten is nu, voor even, voorbij. De Cherusken zullen niet meer rechtstreeks en zonder hulp de strijd met de Romeinse legioenen aanbinden. Ik vind dat we nu naar de lange termijn moeten kijken en een strategie moeten ontwikkelen om Rome uiteindelijk uit ons land en de landen van alle volken ten oosten van de Rhenus te verdrijven. En ik weet inmiddels, mijn zoon, dat de Cherusken niet sterk genoeg zijn om dat alleen te kunnen bereiken.'

Hoewel die opmerking indruiste tegen alles wat ik over mijn volk had geleerd en zodoende met heel mijn hart geloofde, overtuigde de toon van mijn vaders stem me ervan dat hij de waarheid sprak, en ik accepteerde het als zodanig. 'Met wie wilt u dan een verbond sluiten? De Chatten? De Chauken? De Marsi? Dat zijn allemaal onze vijanden, dat hebt u zelf gezegd.'

Opnieuw voelde ik mijn vaders uitdrukking veranderen, waarschijnlijk in een flauw lachje, want ik hoorde iets van plezier in zijn stem. 'Dat heb ik je inderdaad verteld en op dat moment was het ook zo, maar de zaken zijn veranderd. Ooit zul je begrijpen dat je grootste vijanden altijd het dichtstbij zijn tot een andere tegenstander, van verder weg, jullie allemaal bedreigt. Om dan te kunnen overleven, worden je grootste vijanden je meest waardevolle bondgenoten. We hebben de Chatten, Chauken, Marsi en alle andere stammen in Germania nu nodig; alleen samen kunnen we Rome verdrijven. Ik ben van plan een bondgenootschap tegen Rome op te bouwen. Niet alleen een bondgenootschap van stammen, want dat zal scheuren gaan vertonen; het moet dieper gaan dan dat: het moet een bondgenootschap van Alle Mannen zijn, verenigd in onze strijd tegen de gemeenschappelijke vijand van ons vaderland. Met andere woorden: een verenigd Germania.'

We reden een tijdje in stilte verder terwijl ik nadacht over wat dat zou betekenen. Ik had geen idee van hoe groot Germania was – ik kende alleen het Harzland en de gebieden daaromheen. Ik had nooit gereisd, maar dat zou nu veranderen.

'Wie zou dat bondgenootschap van Alle Mannen moeten leiden?' vroeg ik uiteindelijk.

Mijn vader lachte. 'Ze zeggen dat een kind de kern van een probleem kan zien, Erminatz, en jij bewijst dat dat zo is. Dat zal inderdaad een probleem worden. Ik zou de leider moeten worden, want het is mijn idee, maar het omgekeerde is ook waar: ik kan de leider niet zijn, juist omdat het mijn idee is en de andere hoofdmannen zullen denken dat ik hen uiteindelijk allemaal in mijn macht wil krijgen. Eén ding dat net zo zeker is als het wisselen van de seizoenen, is dat mannen hun macht niet zomaar willen opgeven.'

'En daarom moet u de eerste zijn en kunt u niet de leider worden.'

Ik herinner me dit gesprek nog levendig, omdat het een van de zeldzame momenten was dat mijn vader me prees. Hij gaf een kneepje in mijn schouder en maakte een goedkeurend geluid. 'Jij zult een groot denker worden, Erminatz. Ik zie het en het maakt me trots. Ik zal inderdaad mijn claim op het leiderschap opgeven en ik hoop dat dat de anderen aanspoort om hetzelfde te doen ten gunste van de beste man voor de taak, en niet de meest arrogante.'

Nu was het mijn beurt om te lachen, en ik voelde me veel ouder dan ik eigenlijk was, alsof we gelijken waren en niet vader en zoon. 'Dat zie ik niet gebeuren.'

'Niet zolang we nog oorlog voeren met Rome. Maar in de toekomst, als Rome denkt dat we haar gezag hebben geaccepteerd en net als de drie Gallische provincies tot bedaren komen, hebben we wellicht een kans.'

Ik schrok van wat hij impliceerde. 'Gaat u zich overgeven?'

'Maar weinig van de stammen strijden nog openlijk tegen Rome. Ik hoop dat de overgave van de Cherusken snel een einde zal maken aan de weerstand van de anderen. Als er dan vrede is en Rome ons haar belastingen en wetten gaat opleggen, zal de wrevel toenemen en ben ik in staat om een bondgenootschap van gedeelde haat op te zetten, zodat we ons samen kunnen verzetten. We komen samen in opstand, voor het eerst als één partij, niet om een open strijd met Rome aan te gaan die we niet kunnen winnen, nee, we zullen het anders moeten aanpakken, op een manier die ik nog niet weet. Maar ik bedenk wel iets en dan zullen we de Romeinse legioenen hier in Germania Magna in één klap wegvagen en zal onze triomf zo groot zijn dat ze nooit zullen terugkeren.'

'Hoe lang gaat dat allemaal duren, vader?'

'Ik zal zeker tien jaar moeten wachten, net als veel andere hoofdmannen – sommige misschien nog wel langer – maar uiteindelijk kunnen ze allemaal doen wat nodig is. Maar eerst moet er vrede zijn.'

'Is dat wat we gaan doen? Met Rome onderhandelen over vrede?'

'We gaan naar Drusus, de stiefzoon van keizer Augustus, de generaal van de Romeinen in Germania, een man van eer en mijn gelijke op het slagveld. Een man voor wie ik mijn hoofd wil buigen. Maar we gaan niet onderhandelen, de afspraken zijn al gemaakt. We gaan hem de garantie brengen die hij nodig heeft.'

Dat trof me als een speer in mijn hart. 'Dat is waarom u zeker tien jaar moet wachten, hè?'

'Inderdaad, mijn zoon. Maar jij en je broer moeten die tijd goed benutten; jullie zullen hun manieren aanleren, vrienden met hen worden, voor hen vechten. Jullie moeten hun vertrouwen winnen zodat ze denken dat jullie beiden een van hen zijn geworden. Pas dan kunnen jullie terugkomen en kan ik mijn plannen uitvoeren. Begrijp je dat, Erminatz?'

Ondanks de plotselinge ziekmakende leegte in mijn binnenste wist ik uit te brengen: 'Ja, vader. Als u dat van me vraagt, zal ik het doen.'

Nu begreep ik waarom mijn moeder die ochtend zo naar me had gekeken en me had gevraagd dapper te zijn voor mijn vader en mijn volk. Ze zei het evenzeer tegen zichzelf als tegen mij, haar oudste zoon die ze voor de laatste keer als kind zag, haar oudste zoon die een gijzelaar van Rome zou worden.

Ik had nog nooit een Romein gezien, zelfs niet van een afstand, maar ik had de helmen, pantsers, schilden en wapens gezien die onze krijgers als trofeeën hadden meegebracht na hun schermutselingen, dus ik was voorbereid op hun bizarre verschijning. Waar ik echter niet op was voorbereid, was de geordende manier waarop ze alles leken te doen. Als legionairs ergens op wachtten, stonden ze allemaal in exact dezelfde houding in regelmatige rijen met overal dezelfde afstand tussen. Als ze zich voortbewogen, deden ze dat ook in rijen, allemaal met hun wapens en uitrusting in dezelfde hand en precies op de maat lopend – of marcherend, zoals ik ontdekte dat ze het noemden. Elke man leek zijn plaats te weten, en waar hij naartoe moest, en hoe snel, als hun centuriones en *optiones* een bevel gaven.

Dit is natuurlijk geen verrassing voor wie de Romeinse legioenen heeft gezien, zoals ongetwijfeld het geval zal zijn voor eenieder die dit verhaal leest of hoort. Voor mij, als negenjarige jongen die alleen onze krijgers de strijd in had zien gaan of had zien terugkeren op wat ik nu enkel kan omschrijven als een wanordelijke manier, was het een les. Binnen een uur na de ontmoeting aan de Albis met generaal Drusus en het cohort dat hem vergezelde, begreep ik wat mijn vader had bedoeld: het was moeilijk je voor te stellen dat onze dappere, maar ongeordende krijgers zouden winnen van wat duidelijk een gedisciplineerde oorlogsmachine was.

Drusus behandelde mijn vader met respect. Hij had hem als een gelijke begroet; hij was van zijn paard afgestegen toen mijn vader dat ook had gedaan en had zijn onderarm vastgepakt, in plaats van hem als een verslagen vijand voor zich te laten buigen. Dit gedrag had me ook verrast, bijna evenzeer als Drusus' kennis van onze taal: ik had verwacht dat onze overgave aan Rome zou leiden tot een eindeloze reeks vernederingen om ons alle moed te ontnemen. Maar er werd geen eerbetoon van ons geëist; mijn vader en al zijn krijgers mochten hun wapens houden en Drusus erkende mijn vader als koning.

Er vond slechts één vernedering plaats, en dat was het zweren van trouw in een van onze gewijde bosjes op de westelijke oever van de Albis. Dat was noodzakelijk, zo legde mijn vader uit toen we de Romeinse colonne ernaartoe voorgingen, omdat Drusus zijn gelofte alleen zou accepteren als ze voor onze goden, op de plaats waar we ze vereerden, was uitgesproken. 'Maar,' voegde hij er met een sluw lachje aan toe, 'voor mij zal het niet bindend zijn omdat de Romeinen mensenoffers verfoeien. Ik heb Drusus verteld dat wij een dergelijke gelofte gewoonlijk bezegelen met het bloed van een van de verslagen krijgers, maar hij wilde er niet van horen en eiste dat we in plaats daarvan twee van onze paarden offeren. Noch Wodan de almachtige, noch Donar de Donderaar zal me aan een gelofte houden die met zo weinig bloedvergieten is gedaan, dus ik heb van de andere goden ook niets te vrezen als ik haar verbreek.' Hij keek me ernstig aan. 'En ik zal haar verbreken, Erminatz, zodra jij en je broer terugkomen uit Rome. Dan zal ik een overwinning vieren die mijn naam waardig is.'

Ik glimlachte omdat mijn vaders naam, Siegimeri, in onze taal 'beroemde overwinning' betekent.

Het afleggen van de gelofte werd door de priesteres begeleid op een granieten altaar onder de eeuwenoude eiken die de goden langer geleden dan iemand zich kon herinneren hadden geplant en door de tijd waren aangetast. Terwijl het ingewikkelde ritueel met alle bijbehorende woorden werd uitgevoerd, had ik de kans om Drusus van dichtbij te bekijken. Hij was langer dan ik van een Romein had verwacht – maar een halve kop kleiner dan mijn vader, die naar onze maatstaven al lang was. Met zijn ronde, vrolijke gezicht dat werd gedomineerd door een prominente, rechte neus en volle lippen die vaak lachten, was Nero Claudius Drusus een man die autoriteit uitstraalde. Uit de manier waarop zijn officieren zich in zijn aanwezigheid gedroegen, maakte ik op dat hij geliefd was. Ze zouden voor hem sterven als hij dat van hen zou vragen. Veel mannen waren al gestorven in de veldtocht waarin de Mattiaken werden verslagen, maar die als doel had ons te onderwerpen, en er zouden er nog veel meer omkomen bij het verslaan van de Marcomannen. Voor mij was het echter boeiend om een man te zien die zijn mannen duidelijk net zo inspireerde als mijn vader, en toch onderwierp mijn vader zich aan hem. Ik besefte voor het eerst dat leiderschap niet alleen draaide om moed, deskundigheid en geliefd zijn onder de volgelingen. Er moest meer zijn, maar op die jonge leeftijd zag ik niet wat het ontbrekende ingrediënt kon zijn. Toen ik het een aantal jaren later wel zag, ging er een wereld voor me open.

Terwijl het leven uit het tweede paard wegvloeide en het bloed over het altaar naar een tinnen opvangbak eronder stroomde, was de gelofte zo compleet als de Romeinse scrupules toelieten en werd de ceremonie afgesloten. Drusus gebaarde dat mijn broer en ik dichterbij moesten komen, dus dat deden we, ik met opgeheven hoofd, mezelf voorhoudend dat ik de oudste zoon van de koning van de Cherusken was, en mijn broer met de schuchterheid van zijn jonge leeftijd.

'Wat ben je te weten gekomen?' vroeg Drusus aan mij. Hij zag de verwarring op mijn gezicht en glimlachte. 'Je hebt de hele ceremonie naar me staan kijken, dus je moet iets te weten zijn gekomen.'

Ik voelde dat ik rood werd, maar wilde me niet laten hinderen door mijn gêne. 'U bent mijn eerste kennismaking met Rome en ik zag dat hoewel er tussen onze volken veel verschillen zijn in hoe we eruitzien en hoe we vechten, de kwaliteiten die een leider nodig heeft hetzelfde zijn. Als u mijn vader was geweest en mijn vader een Romeinse generaal, zou de situatie hetzelfde zijn geweest: dan zou ik ook als gijzelaar naar Rome gaan.'

Drusus wierp zijn hoofd in zijn nek en lachte. 'Je zoon is wijs voor zijn leeftijd, Siegimeri.' Hij wilde door mijn haren woelen, maar in plaats daarvan pakte hij me bij mijn schouder. 'Het belooft wat dat hij zoiets kan zien.'

'Hij is een groot denker,' bevestigde mijn vader.

Drusus keek me peinzend aan en wendde zich toen weer tot mijn vader. 'Ik laat hem door een centurie van mijn mannen naar mijn huis in Rome brengen, Siegimeri. Ik zal ervoor zorgen dat hem niets overkomt en dat hij wordt behandeld met het respect dat hem toekomt. Hij zal alles leren wat van een jonge, adellijke Romein wordt verwacht en zal naar huis terugkeren als een aanwinst voor de Romeinse provincie Germania Magna.'

Mijn vader maakte een dankbare buiging; ik vermoedde dat hij niets durfde te zeggen.

Drusus keek op Chlodochar neer en woelde door zijn blonde haren. 'En wat zijn broertje betreft, mijn oudste zoon is ongeveer even oud, ze zullen samen worden onderwezen. Misschien worden ze goede vrienden.'

Voor mijn broer zou het inderdaad zo lopen, maar voor mij niet. Chlodochars beste vriend zou na verloop van tijd uitgroeien tot mijn meest meedogenloze vijand.

De zaak was beklonken en Drusus wilde zonder oponthoud oprukken naar de Marcomannen in het zuiden. Hij hield van snel en doortastend handelen en had dus geen tijd voor het gebruikelijke eet- en drinkgelag waarmee de Cherusken het afleggen van een gelofte meestal afsloten. Ik vermoedde dat mijn vader daar geen problemen mee had, want het was nog een reden waarom zijn gelofte ongeldig zou zijn. Er stond echter geen genoegen op zijn gezicht toen Drusus met een centurio naar hem toe liep.

'Dit is Titus Flavius Sabinus, centurio van de vierde centurie, het tiende cohort van het Twintigste Legioen,' liet Drusus mijn vader weten. 'Hij en zijn mannen zullen je zoons naar Rome begeleiden. Ik heb hem gekozen, omdat hij de enige van mijn jonge centuriones is die jullie taal een beetje spreekt.'

De centurio gaf mijn vader een kort knikje en bekeek mij en mijn broer zonder al te veel enthousiasme. Hij wees over zijn schouder naar een colonne mannen. 'Wij staan daar klaar.' Met een saluut aan zijn generaal draaide hij zich snel om en marcheerde hij terug naar zijn centurie.

'Hou je aan je woord, Siegimeri,' waarschuwde Drusus, 'dan zal je zoons niets overkomen. Als je je woord breekt, kan ik niet instaan voor wat mijn stiefvader, Augustus, zal doen.'

'De Cherusken hebben nu vrede gesloten met Rome. Onze jonge krijgers zullen in jullie hulpcohorten dienen en ons belastinggeld zal jullie schatkist vullen.'

Drusus wees naar de overkant van de Albis, die op dat punt meer dan honderd passen breed was. 'Zie daarop toe, dan zal Rome jullie beschermen tegen de stammen die zich ondenkbaar ver naar het oosten uitstrekken en zullen jullie profiteren van haar wetten.' Hij bood zijn onderarm aan en mijn vader pakte die stevig beet. 'Ik kom hier over vier maanden terug, als ik met de Marcomannen heb afgerekend. Bij de volle maan in september moeten de eerste tweeduizend van je krijgers bij dit bosje op me wachten, half infanterie en half cavalerie. De beste zestienhonderd mannen zullen in de winter worden opgeleid tot de eerste twee Cheruskische hulpcohorten.'

'Ze zullen er zijn, generaal.'

Met een klein lachje en een knikje van zijn hoofd trok Drusus zijn arm los en liep hij weg.

Mijn vader sloeg een arm om mijn schouder en pakte mijn broertje bij de hand. Toen we zo naar de wachtende centurio Sabinus liepen, keek hij met een zelfvoldaan lachje op me neer en zei: 'Rome gaat de troepen opleiden die de ruggengraat zullen vormen van het leger dat ons gaat bevrijden. Dat noem ik een bevredigend besluit van onze overeenkomst.'

We marcheerden met centurio Sabinus' centurie naar het westen. Ik had geen moeite om het tempo van de legionairs bij te houden, maar Chlodochar had het zwaar. Na de eerste paar dagen waren zijn voeten helemaal kapot, maar hij klaagde of huilde niet. Op de derde dag moest hij op mij leunen terwijl hij voort hobbelde, maar er kwam nog steeds geen onvertogen woord over zijn lippen. Ik zei hem dat onze vader trots op hem zou zijn en hij glimlachte een beetje, klemde zijn kiezen op elkaar en zette door. Toen de legionairs na de middagpauze weer overeind kwamen, gaf centurio Sabinus een van zijn mannen een bevel terwijl hij naar Chlodochar wees. De man gaf zijn bepakking aan een kameraad en tilde mijn broer op zijn schouders.

'Dank u,' zei ik tegen centurio Sabinus.

Hij bromde wat en zei toen: 'Hij verdient hulp. Hij heeft karakter getoond.'

De daaropvolgende drie dagen, waarin Chlodochar om beurten door de mannen werd gedragen, marcheerden we over paden door bossen en open landschappen tot we de Romeinse militaire weg bereikten die werd aangelegd tussen de Rhenus en de Albis. Vanwege de vele rivieren die de weg overstak, werd hij de Weg van de Lange Bruggen genoemd. Hoewel Chlodochars voeten inmiddels waren genezen, werd hij nog steeds door de legionairs gedragen. Hij was een soort mascotte geworden. Omdat ze zijn naam niet konden uitspreken, noemden ze hem 'Flavus', wat 'Blondie' betekende, en ze leerden hem Latijn en lachten vervolgens om zijn uitspraak van de scheldwoorden waarvan hij de betekenis niet begreep.

Ik was blij dat er voor mijn broertje werd gezorgd en bracht mijn dagen voor in de colonne door, naast centurio Sabinus. Er bekroop me een gevoel van hulpeloosheid naarmate we verder van mijn thuisland verwijderd raakten en ik begon te beseffen dat Germania veel groter was dan ik had gedacht. Aanvankelijk praatten we niet veel, maar na een tijdje kwamen we aarzelend met elkaar in gesprek en leerde ik voor het eerst een Romein kennen.

Sabinus was een kleine, gedrongen man met een rond gezicht en een neus die eruitzag alsof hij zonder enige aandacht voor de verhoudingen van zijn gelaat was gevormd en zodoende te groot en misvormd leek. Zijn ogen stonden echter vriendelijk en hoewel ik vanwege zijn ras geen warme gevoelens voor hem kon koesteren, genoot ik van onze gesprekken en pikte ik wat Latijnse woorden op.

'Dit is niet ver,' zei hij op de zevende dag, nadat ik had verteld dat ik bang was dat we zo ver naar het westen zouden trekken dat ik nooit meer terug naar huis kon. 'We hebben nog maar iets meer dan tweehonderd mijl afgelegd. Het keizerrijk is in elke richting tien keer zo groot.'

'Maar hoe weten mensen dan de weg?' vroeg ik. Ik probeerde me die afstanden voor te stellen, maar kon het niet bevatten.

'Ze volgen wegen als deze.'

De weg was recht en bestraat met stenen die precies in elkaar pasten, schuin oplopend zodat er geen water op zou blijven staan. Aan weerskanten was een stuk van het bos weggekapt, wat op zich al een enorme onderneming moest zijn geweest, laat staan het aanleggen van de weg. 'Zijn deze wegen zo lang als je net hebt beschreven?'

'Ja, mijlenlang.'

'Maar wie heeft ze aangelegd?'

Sabinus haalde zijn schouders op. 'Slaven.'

Op dat moment realiseerde ik me twee dingen over Rome en haar keizerrijk: allereerst de omvang. Dat is iets wat ik nu voor lief neem, maar toen was het voor een negenjarige jongen die dacht dat je na zeven dagen reizen bijna aan het einde van de wereld moest zijn een duizelingwekkend idee, veel groter dan ik kon bevatten. Maar veel groter en indrukwekkender dan dat was mijn eerste echte indruk van haar macht: hoeveel slaven waren er nodig geweest om al die mijlenlange wegen aan te leggen? Hoeveel volken waren er veroverd om Rome zo groot te laten worden?

Een bijna subliminaal gesis, een snelle opeenvolging van doffe dreunen en een paar gekwelde uitroepen van achter in de colonne maakte een einde aan mijn gepeins, en ik stond op het punt nog twee dingen over Rome te leren, dit keer over haar legers.

'Schilden!' schreeuwde Sabinus, en hij riep nog een bevel dat ik niet begreep. Hij duwde mij tussen de tachtig man tellende colonne terwijl de vier rijen de gewenste positie innamen en nogmaals werden bestookt door de vooralsnog onzichtbare vijand. De centuriones trokken hun schilden uit de houder terwijl ze de twee *pila*-werpsperen die elke man bij zich droeg in hun rechterhand hielden, en stapten over de paar dode en gewonde mannen heen. Binnen twintig hartslagen waren ze van een reizende colonne in een gevechtsformatie veranderd met aan de voorkant een muur van schilden. De tweede rij hield hun schilden boven de hoofden van hun kameraden. Als één man deden ze tien passen naar voren, van de weg af naar de rand. Behalve het bevel van Sabinus en het gekreun van de paar gewonde mannen was er geen geluid te horen geweest.

Gebukt rende ik een stuk of tien stappen naar de achterkant van de formatie, waar mijn broertje was achtergelaten. Ik trok hem overeind en sleepte hem van de weg af. We drukten ons dicht tegen de achterste rij aan toen er nog een lading pijlen met harde klappen op de muur van schilden neerkletterde. Een aantal ketste op het dak af en kwam achter ons neer, vlak bij een legionair met een doorboorde kuit die een zwaarder gewonde, bewusteloze kameraad in veiligheid probeerde te brengen. Het bloed spoot met tussenpozen uit een pijlschacht die uit zijn bovenbeen stak en druppelde uit een lelijke snee in zijn voorhoofd waarmee hij de weg had geraakt.

'Blijf dicht bij de achterste rij,' zei ik tegen Chlodochar, en ik duwde hem op zijn hurken. Ik sprong op de gewonde legionairs af en voelde een windvlaag langs mijn oor suizen. Een tel later zag ik een pijl met een klap en vonken op de weg afketsen.

De legionair bromde iets in het Latijn en wees naar de pols van zijn kameraad toen ik naast hem tot stilstand kwam.

Ik deed wat me werd gezegd en trok met alle kracht in mijn jongenslijf aan de slappe arm, en dat was genoeg om het verschil te maken. De legionair gebruikte alle kracht in zijn goede been en ik spande elke spier in mijn lijf aan, en samen slaagden we erin de bewusteloze man van de weg af te krijgen. Er bleef een spoor van bloed achter op de gladde, grijze stenen. Toen we bij mijn broer kwamen, klonk er een harde kreet uit de boomgrens. Ik herkende het als Germaans en besefte geschrokken dat ik de vijand hielp tegen landgenoten die hen wilden verdrijven: als deze gewonde man dankzij mijn hulp zou overleven, hoeveel Germaanse kinderen zouden dan hun vader verliezen? Ik bedacht dat ik deze gelegenheid zou moeten aangrijpen om te ontsnappen, maar waar was ik? Hoe zou ik weer thuis komen? En welke stam viel ons aan en wat zouden ze met mij en Chlodochar doen als ze ontdekten dat wij Siegimeri's zoons waren? Ik besloot dat ik het beste kon afwachten hoe het gevecht zou verlopen en dan een poging zou wagen bij de winnaars – een eigenschap die ik ook bij andere volken heb gezien, niet alleen bij Germaanse stammen.

Ik liet de arm van de bewusteloze man vallen – zijn kameraad klopte me op de schouder en mompelde iets wat waarschijnlijk een bedankje was – en pakte mijn broer bij de hand terwijl ik mijn mes trok.

Sabinus brulde weer een bevel, helemaal rechts van de formatie, en de tweede rij liet hun schilden zakken en ze trokken hun rechterarmen naar achteren om de pila op te heffen. De achterkant van een pilum stootte bijna mijn hoofd eraf. Ik hoorde het woeste gebrul van een groep krijgers die steeds dichterbij kwam en voelde de spanning van de legionairs die in stilte afwachtten. Ik voelde angst opkomen en zag dat mijn mes trilde. Ik sprak mezelf vermanend toe, maar het bleef trillen. Even later hoorde ik Sabinus weer iets schreeuwen. Als van één man schoten de rechterarmen van de centurie naar voren en vlogen de pila in een lage baan naar de toesnellende vijand. In een mum van tijd hadden ze hun tweede speer gepakt, die ze bij het schild in hun linkerhand hadden gehouden, en ze lanceerden ze gelijktijdig in een nog lagere baan. Ik zag pas later hoeveel schade ze hadden aangericht en die aanblik is me mijn leven lang bijgebleven, ook al heb ik sindsdien grotere veldslagen meegemaakt.

Toen hun belangrijkste wapens nog door de lucht vlogen, trokken de legionairs hun korte zwaarden uit de scheden aan hun rechterheup en begonnen, tot mijn verrassing, in looppas te rennen. Ik trok aan Chlodochars hand – hij zag er doodsbang uit, net als ikzelf waarschijnlijk – en probeerde hen bij te houden. We gingen niet ver. Ik voelde de klap van de botsing tussen de twee partijen door de smalle linie heen gaan toen de Romeinen, voor het eerst in de strijd, een korte, zware strijdkreet lieten horen.

En toen begon het schreeuwen.

Ik had mensen het vaker van pijn horen uitschreeuwen – het geluid van een man die in een rijshouten kooi boven het vuur van de goden levend verbrandt is afgrijselijk – maar dit werd tien keer versterkt en kwam uit zoveel verschillende richtingen dat de toonhoogte steeds veranderde en werd begeleid door het scherpe, metalige geluid van ijzer en het holle, galmende gedreun van hout alsof Donar zelf met zijn hamer afwisselend op een reusachtig aambeeld en de massieve poorten van het Walhalla stond te slaan. Op dat moment realiseerde ik me dat ik om te overleven moest bidden dat de Romeinen zouden winnen. Het geweld was zo groot dat als de formatie brak niemand het bloedvergieten zou overleven.

Maar tot welke van de goden van mijn volk kon ik bidden voor een Romeinse overwinning? Ik was nog niet bekend met het concept ironie; als ik dat wel was geweest, had ik waarschijnlijk vreugdeloos gelachen en mijn hoofd geschud om het idiote van de situatie. Ik koos daarom voor de bekende weg en pakte de amulet van Donars hamer om mijn nek vast en vroeg in vage bewoordingen om mij en mijn broer te sparen.

Toen begon de Romeinse formatie naar voren te bewegen. Met mijn mes in de ene hand en mijn broer aan de andere volgde ik.

De mannen in de tweede rij drukten hun schilden tegen de ruggen van hun kameraden en duwden hen vooruit terwijl ze met hun zwaarden door de openingen tussen de schilden door naar de vijand uithaalden. Ze baanden zich zo langzaam een weg vooruit, tot ik na een tijdje zag dat de mannen in de tweede rij hun zwaarden omlaag staken. Ik realiseerde me dat ze nu over de lichamen van de gevallen vijand heen stapten en zich ervan verzekerden dat ze echt dood waren. Al snel kwam ik oog in dood oog te staan met de eerste man die ik in een gevecht gedood had zien worden, en het was een schok. Niet omdat hij dood was, daar was ik wel aan gewend, maar omdat, hoewel zijn arm was afgehakt, zijn keel was doorgesneden en zijn blonde baard kleefde van het bloed, zijn ogen wijd open waren en een verraste blik hadden. Hij had niet verwacht dood te gaan toen hij die ochtend wakker werd, hij had niet eens verwacht dood te gaan toen hij een Romeinse formatie aanviel, en toch was hij nu dood. Net als de vele andere Germanen en Romeinen die levenloos op de grond lagen, was hij erdoor verrast, en ik vroeg me af wat hem ertoe zou hebben gedreven deze nutteloze strijd aan te gaan als hij dit lot had verwacht. Sterven had alleen zin als je grote idealen nastreefde, en deze poging om een stuk of honderd onderdrukkers weg te vagen was een verspilling van levens. Mijn vader had gelijk: hier en daar weerstand bieden had geen zin. Germania had een doortastendere, beter ontworpen strategie nodig waarin de veldslagen groots zouden zijn en de mannen de dood tegemoet traden in ruil voor een klinkende overwinning. Wat ik nu zag gebeuren, was ronduit sneu.

Ik rukte mijn ogen vol afkeer los van het dode gezicht. Ik was even vergeten hoe bang ik was, maar werd opnieuw overspoeld door angst toen de kakofonie van geluiden plotsklaps verstomde en de formatie van Romeinen in het midden begon te wankelen.

Geleidelijk vielen steeds meer mannen vooraan weg en moesten de mannen in de tweede rij hun plaats innemen.

En toen brak de formatie heel even.

Voordat het gat werd gedicht, waren een stuk of zes krijgers door de formatie heen gebroken. Ze stonden op slechts twintig passen van mij en mijn broertje terwijl de tweede rij zich omdraaide om de achterkant van de formatie te beschermen. De krijgers waren afgesneden van hun groep en stonden voor een muur van schilden die verhinderde dat ze zich een weg terug naar hun makkers konden vechten. Plotseling renden ze op ons af in een poging om om de rechterkant van de Romeinse formatie heen te komen. Ik keek als aan de grond genageld naar die grote, bebloede mannen die grauwend op me afstormden, met hun zwaarden of speren in de lucht geheven en druipend van het bloed. Ik stond daar, versteend, met een arm om Chlodochar geslagen, mijn ogen groot van angst en mijn zwaard, gericht naar de aanstormende brengers van de dood, in mijn trillende hand.

De lucht werd uit mijn longen geperst toen ik op de grond werd gegooid, en door mijn verbijstering duurde het even voordat ik besefte dat ik naar voren was geduwd, niet naar achteren, en dat ik boven op Chlodochar lag. Ik hoorde dat er boven me hevig werd gevochten en heet bloed spatte op mijn nek en haren. Overal om me heen hoorde ik eenzame kreten van stervende mannen die helse pijnen leden. Toen ik mijn ogen opendeed, zag ik een afgehakte hand die nog een lang zwaard vasthield, en Romeinse sandalen. Daarachter zag ik lichamen met baarden en lange haren. Er stortte er nog een, luid jammerend, op de grond neer. Ik kwam weer bij mijn positieven en begon achterwaarts te bewegen, mijn broer met me meetrekkend tot we niet meer tussen de voeten van de legionairs lagen. Ik kwam op mijn knieën overeind toen de laatste zes krijgers neervielen in een wirwar van ingewanden, en ik zag hoe centurio Sabinus de acht mannen die bij hem waren aanspoorde om het midden te versterken. Terwijl zij wegrenden om te doen wat hij vroeg, draaide Sabinus zich naar mij om. 'Ik dacht dat we jullie kwijt waren.'

Ik zat nog te trillen en moet tot mijn schande bekennen dat mijn broek nat en warm aanvoelde. Ik wist mezelf genoeg in de hand te krijgen om met schorre stem uit te brengen: 'Dank u wel.'

Sabinus knikte. 'Blijf daar.' Daarop rende hij achter zijn mannen aan die de Romeinse formatie weer recht hadden weten te trekken. Ze bewogen nu weer als één man vooruit.

De rest van het gevecht ging in een waas aan me voorbij. Ik heb geen idee hoe lang het nog duurde, maar ik denk niet lang, in elk geval niet zo lang als het voelde. Uiteindelijk werd ik me ervan bewust dat het relatief stil was; het geschreeuw van stervende mannen was vervangen door het gejammer van de gewonden. Ik keek om me heen en zag de legionairs tussen de doden en gewonden door lopen om hun eigen mannen te helpen en de vijanden uit hun lijden te verlossen. Ik krabbelde overeind en trok Chlodochar ook omhoog, en liep naar Sabinus toe die de Romeinse doden bij elkaar liet leggen. Het waren er bij elkaar een stuk of twaalf.

Sabinus bekeek ons van top tot teen. 'Ik hoop dat jullie niet gewond zijn.'

'Nee. Dank u, centurio.'

Hij grijnsde. 'Ik heb mijn generaal beloofd dat ik jullie veilig bij zijn huis zou afleveren, en een belofte aan Drusus verbreek je niet. Maar ik moet toegeven dat het geluk was dat ik op het juiste moment kwam; geluk of de wil van de goden. Misschien sparen ze jullie met een bedoeling.'

Ik heb nog vaak over dat gesprek nagedacht en ik kan alleen aannemen dat we inderdaad werden gespaard, want ik had de dood bijna in de ogen gekeken. Ik vraag me af of centurio Sabinus, als hij nog leefde toen ik zegevierde in het Teutoburgerwoud, de ironie zou hebben gezien in het feit dat hij het leven had gered van de jongen die later verantwoordelijk zou zijn voor de dood van zoveel van zijn landgenoten.

'Hoeveel waren het er?' vroeg ik met een blik op de lichamen die over de grond verspreid lagen.

'Ongeveer twee of drie keer zoveel als wij, denk ik. We hebben de helft gedood voordat de rest ervandoor ging. Bijna honderd van die drommels hebben het gevecht niet eens gehaald.' Hij wees naar een rij dode krijgers, twintig passen verderop, die in verwrongen hopen tussen een heleboel pila lagen. Veel lijken waren doorboord met de lange ijzeren punten en van sommige was het gezicht tot moes geslagen door het loden gewicht aan het uiteinde dat de speer zo dodelijk maakte. Het leek alsof ze door de klap een stuk naar achteren waren geworpen. Ik zag op dat moment hoe effectief het belangrijkste wapen van de legionairs was en dat mijn vader, opnieuw, gelijk had gehad: soldaten met een wapen als dit kon je niet in een gewoon gevecht verslaan.

'De stroom van pila heeft hun aanval afgeremd. Zonder pila waren we zeker door hen overweldigd.' Sabinus schudde zijn hoofd en spuugde op het lijk van een uit elkaar gereten krijger. 'In dit gebied zou vrede moeten heersen. De Marsi hebben geloftes afgelegd en gijzelaars afgegeven. Hun levens zijn niets meer waard als ik dit heb gemeld in Castra Vetera aan de Rhenus.'

Ik huiverde bij de gedachte aan het lot van de mannen en jongens die in dezelfde positie verkeerden als ik, en toen zag ik iets rond de hals van de dode krijger dat grotendeels schuilging achter zijn baard. Het was een ijzeren halskraag van twee duimen breed. Ik keek om me heen en zag dat veel van de andere krijgers ook een halskraag droegen. 'Dit zijn geen Marsi, centurio.'

'Niet? Hoe kom je daarbij?'

'De ijzeren halskraag wordt alleen gedragen door de Chatten, dat heeft mijn vader me verteld.'

'Chatten? Zo ver naar het noorden?' Hij keek naar een aantal van de dode krijgers en knikte toen. 'Je hebt gelijk. Je hebt wat Marsilevens gered, jongen.'

'Maar Chatten-gijzelaars ter dood veroordeeld.'

Sabinus keek naar de Romeinse doden die op een brandstapel werden gelegd. 'Ik zou me over hen geen zorgen maken. Hun volk heeft mijn mannen gedood en wat hebben ze ermee bereikt? Niets. Ze hebben het niet verdiend om hier te sterven.'

Dat was misschien wel zo, maar ze hadden hier ook niet moeten zijn, dacht ik, maar dat hield ik voor mezelf.

Toen de brandstapel was aangestoken en de gewonden op geïmproviseerde brancards van mantels en speren waren gelegd, gingen we verder. Binnen twee dagen bereikten we Castra Vetera aan de Rhenus. Daar stuitte ik op het eerste in een reeks van grootste dingen die ik ooit had gezien; de rest van de reis kwamen we er nog meer tegen. Ik zal ze in volgorde noemen. Ik had altijd gedacht dat de Albis de breedst mogelijke rivier ter wereld was, tot ik de Rhenus zag. Die was zo breed dat mensen die aan de overkant stonden voor iemand met scherpe ogen maar net zichtbaar waren. Hij was vijf keer breder dan de Albis en die omvang maakte wat ik daarna zag nog indrukwekkender: een brug over de rivier heen. Een houten brug van hele boomstammen die op de een of andere manier in de rivier waren neergelaten en een geraamte droegen waarop een weg lag die zo breed was dat acht mannen er zij aan zij overheen konden marcheren. Mijn verwondering werd nog tien keer groter toen Sabinus vertelde dat het slechts een tijdelijke brug was die Drusus had laten bouwen om zijn leger voor de veldtochten de rivier over te zetten en dat hij na zijn terugkeer zou worden vernietigd. Wat waren die Romeinen voor mensen dat ze zulke dingen konden bouwen en ze na zo'n korte tijd weer zo gemakkelijk kapot konden maken? Later besefte ik dat ze een praktisch volk zijn en dat ze de waarde van dingen niet ophangen aan hoeveel moeite het kost om ze te maken maar aan hoe nuttig ze zijn.

Dit bouwkundige wonder dat een natuurlijk wonder overspande leidde tot een derde wonder: een stenen stad met meer gebouwen bij elkaar dan ik in mijn hele leven had gezien en die was gevuld met meer mensen dan ik ooit bij elkaar had gezien buiten onze stamvergaderingen. Maar een vergadering duurde maar een paar dagen, hier woonden ze het hele jaar door bij elkaar. Hoe kon je zoveel mensen van eten voorzien? Al het land in de wijde omtrek moest wel ontgonnen zijn om zoiets voor elkaar te krijgen; en dat was natuurlijk ook het geval.

We bleven twee dagen en nachten in Castra Vetera. Mijn broer en ik sliepen in een kamer boven op een andere kamer waarvoor je een trap op moest, iets waarvan ik meer zou hebben genoten als mijn hoofd al niet vol was met alle andere nieuwe dingen.

Op de derde dag zag ik weer iets wonderbaarlijks: een schip met twee rijen roeibanken en een dek dat de roeiers beschermde tegen projectielen. Dat nieuwe wonder vervoerde ons meer mijlen over de Rhenus dan ik ooit voor mogelijk had gehouden dat een rivier kon stromen, en toen Sabinus me vertelde dat we nog niet eens halverwege Rome waren, wist ik zeker dat we nooit meer thuis zouden komen.

We lieten de Rhenus achter ons en marcheerden weer over land, langs bergen die zo hoog waren dat er zelfs in de zomer sneeuw op de toppen lag. We bereikten een haven aan de Rhodanus en voeren met een schip naar het grootste wonder tot dan toe: de zee. Ik had nooit kunnen denken dat iets zo enorm kon zijn. De zee strekte zich verder uit dan het oog kon zien en Sabinus vertelde me dat het zeven dagen zou kosten om hem van noord naar zuid over te steken, en dertig dagen van oost naar west. Vervolgens maakte hij mijn verbijstering compleet met de mededeling dat Rome alle omringende landen in handen had of er belastinggelden van ontving.

Dit alles maakte het aan boord gaan van een schip dat twee keer zo lang was als de eerste twee weinig bijzonder en ik was nauwelijks onder de indruk toen ik de loopplank op liep. We voeren eerst naar het oosten en toen naar het zuiden en volgden de kustlijn vier dagen, tot we begin juli in een haven kwamen waarbij Castra Vetera afstak als een verzameling bouwvallen. Ik zal echter geen tijd verspillen met een beschrijving van Ostia, want vier uur na onze aankomst daar trad ik Rome binnen.

Als ik al haat jegens Rome had gevoeld voordat we de Via Ostiensis op liepen, was dat niets vergeleken bij het gevoel dat ik kreeg toen we onder de driedubbele bogen van de Porta Trigemina door gingen, in de schaduw van de met bomen bezaaide Aventijn, langs de massa's bedelaars en vervolgens naar het Forum Boarium. Rome was schitterend: rechts stond het Circus Maximus, daar bovenuit torende het pas gebouwde, met marmer beklede paleis van Augustus op de Palatijn, met de glimmende tempel van Apollo erachter. Links voor ons torenden de eeuwenoude tempels op de Capitolijn boven het Forum Romanum uit alsof Jupiter en Juno een oogje in het zeil hielden in het hart van het keizerrijk van hun kinderen.

Ik wist uiteraard nog niet wat de namen en functies van al die gebouwen waren toen ik ze die dag zag. Dat was ook niet nodig: ik haatte ze om hetgeen waarvoor ze stonden. Toen ik, ongetwijfeld met open mond, om me heen liep te kijken, kon ik alleen maar denken: waarom? Waarom wilden ze meer als ze dit allemaal al hadden? Wat kon Rome de Cherusken afnemen dat deze weelde nog mooier zou maken? In mijn ogen had Rome niets anders nodig dan een middel tegen hebzucht; en vanaf dat moment haatte ik haar om haar niet-aflatende inhaligheid.

Sabinus leidde Chlodochar en mij door de drukke straten. We werden begeleid door slechts twee van zijn mannen, die hun uniformen hadden verruild voor simpele tunieken. De rest had buiten de stadsmuren hun kamp opgeslagen omdat de stad zelf verboden terrein was voor bewapende soldaten. Toen we de noordelijke helling van de Palatijn beklommen, wees Sabinus ons de andere zes heuvels van Rome en enkele van de gebouwen die erop stonden aan. Hij sprak nu Latijn, omdat wij de taal in de bijna twee maanden dat de reis had geduurd een stuk beter hadden leren kennen. Zijn woorden kwamen echter nauwelijks bij me binnen, zo diep was ik in mijn eigen gedachten verzonken. Nu we aan het einde van onze reis waren, voelde ik me zo ver van huis en zo verloren in die overweldigende stad dat ik oprecht vreesde dat ik de bossen van mijn thuisland nooit meer zou zien.

'Waar gaat u naartoe als u ons naar Drusus' huis hebt gebracht, Sabinus?' vroeg ik toen we boven op de Palatijn stonden.

'Mijn mannen mogen een nacht in de stad doorbrengen en dan beginnen we morgen aan de reis terug naar Germania.'

'Gaan jullie weer naar het land van de Cherusken?'

'Dat lijkt me wel. Drusus treft je vader en zijn rekruten bij de eerste volle maan in september. Tegen die tijd zijn wij wel terug.'

'Wilt u iets naar mijn moeder brengen?' Ik maakte mijn mes los van mijn riem en gaf het aan hem.

'Waarom wil je hier vanaf?'

'Ik wil er niet vanaf, ik wil alleen dat mijn moeder het heeft zolang ik weg ben. Zeg haar dat het me spijt dat ik geen afscheid van haar heb genomen en dat ik hoop het mes op een dag bij haar te kunnen ophalen.'

Sabinus nam het mes aan, hing het aan zijn riem en glimlachte naar me. 'Je komt wel weer thuis.'

'Denkt u dat?'

'Jullie goden hebben jullie goed beschermd; waarom zouden ze al die moeite doen als ze jullie zo ver van huis zouden laten sterven?'

Ik haalde mijn schouders op en schudde mijn hoofd terwijl ik daarover nadacht, en ik moet bekennen dat het me moed gaf. Toen we een groot huis naderden dat minder opzichtig was dan de andere gebouwen op de Palatijn, pakte ik de hamervormige amulet om mijn hals vast en deed ik Donar een plechtige belofte voor als hij me weer veilig thuis zou brengen.

We liepen een paar traptreden naar de voordeur op en Sabinus trok aan een ketting. Ik hoorde binnen een bel rinkelen en toen werd er een kijkgaatje opengeschoven en verschenen er twee ogen.

'Centurio Titus Flavius Sabinus, die in opdracht van Nero Claudius Drusus twee gijzelaars van de Cherusken naar zijn huishouding brengt.'

De deur ging open en wij liepen naar binnen terwijl onze begeleiders buiten bleven. We kwamen in een kamer waar het langhuis van mijn vader met gemak in had gepast en die vol stond met meer rijkdommen dan de hele Cherusken-stam bezat: gouden en zilveren ornamenten en schalen op lage marmeren tafels met poten in de vorm van dieren, standbeelden die zo levensecht beschilderd waren dat ik even dacht dat ze plotseling zouden gaan bewegen of praten, een vloer van piepkleine steentjes die samen afbeeldingen van dieren en mensen vormden, omringd door geometrische ontwerpen. Maar het bijzonderste was wel een beeld dat voortdurend water in een rechthoekige vijver in het midden van de kamer spoot. In elke hoek stonden witte marmeren zuilen tot aan het plafond, dat blijkbaar niet helemaal af was, waardoor de zon naar binnen scheen en een brede baan van goudkleurig licht in de kalmte van de kamer wierp en in een schitterende kleurenpracht op de vele kostbare voorwerpen liet weerkaatsen.

Terwijl ik al die dingen in me opnam, sprak een oudere man in een fijne tuniek kort met Sabinus. We volgden hem naar buiten, naar een hoge, brede gang waar het ondanks de zomerwarmte koel was, en kwamen toen in een kleinere kamer – hoewel die als ik hem als eerste had gezien de grootste kamer zou zijn geweest die ik ooit had gezien. Deze kamer was nog weelderiger ingericht en versierd met rijk gekleurde fresco's. Onder het hoge plafond hing een mist, alsof de kamer zo hoog was dat er dunne bewolking hing en het elk moment zachtjes kon gaan regenen. Ik besefte al snel dat het de dampen van de vele olielampen en kaarsen waren die het licht van de drie ramen in de muur aan de andere kant van de kamer versterkten. Door de ramen zag ik een tuin vol bloeiende planten. De oude man liet ons alleen, zonder ons uit te nodigen plaats te nemen op een van de gestoffeerde luie banken in de kamer. Ik bleef staan met mijn arm om mijn broers schouders. Met grote ogen probeerde hij de pracht en praal waarin we terecht waren gekomen te bevatten. Sabinus stond aan de zijkant, naast gordijnen waarin met zilverdraad mysterieuze tekens waren geweven. Toen ik naar de tekens tuurde, in een poging te achterhalen wat ze betekenden, bewogen de gordijnen en gluurde er een klein oog door de spleet. Ik hield de blik even vast en vroeg me af wie ons stond te bekijken, tot het oog bij het horen van binnenkomende voetstappen plotseling verdween en de gordijnen weer dichtvielen.

'Centurio,' zei een vrouwenstem, die tegelijkertijd zacht en dwingend klonk.

Ik draaide me om en zag een uitzonderlijk mooie vrouw de deur door komen. Ze bewoog zich zo elegant dat ze leek te glijden.

'Ik ben Antonia. Mijn echtgenoot heeft me over uw ophanden zijnde komst geschreven. Dank u dat u aan uw plicht hebt voldaan; u mag nu gaan.'

Sabinus salueerde – iets wat ik vreemd vond, omdat ik nooit eerder had gezien dat een man een vrouw zoveel eer bewees – en marcheerde toen met een beleefd knikje en iets wat in de buurt kwam van een glimlach naar mijn broertje en mij de kamer uit. Dat was de laatste keer dat ik hem zag. Ik bid dat hij een goed excuus heeft waarom hij het mes nooit naar mijn moeder heeft gebracht, want ik kan niet geloven dat hij het heeft gestolen. Het had voor hem geen waarde. Misschien is hij tijdens de terugreis omgekomen.

Aius stopte met lezen en rolde het perkament op.

Thumelicatz bestudeerde het mes en keek toen naar de twee broers. 'We weten nu waarom jullie vader het mes nooit naar mijn grootmoeder heeft gebracht, maar waarom heeft hij het nooit teruggegeven aan mijn vader?'

De jongste broer werd zichtbaar kwaad. 'Hij heeft het niet gestolen, als je dat soms bedoelt. De veldslag waarin hij zo ernstig gewond raakte dat hij niet in het leger kon blijven vond zeven jaar na zijn ontmoeting met jouw vader plaats. Tegen de tijd dat zijn wond was genezen en hij terug was in Rome, het jaar erop, diende Erminatz als krijgstribuun in een *ala* van de hulpcavalerie. Hij heeft geprobeerd het terug te geven, dat zei hij toen hij ons het mes afgelopen maand gaf.'

Thumelicatz bestudeerde het gezicht van de jongste broer, vermoedde dat hij de waarheid sprak en dacht toen even na. 'Goed dan, de tijdlijn klopt; Erminatz is op zijn zeventiende aan zijn militaire dienst voor Rome begonnen. Maar we lopen op de zaken vooruit.' Hij keek naar Tiburtius, die de tweede rol had afgerold. 'Begin maar.'

HOOFDSTUK III

Vrouwe Antonia nam mijn broer en mij kritisch op. Ik voelde haar betoverend groene ogen in de mijne priemen, en als ik mezelf er niet aan had herinnerd dat ik de zoon van de koning der Cherusken was, had ik mijn blik voor haar neergeslagen. Mijn seksuele gevoelens voor vrouwen waren nog niet ontwikkeld, maar ik voelde mijn hart sneller kloppen door haar schoonheid: lichte huid, volle lippen in een vrijpostige roze tint, hoge jukbeenderen en kastanjebruin haar dat in ingewikkelde vlechten hoog op haar hoofd was vastgezet met met edelstenen bezette spelden en gedeeltelijk werd bedekt door een lang turkoois gewaad dat rond haar schouders viel, zich rond haar lichaam draaide en over één arm was gedrapeerd. Daaronder droeg ze een enkellange geplooide jurk van het donkerste rood die zachtjes heen en weer zwaaide als ze zich voortbewoog. Ik was betoverd. Ik had nog nooit zoveel schoonheid en elegantie gezien. Ik voelde mijn neusvleugels trillen toen ik haar geur opsnoof die me naar iets liet verlangen dat ik niet begreep – pas enkele jaren later zou ik ontdekken hoeveel macht het reukvermogen over zowel mannen als vrouwen had.

Antonia glimlachte liefjes en met een zweem van humor, en ik besefte dat mijn gevoelens op mijn gezicht af te lezen moesten zijn. Ik zette direct een neutraal gezicht op en keek haar uitdagend aan.

'Hoe heten jullie?' vroeg ze terwijl ze op een bank ging zitten en haar handen in haar schoot legde.

'Ik ben Erminatz en dit is mijn...'

'Laat die jongen zelf antwoord geven.' Ze keek naar Chlodochar, die direct naar de grond keek.

'Chlodochar,' fluisterde hij.

'Luider, kind.'

'Chlodochar!' Hij schreeuwde nu bijna.

'Chlotgelar? Nee, zeg, dat kan niet. Dat onthoudt niemand.'

Mijn broer richtte zich op en keek haar begrijpend aan. 'De soldaten noemden me Flavus vanwege mijn blonde haar.'

'Wat verstandig van ze. Dan is het Flavus.' Ze wendde zich weer tot mij. 'Arminetz is te grof. Arminus... nee, Arminius, ja, dat is beter. Jij heet in Rome Arminius.'

'Ja, Antonia.'

Haar ogen schoten vuur. 'Spreek me altijd aan als domina.'

Ik knikte zonder iets te zeggen. Ik had gezien hoeveel kracht er achter die ogen schuilging en wilde haar niet nog eens tegen de haren instrijken.

'Goed dan. Mijn echtgenoot schreef dat hij jullie hier in huis wil laten onderwijzen en zo zal het gebeuren. We zullen die barbaarse plooien gladstrijken en jullie toonbaar maken. Maar denk erom, als jullie niet serieus studeren of als jullie tegendraads of ongehoorzaam zijn, zullen jullie worden gestraft. Jullie status van gasten zal dan veranderen in die van gijzelaars. Jullie zullen dan veel van jullie vrijheid kwijtraken en niet veel beter af zijn dan slaven. Begrijpen jullie dat?'

Ik moet eerlijk zeggen dat dit een samenvatting van haar betoog is, want ik begreep alleen de kern van wat ze zei. Haar toon en de woorden waren echter genoeg geweest en ik knikte weer. 'Ik zal het aan Chlodochar uitleggen.'

Antonia's ogen schoten weer vuur. 'Aan wie, Arminius?'

'Aan Flavus, domina.'

'Goed zo, je leert snel.' Ze keek naar iets achter mij. 'Ik weet dat je er bent, dus kom maar tevoorschijn!'

Ik draaide me om en zag de gordijnen die voor een nis hingen uit elkaar gaan. Er stapte een jongen, niet veel ouder dan Flavus, achter vandaan. Hij liep grijnzend op Antonia af, met een zelfvertrouwen dat niet bij zijn leeftijd paste, en kuste de wang die zij hem aanbood.

'Deze twee jongens zullen de lessen met jou gaan volgen,' vertelde Antonia hem terwijl ze liefdevol door zijn haren woelde.

Hij keek naar ons en zette met een twinkeling in zijn ogen een afkeurende blik op. 'Ze zien er niet erg schoon uit, moeder.'

En zo verliep mijn kennismaking met een van de grootste Romeinse generaals, de oudste zoon van Drusus en Antonia, Tiberius Claudius Nero, die later bekend zou worden als Germanicus.

Het Romeinse onderwijs bestaat uit harde lessen die steeds een beetje moeilijker worden. Ik had nog nooit in mijn leven formeel onderwijs genoten, dus de eerste les viel vies tegen. Ik had geschreven tekst gezien – ik wist bijvoorbeeld dat de runen op mijn mes 'Erminatz' betekenden – maar ik had nooit gedacht dat ik het moest leren ontcijferen; daar hadden wij slaven voor. Aan het begin van mijn eerste les hield mijn litterator me echter een lijst tekens voor: letters die ik moest leren herkennen en waarvan ik moest leren hoe ze klonken in een taal die ik nauwelijks kende. Om het nog erger te maken, zat ik naast twee jongens die drie jaar jonger waren dan ik en van wie de ene, Germanicus – ik zal hem zo noemen, hoewel hij toen die naam nog niet droeg – deze schijnbaar magische kunst al bijna onder de knie had. Hij lachte om mijn gehakkel met de alfabetische klanken, waardoor ik nog meer ging stotteren en de litterator uiteindelijk naar de roede moest grijpen. Mijn schaamte werd nog groter doordat ik voor de ogen van de jongere jongens een pak slaag kreeg, en omdat Flavus datgene waarmee ik zoveel moeite had gemakkelijk oppikte.

Toch maakte ik vorderingen. Het slaan werd minder en uren achter elkaar op de harde houten banken zitten werd draaglijk. Naarmate we beter werden, mochten we deelnemen aan meer mannelijke activiteiten, zoals worstelen en zwaardtrainingen. Maar omdat ik veel groter was dan Flavus en Germanicus mochten zij altijd samen oefenen en stond ik tegenover degene die ons les gaf. Het gevolg was dat ik nooit eens won en dat Flavus en Germanicus goede vrienden werden. Ik voelde me alleen, en dat gevoel nam toe toen Germanicus zijn moeder vroeg of Flavus van de kamer die hij met mij deelde naar zijn kamer mocht verhuizen. Zij gaf toestemming en Flavus pakte maar wat graag zijn spullen.

En zo verstreken de eerste maanden in Drusus' huis. Ik zal er niet langer over uitweiden, want eind september gebeurde er iets wat veel veranderde.

We zaten in het peristilium, de binnentuin achter het huis, over ons rekenwerk gebogen toen een boodschapper, nog vuil van de straat, langs ons werd geleid naar Antonia's privédomein in een kamer aan de andere kant van de tuin. Ik dacht er niets van toen de zwart gelakte deur openging om hem binnen te laten. Antonia kwam echter niet lang daarna naar buiten. Ze liep, vreemd rechtop alsof ze zichzelf dwong niet in te storten, naar ons plekje onder de zwaar beladen appelboom.

Ze keek Germanicus aan, met ogen waarin niets viel af te lezen, en zei zonder omwegen: 'Je vader is overleden aan verwondingen die hij heeft opgelopen na een val van zijn paard in Germania. Jij bent nu het hoofd van deze huishouding en zult die plicht op zijn uitvaart moeten vervullen als zijn lichaam volgende maand in Rome aankomt. Stel de familie niet teleur.' Daarop draaide ze zich om en liep ze zo snel ze kon, zonder haar waardigheid te verliezen, het huis in. Achteraf denk ik dat ze zo snel mogelijk alleen wilde zijn met haar immense verdriet; er in het openbaar aan toegeven – of zelfs maar tranen in haar ogen krijgen – zou voor haar onacceptabel zijn geweest.

Flavus en ik keken naar Germanicus; zijn gezicht verraadde niets. Hij legde zijn stylus en wastablet naast zich op de stenen bank, stond op en zei tegen de litterator: 'Excuseer me.' Hij volgde zijn moeder, met dezelfde waardigheid, het huis in en ik had mijn eerste les in Romeinse gereserveerdheid en zelfbeheersing gekregen.

Het verbaasde me hoe Germanicus zijn gevoelens over de dood van zijn vader op die leeftijd al zo kon wegstoppen; ik vond het bijna onmenselijk. Flavus vertelde me dat hij hem de hele tijd dat het duurde voor Drusus' rouwstoet Rome had bereikt 's nachts niet één keer had horen huilen. Overdag volgde hij zijn lessen alsof er niets aan de hand was. Het enige verschil dat ik merkte was dat hij me niet uitlachte als ik weer eens een fout maakte. Hij lachte zelfs helemaal niet meer.

En toen brak de dag aan dat Drusus' lichaam Rome binnenkwam.

In de maanden dat ik in de stad was, had ik het huis niet uit gemogen, maar op de dag van Drusus' uitvaart werd van Flavus en mij verwacht dat we de familie als huisgasten zouden vergezellen. We werden daarom ruim voor zonsopkomst wakker gemaakt. In het huis hing een melancholieke sfeer terwijl de slaven ordelijk en in stilte voorbereidingen troffen voor de terugkeer van hun meester. Flavus en ik kregen snel wat te eten en werden toen door de huismeester in de hoek van het atrium neergezet met de mededeling dat we de familie op een respectvolle afstand moesten volgen.

Toen de zon in het oosten boven de horizon uitkwam, werden de deuren opengezet voor Drusus' beschermelingen, meer dan tweehonderd personen – hoewel ik later hoorde dat dit slechts de meest vooraanstaande lieden waren van de paar duizend burgers die Drusus als hun beschermheer beschouwden. In hun donkergrijze toga's – die, zo ontdekte ik al snel, *toga pulla* werden genoemd – liepen ze met een bijna theatrale ernst het atrium binnen en stelden ze zich op aan de zijkant van de kamer. Toen verscheen Germanicus, met achter zich zijn moeder en zuster, en ik viel bijna om van verbazing: Antonia hield een baby in haar armen. Ik wist niet dat er een derde kind was, niemand had er ooit iets over gezegd. Mijn nieuwsgierigheid was van korte duur. Toen we achter de familie de koele ochtendlucht in stapten, om op de trappen voor het huis op de rouwstoet te wachten, rees er vanuit de lager gelegen stad een geluid op dat ik nooit eerder had gehoord: het geluid van tienduizenden stemmen die samen hun verdriet uitten. Het zwol geleidelijk aan en kwam steeds dichterbij tot uiteindelijk de stoet zichtbaar werd met Drusus' lichaam op een draagbaar die door zes mannen op de schouders werd gedragen. Ik keek naar Germanicus en Antonia; geen van beiden toonde enige emotie toen hun vader en echtgenoot voor de laatste keer thuis werd gebracht.

De baar werd omgeven door de stank van verrotting, maar iedereen deed alsof hij niets rook. Ik had de tegenwoordigheid van geest om Flavus' hand omlaag te duwen toen hij zijn neus wilde dichtknijpen.

Antonia gaf Germanicus een tikje op zijn schouder toen de stoet voor het huis tot stilstand kwam. Hij stapte naar voren, boog zijn hoofd en draaide zich toen om om de baar voor te gaan de trap op. Ik moest me bedwingen om niet te lachen om het belachelijke schouwspel: de twee voorste dragers verschilden zo in lengte dat de baar bij elke stap vervaarlijk wiebelde. De man links was lang, zelfs naar onze maatstaven, en had brede schouders en een machtige borstkas. Uit zijn sombere gezichtsuitdrukking en leeftijd – begin dertig – maakte ik op dat hij Drusus' broer moest zijn. De man aan de rechterkant was halverwege de vijftig en veel kleiner en dunner; je kon hem bijna spichtig noemen. Omdat alle mannen grijze rouwtoga's droegen, kon ik niet zien welke rang deze onbeduidend ogende man had, maar ik had te doen met de andere dragers die hun best moesten doen om het lichaam op de baar te houden.

Achter hen liep een vrouw, iets jonger dan de spichtige man. Ze had volle wangen, een prominente, rechte neus en grote ogen die ze continu op Drusus' lijk gericht hield. Ze hield zichzelf goed, maar leek in trance, en ik nam aan dat ze Drusus' moeder moest zijn. Ik had echter geen idee wie de jongere vrouw achter haar, die vijf kinderen in de leeftijd van drie tot twaalf jaar met zich mee loodste, kon zijn.

De rest van de stoet bleef buiten staan en Antonia ging de familie voor naar binnen. Flavus en ik waren de laatsten die de drempel over stapten. Ik was me er op dat moment niet van bewust, maar toen de deuren achter ons dichtgingen, bevond ik me in de aanwezigheid van de complete keizerlijke familie van Rome; ik bevond me in het middelpunt van de Romeinse macht.

De naam van de overledene was talloze keren door de rouwenden uitgeroepen en er was eindeloos lang gebeden, maar eindelijk werd er een muntje voor de veerman in Drusus' mond gelegd en gingen we op weg naar de Campus Martius, ten noorden van de stadsmuren, waar de brandstapel was gebouwd. Veel mensen liepen achter ons aan of stonden langs de route en voerden een theatrale rouwshow op: vrouwen rukten aan hun haren en kleding terwijl ze hard jammerden, terwijl mannen niet bang waren om te huilen. Ik begreep al snel dat verdriet in Rome een openbare aangelegenheid was en niet iets wat je in je eentje deed, en ik snapte waarom Germanicus geen emotie had getoond na de dood van zijn vader. Onderweg liet hij zijn tranen de vrije loop, net als Antonia en alle andere mensen die de draagbaar volgden. We werden voorafgegaan door een acteur, met Drusus' dodenmasker voor zijn gezicht en net als hij gekleed in een compleet militair uniform. Hij werd gevolgd door andere acteurs met de dodenmaskers van Drusus' voorvaders. Professionele rouwklagers jutten de menigte op met verhitte opvoeringen van aan zelfkastijding grenzend verdriet. De sfeer werd steeds somberder naarmate we dichter bij de brandstapel kwamen, en de gebouwen langs de route leken het gehuil en gejammer te omhullen en vast te houden, zodat ze bleven weergalmen en niet konden opstijgen naar de hemelen.

Het verdriet was zo aanstekelijk dat ik tegen de tijd dat we onze eindbestemming bereikten in-en-in triest was, alsof ik mijn eigen vader had verloren. Over mijn wangen druppelden tranen voor een man die ik nauwelijks had gekend en die mijn volk had verslagen en mij in gijzeling had genomen. De baar werd op de vierkante brandstapel van regelmatig opgestapelde boomstammen die bijna een gebouw leken te vormen geplaatst, en de familie beklom een groot podium ernaast. Mijn broer en ik bleven onder aan de ladder staan. De professionele rouwklagers verhoogden hun volume meer dan ik voor mogelijk had gehouden en de mannen met de maskers namen poses van verdriet aan terwijl de tienduizenden toeschouwers jammerden alsof er om hun eigen dood werd getreurd.

Toen het lawaai een hoogtepunt bereikte dat pijn deed aan mijn oren, stapte de spichtige man naar voren. Met een enkel gebaar kreeg hij de menigte in één keer stil. En toen begon hij te praten en besefte ik, met een schok, wie hij was.

'Vandaag rouwen we om een zoon van Rome, een man die me even dierbaar is als mijn aangenomen zoons, Gaius Julius Caesar en Lucius Julius Caesar, de natuurlijke zoons van mijn dochter Julia.'

De spichtige man was de machtigste man van de wereld: Augustus, de keizer van de Romeinen. Hij wees naar de twee oudste jongens in het groepje van vijf kinderen.

'Ik bid dat als de tijd komt dat hun zoons hun lijkrede houden zij evenveel roem voor Rome hebben vergaard als Drusus, een man die voor mij evenzeer een opvolger was als die twee jongens.'

Ik vond het verbazingwekkend dat een man die fysiek zo weinig voorstelde, een man die niet zou opvallen in een menigte, een man die je gemakkelijk over het hoofd zag, de top had kunnen bereiken van dit krijgshaftige volk. Terwijl Augustus een uur lang doorpraatte over Drusus, bestudeerde ik hem in de hoop iets te vinden wat zijn macht kon verklaren. Hoewel hij klein en slank was, was hij perfect geproportioneerd; als je hem alleen zag, had je geen idee van zijn grootte en kon je gemakkelijk aannemen dat hij veel langer was dan hij in werkelijkheid was. Hij was zich duidelijk bewust van zijn geringe lengte, want ik zag dat zijn schoenen dikke zolen en hakken hadden waardoor hij zeker twee duimbreedtes langer leek. Bij ons thuis zou een man zijn bespot voor zoveel ijdelheid. Zijn huid was licht van kleur, hij had rommelige, zandkleurige krullen en een Romeinse neus met daarboven wenkbrauwen die elkaar in het midden raakten. Ik zag niets in hem wat het voor mij aannemelijk maakte dat hij een heerser was, tot zijn blik mijn kant op ging en de mijne even vasthield. Toen begreep ik het: zijn ogen stonden slim en helder en waren zo blauw dat het aan grijs grensde. Het waren de ogen van een man met een enorme wilskracht en ze stonden zo helder dat het bijna onmogelijk was de blik langer dan een kort moment te verdragen. Met zulke ogen kon je anderen alles laten doen wat je wilde.

Augustus gebaarde dat Antonia en Drusus' moeder en broer naar voren moesten komen. Hij stelde hen voor aan zijn publiek, dat ademloos luisterde. 'Ik vraag u, medeburgers, te delen in het verdriet van Antonia, zijn echtgenote, en hun drie kinderen; te delen in het verdriet van een moeder, Livia Drusilla, mijn echtgenote; en te delen in het verdriet van een broer, Tiberius Claudius Nero.' Alle drie hielden hun handen op om het Romeinse volk te vragen deel te nemen aan hun verdriet, en dat deden ze zonder omhaal.

Augustus liet de klaagzang een behoorlijke tijd doorgaan voordat hij weer gebaarde dat het stil moest zijn, en dat was het meteen. Hij keek naar een groep van zo'n vijfhonderd mannen die op de trappen van een gebouw aan de andere kant van de brandstapel stonden – ik kwam er later achter dat het gebouw het Theater van Pompeius was. 'Beschreven vaderen van de Senaat, help ons het verdriet te verzachten, eer Drusus na zijn dood zoals ik hem in zijn leven had moeten laten eren. Het is mijn fout dat ik jullie niet heb gevraagd hem de titel te geven die hij verdiende. Ik neem de schuld op me, senatoren, en ik voel de last van laksheid. Voor zijn triomfen in Germania Magna en de vredesverdragen die hij daar wist te sluiten, waarvoor het bewijs hier voor mij staat.' Hij keek naar Flavus en mij en wees ons aan. 'De zoons van Germaanse hoofdmannen zijn hier in Rome, niet alleen als waarborg voor het goede gedrag van hun vaders, maar ook om Romeinen van hen te maken. Drusus heeft voor ons een nieuwe provincie gesmeed, onze grenzen ver naar het oosten opgeschoven. Ik verzoek jullie, senatoren, eer hem en zijn nakomelingen met de naam die hij heeft verdiend: verleen hem postuum de naam Germanicus, en laat zijn oudste zoon die naam dragen ter nagedachtenis aan zijn vader.'

De emotie in zijn stem en de hartstocht in zijn verzoek waren zodanig dat de Senaat bijna als één man schreeuwde: 'Germanicus!' De roep werd overgenomen door de inwoners van Rome en toen het spreekkoor aanzwol liep Augustus naar de brandstapel en nam een brandende fakkel van een slaaf over die hij op het in olie geweekte hout wierp. De vlammen schoten omhoog, likten aan de baar en stuurden donkere rook en een verzengende hitte de lucht in. Naast de brandstapel offerden mannen die toga's over hun hoofden hadden getrokken om hun haren te bedekken een os, ram en zwijn, en verwijderden de harten die ze in het vuur gooiden. Naarmate het vuur intenser werd, het hout deed knappen en het dode vlees liet sissen, werd het gezang dat ook, tot het hoorbaar moet zijn geweest voor elke god, zowel de Romeinse als de Germaanse.

De Senaat en het volk van Rome bleven hun geliefde zoon eren tot het vuur begon te doven en er van het lichaam niets meer over was dan zwartgeblakerde beenderen. Pas toen ging iedereen uit elkaar en brak er een officiële periode van rouw aan die negen dagen later zou worden afgesloten met de lijkspelen.

We keerden terug naar de Palatijn en het leven ging weer verder, maar met twee veranderingen: we mochten onder begeleiding af en toe het huis uit om samen met andere jongens in de Campus Martius te oefenen in gymnastiek, worstelen, wapengebruik en paardrijden. Het tweede was minder fijn: hoewel ik Germanicus in mijn verhaal steeds die naam heb gegeven om verwarring te voorkomen, moesten wij hem nu ook daadwerkelijk zo gaan noemen in plaats van Nero.

Elke keer dat ik zijn naam uitsprak, werd ik herinnerd aan de nederlaag van mijn volk, en hoewel hij mij niets had misdaan begon ik hem te haten, alleen maar vanwege zijn naam.

Rome werd in de daaropvolgende jaren mijn leven, en ik begon, hoewel ik me er nooit prettig bij voelde dat ik op Romeinse wijze werd grootgebracht, uit te blinken op fysiek vlak en kon aardig meekomen in de schoolklas. Mijn dijbenen, borstkas en schouders ontwikkelden zich en ik kon Latijn en Grieks lezen en schrijven en beide talen spreken zonder een al te sterk accent. Na mijn puberteit leek ik niet anders dan de jongens met wie ik trainde in de Campus Martius. Kortom, ik werd een Romein. Mijn haar werd regelmatig geknipt, mijn sprietige baard werd elke dag geschoren en ik had al vijf jaar geen broek meer aangehad. Ik begreep hoe de overheid werkte, hoe de starre sociale hiërarchie in elkaar zat en ik kende de commandostructuur en het protocol van de legioenen. Maar ondanks dit alles voelde ik diep in mijn hart een grote liefde voor de Cherusken en een felle haat jegens de mensen die me hadden gedwongen hun gebruiken op te geven.

Dat gold niet voor Flavus. Zijn vriendschap met Germanicus ging zo diep dat ze onafscheidelijk waren en zijn voorliefde voor de Romeinse gebruiken domineerde zijn leven zozeer dat hij zelfs wanneer we alleen waren weigerde onze moedertaal te spreken. Zijn herinneringen aan ons thuisland vervaagden en hij begon neer te kijken op de 'boerse' manier van leven, zoals hij het noemde, van de Cherusken. Hij verweet mij dat ik de grootsheid om ons heen niet wilde zien en de macht waarvoor ze stond niet begreep. Hij werd een echte Romein: hij eerde hun goden, amuseerde zich bij hun schouwspelen in de arena's of het Circus Maximus en genoot van hun eten.

We maakten in die tijd veel ruzie en vaak kwam het tot klappen. Omdat ik ouder en groter was, gaf ik hem er altijd flink van langs – waarvoor ik altijd werd gestraft – en dit dreef hem verder bij mij vandaan en dichter naar Germanicus, die hij meer als een broer zag dan mij, zijn eigen vlees en bloed.

Nu er niemand meer was om de herinneringen aan mijn verloren kindertijd mee te delen, voelde ik me steeds eenzamer, en mijn bitterheid groeide. Dit uitte zich in extreem gewelddadig gedrag en ik werd gevreesd in de worstelarena. Ik werd woest als ik dreigde te verliezen, en mijn respect voor de regels en etiquette van de sport verdween als sneeuw voor de zon en de worstelmeester moest me van mijn bebloede tegenstander aftrekken en straffen.

Na een dergelijk incident kwam een jongen van ongeveer mijn leeftijd uit de jouwende menigte naar voren terwijl ik flinke klappen met het riet kreeg.

'Hou daarmee op,' beval hij mijn gesel. 'Ik zal hem een lesje in Romeins gedrag leren op het zand.'

De worstelmeester liet me los. Ik stond op en keek naar mijn uitdager. Hij kwam me bekend voor, maar ik kon hem niet plaatsen. Ik had hem zeker niet eerder gezien tijdens de trainingen in de Campus Martius – maar ik kreeg niet vaak toestemming om te gaan, dus misschien hadden onze wegen elkaar nooit gekruist. Hij had geen sterke bouw voor een jongen van een jaar of veertien, en hij was iets kleiner dan ik. Met zijn grote blauwe ogen, volle lippen en lichtbruine haar leek hij eerder een jongen van plezier, de soort die ik had zien ronddwalen in de mindere straten van Rome waar ik op onderzoek uitging als ik af en toe wist te ontsnappen aan de aandacht van mijn begeleider.

Hij stapte het zand op, draaide zijn schouders los en keek mij vastberaden aan. Hij was, net als ik, naakt. Zand van een eerder gevecht zat hier en daar aan zijn geoliede huid geplakt, en op zijn armen en borst zaten plekken die erop leken te wijzen dat hij onlangs nog was verslagen.

Ik stapte naar voren. De striemen van mijn afranseling deden pijn, maar dat liet ik niet merken. Ik keek hem aan met het vertrouwen van iemand die een oordeel velt op basis van wat zijn ogen zien. 'Ik kijk met plezier uit naar dat lesje.'

'Dat is mooi, want ik kan je verzekeren dat je er niet met hetzelfde gevoel op terug zult kijken.'

'Ik weet zeker dat ik er dan nog meer van zal genieten.'

'Arrogante barbaren moeten op hun plaats worden gewezen.' Hij nam een gehurkte positie aan en ik deed hetzelfde, draaide om hem heen, veranderde van richting, terwijl hij op mijn schouders en bovenarmen sloeg om grip te krijgen op mijn geoliede huid.

Ik reageerde op de gebruikelijke manier en stootte ook mijn onderarmen naar links en rechts om zijn pogingen om mij vast te pakken te blokkeren. Ik had geleerd om onregelmatige pasjes te maken; zo werd het voor de tegenstander lastiger te voorspellen welke kant je op zou bewegen, maar het leek deze jongen niet in verwarring te brengen. We bleven rondjes om elkaar heen draaien, eerst naar links, dan naar rechts, en gaven elkaar met open handpalmen rake klappen die we niet wisten om te zetten in een stevige greep. Een klap tegen de zijkant van mijn hoofd deed mijn oren suizen en leverde mijn tegenstander gejuich van de groeiende groep toeschouwers op. Ik bewoog mijn rechterarm omhoog en mepte de zijne weg voordat hij me achter in mijn nek kon vastgrijpen. Daarop maakte ik een schijnbeweging naar links, gevolgd door een harde voorwaartse beweging van mijn rechtervoet in een poging die achter zijn knie te haken. Hij had me snel door en sprong, terwijl mijn been naar voren schoot, naar achteren en greep met zijn linkerhand mijn kuit. Hij gaf een ruk omhoog terwijl zijn rechterhand mijn voet vastpakte en naar hem toe draaide met een plotselinge, harde beweging die mijn lichaam dwong mee te draaien om de pezen in mijn enkel niet te ver te laten uitrekken. Ik draaide de lucht in terwijl hij zijn greep op mijn voet verstevigde. Tijdens die draai gaf hij een harde duw naar voren, waardoor mijn been boog en mijn hiel bijna tegen mijn billen sloeg. Ik klapte onder luid gejoel en gelach van de toeschouwers met mijn gezicht in het zand. De grove korrels schaafden het vel van mijn kin, het puntje van mijn neus en mijn voorhoofd en prikten in mijn tranende ogen. Ik draaide me op mijn rug, verwoed knipperend met mijn ogen waarmee ik nauwelijks iets kon zien, en voelde me woest worden om deze vernedering.

Ik wreef mijn ogen uit en zag de jongen over me heen gebogen staan. Hij lachte spottend en gebaarde dat ik moest opstaan. De toeschouwers begonnen langzaam in hun handen te klappen en ik verloor mijn zelfbeheersing.

Ik duwde me op mijn handen omhoog, bewoog mijn pijnlijke lichaam naar voren en sprong met een schrille kreet van razernij op hem af. Zonder acht op de regels te slaan, begon ik hem met mijn vuisten te bewerken. Ik voelde mijn knokkels tegen zijn kin aan slaan en vervolgens krakend tegen de zijkant van zijn hoofd komen. Hij reageerde niet, maar stond me gewoon grijnzend aan te kijken. Ik bleef op hem in beuken terwijl ik onverstaanbare kreten uitte, en toen gebeurde er iets wat mijn kijk op het leven voorgoed zou veranderen: in een bliksemsnelle beweging greep de jongen allebei mijn vuisten in zijn handen en drukte ze langzaam omlaag.

'Wat heb je aan een beetje valsspelen?' siste hij met opeengeklemde kaken terwijl hij mijn polsen naar buiten draaide. 'Je volgt de regels, of verbreekt ze zodanig dat je tegenstander niet weet wat hem overkomt en iedereen je vreest omdat je zo ver durft te gaan.'

De druk nam toe en ik viel met een van pijn verbeten gezicht op mijn knieën. Ineens liet hij mijn linkervuist los en duwde hij de rechter van zich af. Met zijn vrije hand pakte hij mijn elleboog en klapte hij mijn arm omlaag op zijn omhoog bewegende knie. Een felle steek van pijn schoot door mijn hoofd toen ik mijn onderarm als een dode tak hoorde breken, en ik moet hebben geschreeuwd, hoewel ik me dat niet kan herinneren.

'Zo moet je valsspelen. Anders is het sneu en een blamage voor jou en je tegenstander.'

Ik viel op de grond, met mijn gebroken arm tegen me aan gedrukt, terwijl tranen van pijn over mijn gekwelde gezicht stroomden die het zand dat erop geplakt zat in modder veranderden.

Nadat ik zo even had liggen kronkelen, werd ik me ervan bewust dat het om me heen doodstil was. Ik deed mijn ogen open en zag de toeschouwers met open mond naar mijn overwinnaar staren.

Hij stapte naar voren en hielp me overeind. 'Het is een nette breuk, die heelt goed. Ik zal mijn vaders arts naar je huis sturen om hem te zetten.' Hij sloeg een arm om mijn schouders en leidde me door de groep toeschouwers; ze weken zonder iets te zeggen voor ons uiteen. Mijn begeleider, een oudere slaaf uit de huishouding, liet mijn tuniek over mijn hoofd glijden, pakte mijn sandalen en lendendoek en volgde ons terug naar de Palatijn.

De jongen leverde me bij Antonia's huis af met de belofte dat de arts direct zou langskomen.

Hij kwam nog sneller dan verwacht en terwijl hij mijn gebroken arm onderzocht, vroeg ik hem naar de naam van de jongen.

Hij keek me verbluft aan, alsof iedereen zijn naam zou moeten kennen. 'Hij is de jongste aangenomen zoon van mijn meester.'

En toen wist ik waarom zijn gezicht me zo bekend voorkwam: ik had hem op Drusus' uitvaart gezien. Hij was Lucius Julius Caesar.

Lucius kwam de volgende dag langs en deed tot mijn grote verbazing en verwarring ontzettend aardig tegen me.

'Hoe voelt het?' vroeg hij nadat hij zonder aankondiging mijn kamer in was gekomen.

Ik keek hem verrast aan. 'Het klopt,' zei ik.

'Dat zal wel een paar dagen zo blijven, denk ik.' Hij ging op een kruk in een hoek van de kamer zitten, leunde achterover tegen de muur en legde zijn voeten op de lage tafel naast mijn bed. Zo zat hij me even in stilte te bestuderen.

Eerst wist ik niet wat ik ervan moest denken en toen begon het me te irriteren. 'Waar kijk je naar?'

'Dat is een stomme vraag.'

Ik kreunde, deels omdat er wel waarheid in die opmerking zat. Toen hield ik zijn blik vast. 'Waarom heb je opzettelijk mijn arm gebroken en kom je nu kijken of ik in orde ben?'

'Die is beter.' Hij glimlachte, niet naar mij, maar in zichzelf.

'Nou?'

'Ik verveelde me of zo.'

'Je verveelde je?'

'Ja, ik verveelde me. Je weet wel: te weinig om mijn geest bezig te houden omdat mijn leven elke dag hetzelfde is.'

'Ik weet wel wat vervelen betekent!'

'Waarom vraag je het dan?'

'Ik vroeg niet wat het betekent, ik vroeg... ik vroeg... nou, waarom?'

'Ik wilde weten hoe je het zou opnemen.'

'Slecht.'

'Nee, juist erg goed. Dat vond ik tenminste. En ik wilde weten of je er iets van zou leren.'

Ik kneep mijn ogen tot spleetjes. 'Nou, ik heb ervan geleerd en het was een erg pijnlijke les.'

'Dat zijn de beste lessen.'

'Dat is niet waar.'

Lucius lachte kort. 'Nee, dat klopt inderdaad niet. Ik heb gisteravond een erg fijne, pijnloze les gehad.'

Ik lachte een beetje.

'Dus?'

'Wat dus?'

'Dus, wat heb je geleerd?'

'Ik heb geleerd dat ik de volgende keer dat ik met jou worstel je ballen eraf ga draaien en dan allebei je armen breek, en dan zeg ik dat alles minder dan dat sneu zou zijn en een blamage voor ons allebei.'

'Ha!' Hij klapte in zijn handen. 'Ik wist wel dat je het zou begrijpen. Jij bent perfect.'

'Perfect voor wat?'

'Perfect voor mij nu mijn broer zijn dagen grotendeels aan politiek wijdt. Een zestienjarige in de Senaat! Belachelijk.'

'Maar hij is Augustus' erfgenaam.'

'Dat ben ik ook, maar hij mag zijn gang gaan. Ik wil lol maken voordat ik word gedwongen volwassen te worden en me te gedragen als een door jicht geplaagde ex-consul. Ik kan niet te dikke vrienden worden met de jongens in mijn klas, want ik ben niet stom; zij zullen die vriendschap in de toekomst uitbuiten of de vriendschap zal mijn beoordelingsvermogen aantasten. Ik moet dus elders naar gezelschap zoeken.'

'En een barbaar voldoet wel?'

'Zeker weten.'

'Omdat hij nooit een rol zal spelen in de politiek van je keizerrijk?'

'Exact.'

'En daarom word ik niet beter van onze vriendschap.'

'Precies.'

'Zodat je mij als een echte vriend ziet en niet als een stroopsmeerder?'

'Klopt. Maar nog belangrijker, mijn aangenomen vader zal dat denken en zal er niets op tegen hebben dat wij samen optrekken.'

'Waarom zou het hem iets kunnen schelen?'

'Omdat je natuurlijk in het paleis moet komen wonen; hoe kunnen we anders samen les krijgen?'

'En heb ik er nog iets over te zeggen?'

'Natuurlijk.'

'En als ik dan nee zeg?'

'O, ik denk niet dat je dat zult doen.'

'Waarom niet?'

'Omdat je dan een heleboel leuke dingen misloopt. Ik ben de aangenomen zoon van de keizer; ik kan vrijwel alles doen waar ik zin in heb.'

En zo trok ik in Augustus' huis en werd ik de vriend van de gedeelde erfgenaam van het purperen keizersgewaad.

Tiburtius rolde het perkament op.

Thumelicatz glimlachte, zonder warmte, naar de Romeinen. 'Ik vind het grappig en ironisch dat de persoon die mijn vader liet zien dat je alles uit je leven moet halen en dat de man die het verst durft te gaan altijd wint, ooit was voorbestemd om jullie keizer te worden.'

De jongste broer maakte een afwijzend gebaar. 'Lucius zou nooit onze keizer worden. Zijn oudere broer Gaius werd daarop voorbereid.'

'Toch was hij ook Augustus' erfgenaam. Als hij niet twee jaar voor zijn broer was gestorven, was de geschiedenis misschien wel heel anders gelopen.'

Thusnelda wees met een vinger naar de Romeinen. 'Eén ding is zeker en dat is dat Lucius van grote invloed is geweest op mijn man. Hij accepteerde geen grenzen in plezier, geweld, wraak of lef. Erminatz heeft me talloze verhalen verteld over hun escapades: straatgevechten, seksuele uitspattingen, brandstichting, heiligschennis, van alles. Niets was heilig, niets was verboden en niemand was te verheven om aan hun plannen te ontkomen.'

'Behalve de keizer en zijn vrouw, Livia,' wierp Thumelicatz tegen.

'Inderdaad, behalve die twee. Lucius was erg slim. Als zij erbij waren gedroeg hij zich onberispelijk, was hij altijd de keurige, veelbelovende jongeman. Als een van zijn uitspattingen onder Augustus' aandacht werd gebracht, ontkende Lucius alles met grote verbolgenheid en stelde hij dat hij onmogelijk verantwoordelijk kon zijn voor hetgeen waarvan hij werd beschuldigd omdat hij samen met Erminatz Vergilius, of wat dan ook, uit zijn hoofd had zitten leren. En om het dan te bewijzen dreunde hij honderden regels foutloos op en Augustus geloofde hem.

Livia trapte er echter niet in. Zij haatte Lucius en zijn broer, omdat ze hen als obstakels zag voor de kans dat haar enige nog levende zoon, Tiberius, keizer zou worden. Tiberius had destijds Rome verlaten en zich teruggetrokken op Rhodos, volgens velen omdat hij het wellustige gedrag van zijn vrouw, Julia, Augustus' dochter en de moeder van Lucius en Gaius, niet kon verdragen. Livia wist dat als Julia en haar zoons uit de weg waren, Tiberius zou kunnen terugkeren en Augustus' erfgenaam kon worden. Daarvoor smeedde ze ook plannen. Augustus wilde niets slechts over zijn familie horen – daarom kwam Lucius altijd weg met zijn fratsen – maar Livia druppelde langzaam vergif in zijn oren, tot hij Julia naar een kaal eiland liet verbannen en haar huwelijk met Tiberius liet ontbinden. Daarna verkeerden de twee jongens in groot gevaar.'

Thumelicatz hief zijn handpalm naar haar op. 'Moeder, je loopt op de zaken vooruit. Eerst luisteren we naar het voorbeeld dat Erminatz geeft van hoe hij en Lucius zich gedroegen en daarna zullen we zien hoe Lucius' manier van problemen oplossen van grote invloed op mijn vader bleek toen hij moest beslissen hoe hij Varus het beste kon verslaan. Lees verder, Aius.'

HOOFDSTUK IV

Mijn vriendschap met Lucius kon niet saai worden genoemd, maar het zou wel saai zijn om al onze vergrijpen hier te omschrijven. Ik zal er slechts één beschrijven, omdat het perfect illustreert op welke grote schaal Lucius' geest werkte, en het betreft ook iemand die ik al eerder in mijn verhaal heb genoemd.

Ik woonde al bijna twee jaar bij Lucius in Augustus' huis, en ik vermaakte me kostelijk. Lucius liet overal een spoor van vernieling achter en ik volgde graag in zijn kielzog; het voelde op de een of andere manier alsof ik wraak nam op de stad die me gevangen hield door Lucius te helpen verwarring te zaaien op de straten en onder de bevolking. En eerlijk gezegd begon ik vrede te krijgen met mijn gevangenschap omdat ik niet meer het gevoel had dat ik tegen mijn wil werd vastgehouden; misschien werd ik, ondanks mezelf, toch een Romein.

Een van Lucius' favoriete tijdverdrijven was het bijwonen van gladiatorspelen. Hij schiep er een pervers genoegen in om het tegengestelde te roepen van wat het publiek wilde dat er zou gebeuren. Als zij een verslagen gladiator wilden sparen, riep hij luidkeels dat hij dood moest, en andersom. Omdat hij de aangenomen zoon van Augustus was, wilden de geldschieters hem behagen en gingen ze vaak tegen de wil van het volk in om een wit voetje te halen bij de mogelijke toekomstige keizer. Hij vond het heerlijk om te zien hoe ver hij een geldschieter kon krijgen. Eén keer ging hij zo ver dat er rellen ontstonden in het amfitheater en meer dan honderd mensen dood werden gedrukt.

Uiteraard gedroeg hij zich nooit zo als Augustus erbij was, want hij zou nooit iets doen waardoor Augustus hem niet meer zou respecteren; daarvoor was hij te slim.

We bevonden ons in een enorme, tijdelijke houten arena, die op de Campus Martius was neergezet voor de *ludi plebeii* van dat jaar, en hadden net een gevecht tussen een *murmillo* en een Thraciër gezien. Het was een glansloos gevecht geweest, en de murmillo was snel moe geworden; hij leek vrij oud en zag eruit alsof hij niet lang meer op deze wereld zou blijven. De Thraciër was hem al snel de baas en wierp hem op zijn rug terwijl hij de punt van zijn zwaard op zijn keel zette. Het publiek floot en jouwde hem uit en begon te roepen om zijn dood.

'Dit zullen ze leuk vinden,' zei Lucius met de valse grijns die zijn doelbewuste streken altijd inluidde. 'Leven! Leven!' schreeuwde hij naar de praetor die de spelen had gefinancierd en het laatste woord had over het lot van de gedoemde man. 'Leven! Leven!'

De praetor keek zenuwachtig om zich heen en probeerde de stemming te peilen van het publiek dat om de dood van de man riep.

Lucius ging tegen hen in. 'Leven! Leven!' Hij sloeg op de maat met zijn vuist in zijn hand en bleef naar de praetor roepen.

De geldschieter stond op en stak zijn arm met gebalde vuist voor zich uit. Het publiek keek naar hem, wachtend tot hij zijn duim omhoog zou steken om een getrokken zwaard na te bootsen, het teken van de dood. Hij stond daar maar, bewegingloos, met zijn duim stevig tegen zijn hand gedrukt. De menigte begon dingen naar hem te gooien, maar hij bleef bij zijn teken en Lucius bleef maar schreeuwen. De summa rudis deed wat hem werd opgedragen en duwde de Thraciër weg zodat de murmillo kon opstaan. De menigte was laaiend en schold de geldschieter de huid vol toen de murmillo het zand af liep. Vlak voordat hij bij de poort was deed hij zijn helm af en ik hapte naar lucht.

'Wat is er?' vroeg Lucius lachend.

Ik keek vol ongeloof naar de weglopende gladiator. 'Ik ken hem.'

'Nou, hij is een geluksvogel. Wie is het?'

Ik keek beter om er zeker van te zijn dat ik me niet vergiste, maar ondanks het feit dat hij geen baard had en zijn haren op Romeinse wijze kort waren geknipt, wist ik dat hij het was. 'Hij is de broer van mijn moeder, Vulferam, de vader van mijn neef Aldhard. We wisten niet of hij in de laatste slag tegen jullie volk was gesneuveld of dat hij gevangen was genomen.'

Lucius kreeg een ernstige uitdrukking op zijn gezicht. 'Familie, hè? Dan is het jouw plicht om hem te bevrijden en, als jouw vriend, is het mijn plicht om jou te helpen.'

'Dat is de enige in- en uitgang,' zei Lucius toen we een heel rondje hadden gelopen om de gladiatorenschool waartoe Vulferam behoorde. Het was een twee verdiepingen tellend bouwwerk buiten de stadsmuren, aan de Campus Martius, tegenover het mausoleum dat Augustus voor zichzelf en zijn familie liet bouwen aan de Via Flaminia. 'We kunnen vrij eenvoudig binnenkomen, maar ze laten ons echt niet naar buiten lopen met een van hun eigendommen.'

Ik keek naar de ijzeren poorten die stevig dichtzaten en werden bewaakt door vier potige ex-gevangenen, meer om te voorkomen dat er iemand naar buiten kwam dan dat er iemand naar binnen ging. 'Ik denk nog steeds dat we de lanista een bod moeten doen en hem vrij moeten kopen. Dat is veel eenvoudiger.'

Lucius keek me met een gepijnigde blik aan. 'Wat is daar nou leuk aan? Zoiets doe je als er geen tijd is voor een groots gebaar, iets extravagants, iets buitensporigs. We hebben zeeën van tijd, Arminius. Je oom zal zeker een maand of twee niet meer vechten en zoveel tijd hebben we niet nodig om uit te vogelen hoe we de boel kunnen platbranden.'

'De boel platbranden?'

Lucius grinnikte. 'Natuurlijk. Is er een betere manier om de poorten open te krijgen? We halen je oom weg uit de chaos en iedereen zal aannemen dat hij een van de arme drommels is die als verbrand lijk tussen de overblijfselen liggen.'

'Laten we hopen dat hij er niet een van is, en dat wij niet op dezelfde manier eindigen.'

'Dat is het risico dat dit zo ontzettend leuk maakt.'

Ik herinner me dat ik wel moest glimlachen toen ik het verlangen naar gevaar en avontuur in zijn ogen zag. 'En al die anderen dan, die minder geluk hebben dan wij?'

'Wat maakt het voor verschil of ze doodgaan in een brand of op het zand van de arena?'

'Maar misschien zijn ze voorbeschikt om nog lang te leven.'

'Dan zal dat ook gebeuren. Alleen degenen die zijn voorbeschikt om in de brand om te komen, zullen doodgaan. En die brand is voorbestemd om uit te breken, want ik zie het al voor me.'

En de brand kwam er, uiteraard, maar het liep niet helemaal zoals we het hadden gepland.

Lucius had ons met gemak de school binnen gekregen. De lanista, Cassianus Crispus, was vereerd geweest dat een aangenomen zoon van de keizer zoveel interesse toonde in zijn gladiatoren en hij nodigde ons uit om wanneer we maar wilden naar de trainingen te komen kijken. Dit had twee grote voordelen: in de eerste plaats konden we het complex verkennen. In de tweede plaats kon ik Vulferam zien. Ik was dan wel niet in de gelegenheid om met hem te praten, maar dankzij een omgekochte slaaf wist ik in welke cel hij zat en kon ik een boodschap bij hem laten bezorgen. Hij wist dat ik hem zou komen halen.

Ongeveer tien avonden nadat we de gebouwen voor het eerst hadden bekeken, reden we er in het holst van de nacht met een afgedekte wagen naartoe. Zelfs op dat tijdstip was de Campus Martius niet verlaten – er zijn maar weinig delen van Rome waar het ooit rustig is, zelfs in de koudste nachten; dat komt doordat het niet is toegestaan overdag binnen de stadsmuren te rijden. De drukte kwam ons goed uit, want we konden gemakkelijk doorgaan voor twee mannen die spullen hadden afgeleverd. We parkeerden de wagen naast de muur aan de achterkant van het complex, zo ver mogelijk bij de poorten vandaan en verborgen in de schaduwen die de kwartmaan wierp. We maakten het paard los en joegen het weg.

'Goed vasthouden, Arminius,' fluisterde Lucius toen hij een ladder neerzette die tot een paar voet onder de bovenkant van de muur reikte. Binnen een paar tellen zat hij op het dak en liet hij een touw zakken dat rook naar de olie waarin het twee dagen had liggen weken. Ik maakte de eerste van onze vier zakken met materialen eraan vast. Toen Lucius de laatste omhoog had getrokken, klom ik ook via de ladder omhoog.

Het complex was gebouwd rond een centrale, rechthoekige binnenplaats waar de gladiatoren trainden. Hun cellen bevonden zich op de twee verdiepingen van de twee lange kanten, en in het deel aan weerskanten van de poort zaten de smederijen, wapenkamers en andere werkplaatsen en opslagruimtes. In de zijde die wij hadden uitgekozen bevonden zich de keukens, eetzaal, ziekenboeg en accommodatie van de slaven. Met andere woorden: de meest brandbare ruimtes.

Ik wierp het touw omlaag en zorgde ervoor dat het op het dekzeil van de wagen belandde, dat ook met een flinke dosis olie was bewerkt. Toen voegde ik me bij Lucius aan het einde van het licht oplopende dak, boven wat volgens ons de medische voorraadkamer was. Lucius had daar een stuk of tien dakpannen weggehaald en liet een tweede touw in het gat zakken en maakte het vast aan de dakspant.

Lucius verdween door het gat omlaag. 'Perfect,' mompelde hij toen hij de grond raakte. 'Het ligt hier vol met verband, dekens en lappen die smeken om in brand te worden gestoken.'

Ik liet de zakken achter hem aan omlaag zakken en hield alleen een in pek gedompelde fakkel en de middelen om hem aan te steken bij me. Toen wachtte ik, luisterend naar het geluid van Lucius die de voorraadkamer overgoot met een amfora vol olie.

'Ik fluit drie opeenvolgende noten als ik klaar ben met de gang buiten,' fluisterde hij terwijl hij nog een paar amfora's uit de zak haalde. De kamer lichtte even op toen Lucius de deur openmaakte en de houten gang in stapte die rond de hele eerste verdieping liep en toegang bood tot de cellen van de gladiatoren.

Mijn hart bonsde tegen mijn borstkas en ondanks de kou voelden mijn handen klam aan terwijl ik gedurende wat een eeuwigheid leek zat te wachten, maar wat waarschijnlijk niet langer was dan de tijd die nodig is om je blaas te legen na een avondje uit. Het fluitsignaal klonk en ik haalde de vuursteen over het ijzer tot ik in mijn tondel vonken had die ik voorzichtig aanwakkerde tot een vlam. Toen de fakkel ontvlamde, schoof ik achterwaarts over het dak en hield ik hem tegen het met olie doordrenkte touw. Er lichtte direct een blauwrode vlam op die in een rustig tempo omlaag kroop, waardoor mijn hart harder tekeerging, tot hij uiteindelijk het dekzeil van de wagen bereikte dat met een plotselinge flits in brand vloog. Ik tuurde omlaag en keek hoe het vuur groeide tot het hout vlam had gevat en het dekzeil was weggebrand, waardoor de stapels amfora's eronder zichtbaar werden. In elk zat een in olie gedrenkte lap, en die begonnen toen ook te branden.

Ik rende terug over het dak en liet me aan het touw in de voorraadkamer zakken, met de fakkel boven mijn hoofd.

Lucius stond als een silhouet in de deuropening. 'Brandt het?'

Ik grijnsde bij wijze van antwoord.

'Kom op dan.' Hij verdween naar rechts. Ik wierp de fakkel op een berg verband. Er laaide een felle goudkleurige vlam op die zich snel naar links en rechts verspreidde, en omlaag naar de plas olie op de vloer. Toen die ook vlam vatte, rende ik achter Lucius aan terwijl de vlammen me achtervolgden door de met olie overgoten houten gang.

Binnen een paar tellen begon het geschreeuw en toen we via de trap naar de trainingsruimte beneden renden, werd de hemel opgelicht door een grote lichtflits; de wagen vol amfora's was ontploft, waardoor de buitenste muur werd bespat met brandende olie en de duisternis werd opgelicht door een feloranje gloed.

We renden met twee treden tegelijk naar beneden, Lucius met de drie overgebleven zakken over zijn schouder geslagen en ik met de vlammen likkend aan mijn enkels. Toen we het zand bereikten, schoten we naar rechts, de donkere schaduw onder de gang in terwijl donkere figuren vanaf de poort en de andere kant van de binnenplaats op ons af begonnen te rennen. We kwamen tot stilstand voor een afgesloten deur. Lucius trok een breekijzer uit een van de zakken en zette het tussen de deurstijl. 'Drie, twee, een!' We wierpen allebei ons lichaamsgewicht tegen het ijzer en met luid gekraak van versplinterend hout vloog de deur open en tuimelden wij de keuken in.

'Pak de emmers!' schreeuwde Lucius, wijzend op de voorraadkamer aan de linkerkant van het grote centrale kookgedeelte waar, zo wisten we van onze verkenningstochten door het complex, het kookgerei werd bewaard.

Ik pakte zoveel emmers als ik kon en rende terug door de keuken waar Lucius twee van de laatste zakken op het rooster boven het nagloeiende houtskool legde. Ze begonnen meteen te smeulen.

'Hierheen!' schreeuwde ik, en ik rende de binnenplaats op waar ik met de emmers zwaaide naar de mannen die vanaf de poort op het vuur af renden.

Degene die het dichtstbij was, kwam op me af en ik wierp hem een emmer toe en rende naar het dichtstbijzijnde drinkwatervat waar de gladiatoren tijdens de trainingen hun dorst konden lessen. In een mum van tijd had zich een keten van mannen gevormd die met de emmers het vuur bestreden dat nu via de trap omlaag kwam.

Lucius kwam met nog een stel emmers naar buiten gerend en er verschenen meer mannen om te helpen het vuur te blussen. We stelden nog een keten op voordat we terug naar binnen renden om meer emmers te halen voor de groeiende hulptroepen. In de keuken hadden de zakken vlam gevat en werden de amfora's die erin zaten steeds heter. Lucius pakte de laatste zak, die hij bij de deur had achtergelaten, en we renden de laatste keer de keuken uit.

Niemand zette vraagtekens bij onze aanwezigheid, want we streden ogenschijnlijk tegen de gezamenlijke vijand: het vuur. Niemand had in de gaten dat we daar niet thuishoorden, omdat we, om dezelfde reden, niet opvielen. Niemand besteedde ook maar enige aandacht aan ons, omdat we opkwamen voor het algemeen belang. Wij waren de vijand, maar niemand had het in de gaten. Vanbinnen kwam ik niet meer bij van het lachen.

Overal om ons heen bonkten de gladiatoren nu op hun afgesloten deuren, schreeuwend om hulp nu de vlammen zich, ondanks de pogingen van onze blusteams, snel verspreidden. Het geraas van het vuur overstemde het geroep van de emmerdragers en van de gevangenen in de ziekenboeg op de eerste verdieping, waar iedereen die kon lopen de mannen die niet mobiel waren in veiligheid probeerde te brengen voordat de gang helemaal werd verzwolgen door de vlammen. Boven alles uit klonk het geschreeuw uit de slavenverblijven, waar de vuurzee de vergrendelde deuren bedreigde.

Lucius en ik renden rond, riepen aanmoedigingen maar deden eigenlijk niets constructiefs. We zorgden ervoor dat we bij de keuken uit de buurt bleven. Het lawaai zwol aan naarmate het vuur zich uitbreidde, net als het wanhopige geschreeuw van de slaven wier verblijven nu ook begonnen te branden. Toen schoot er, met het gesis van hete lucht, een steekvlam door de keukendeur naar buiten op het moment dat de laatste amfora's ontploften. De haren van de mannen die het dichtst bij de deur stonden vatten vlam, en ze renden krijsend naar het dichtstbijzijnde watervat om het vuur te doven. De keuken werd verzwolgen door vlammen, en het dak erboven stond in lichterlaaie.

'Bevrijd de gladiatoren! Bevrijd de gladiatoren!' klonk een stem boven het inferno uit – Lucius.

Ik begon mee te roepen en duwde mannen in de richting van de celdeuren om ze te ontgrendelen.

'En die op de eerste verdieping!' schreeuwde Lucius, wijzend op de trappen aan de andere kant van de binnenplaats, die nog niet waren aangetast door de vlammen. Ik trok een paar mannen mee en rende naar de trap aan de linkerkant, achter Lucius aan. We renden met twee treden tegelijk naar boven.

Toen ik boven kwam, wees ik naar links en schreeuwde ik tegen de twee mannen: 'Doen jullie die kant! Wij gaan naar rechts.' Rechts zat de cel van Vulferam. Terwijl we verder liepen, trokken we de grendels aan de buitenkant van de deuren omhoog waardoor de gladiatoren – veelal met vrouwelijk bezoek – konden ontsnappen. Ze stroomden de gang in, enkel gekleed in lendendoeken of helemaal naakt, terwijl wij verdergingen tot ik uiteindelijk een deur opentrok en Vulferam zag. Er was een vrouw bij hem. Ze had een tuniek aan, maar hij droeg alleen een lendendoek. Ik trok haar de cel uit en duwde haar de gang in.

Lucius gooide de zak naar Vulferam. 'Kleed je aan!'

Mijn oom kiepte de inhoud op het lage bed: een tuniek, een mantel, een riem en een paar sandalen. Ik ging verder om meer deuren open te maken, en toen ik terugkwam was mijn oom aangekleed.

'Hoe heb je me gevonden?' vroeg hij in onze taal.

'Geluk; ik zag je vechten – en verliezen.'

'We hebben geen tijd voor waar jullie ook over praten,' riep Lucius in het Latijn, en hij rende de chaos in de gang weer in.

'Hou je hoofd laag,' beet ik Vulferam toe toen we hem volgden.

Al trekkend en duwend bereikten we het trainingsterrein onder aan de trap en voegden we ons bij de stroom in de richting van de poort naar buiten, die afgesloten bleef. Achter ons had het vuur zich naar beide kanten van de gang verspreid, waardoor de eerste paar cellen van de gladiatoren nu afgesneden waren en ongetwijfeld al in brand stonden. De hitte woedde door het complex en de mannen zweetten in de verzengende gloed. Alle pogingen om het vuur te blussen waren gestaakt, en de enige mensen die zich er nog dichtbij bevonden waren de ongelukkigen die erdoor waren ingesloten. Zij lagen te smeulen, hetzij dood, of, als ze heel veel pech hadden, rollend op het zand dat de vreselijke brandwonden alleen maar verergerde.

Het geschreeuw bij de poort nam toe, maar hij bleef dicht, en de woede van de gladiatoren om het feit dat ze maar moesten verbranden werd aangewakkerd.

'Ik kan de poort niet openmaken voordat Cassianus Crispus me toestemming heeft gegeven om zijn eigendommen te laten gaan,' schreeuwde de hoofdbewaker naar de groep razende gevangenen.

'En waar is de lanista?' klonk de verhitte reactie van de leider van de groep, een gespierde Thraciër.

'In zijn huis op de Quirinaal. We hebben hem een boodschap gestuurd, hij zal hier zo zijn.'

De Thraciër keek over zijn schouder toen de eerste delen van de gang met een harde windvlaag, die het vuur verder aanwakkerde, ineenstortten.

'Tegen die tijd rennen wij hier allemaal rond als brandende fakkels, jijzelf inbegrepen.'

'Ik kan jullie niet laten gaan!'

'Dat zullen we nog wel eens zien!'

De bewakers werden besprongen, snel ontwapend en vertelden na hevige bedreigingen waar de sleutel van de poort was, en waar de wapenkamer zich bevond. De deur van het wachtlokaal werd opengebroken, de sleutels werden gevonden en de poort werd ontgrendeld, nadat de wapenkamer was geplunderd, op het moment dat een aantal centuriën van een van de nieuwe stadscohorten zich opstelde op de Via Flaminia, direct achter de poort, in een poging de massale uitbraak van ruim honderd bewapende professionele slachters de kop in te drukken.

Lucius en ik bleven samen met Vulferam op enige afstand staan toen de poort openzwaaide en de gladiatoren naar buiten stroomden. Met hun wapens zwaaiend gingen ze direct op de muur van schilden af die tussen hen en de vrijheid in stond.

Lucius grijnsde naar mij en Vulferam toen de stroom mannen in een onstuitbaar tempo op de militairen af rende. 'Door de poort en dan scherp naar links, zodat we het vechten aan de professionals kunnen overlaten?'

'Dat lijkt me een goed plan.'

'Waar gaan we naartoe?' riep Vulferam toen we ons bij de menigte voegden die de vlammen ontvluchtte.

'De Saluspoort is het dichtstbij,' antwoordde Lucius op het moment dat het metalige geluid van tegen elkaar slaande zwaarden plotseling boven het gevloek en getier uit klonk.

Toen de eerste kreten van pijn de chaos nog groter maakten, liepen wij de poort door en drukten ons tegen de muur aan de linkerkant. Voor ons had de stadscohort de grootste moeite met de mannen op het hoogtepunt van hun lichamelijke conditie die in groten getale de poort uit kwamen stromen.

Wij begaven ons naar de meest rechtse flank van de linie van centuriën, samen met een stuk of tien gladiatoren die liever gewoon wilden ontsnappen dan zich een weg naar buiten vechten. Door het gat in het midden van de linie waren de uiteinden teruggetrokken, maar er waren nog altijd minder dan twee passen over tussen de muur en de laatste soldaten, die nog niet in gevecht waren. Toen ze ons zagen aankomen, brachten ze hun schilden omhoog en staarden ze ons over de rand aan, met hun linkervoet voor en hun rechterarm naar achteren, klaar om hun wapens door de openingen in de muur te steken.

Lucius hield in en liet een paar mannen tussen de soldaten en ons in komen. Vulferam en ik volgden hem op de voet terwijl de gladiatoren om ons heen, die meer gewend waren aan individuele gevechten, er niet in slaagden door de discipline van de mannen die waren getraind om als eenheid te vechten heen te breken. De ontsnapte gevangenen verloren langzaam terrein en ik besefte dat als we niet wegkwamen, we tegen de muur gedrukt en afgeslacht zouden worden – of erger: gevangengenomen en ontmaskerd.

Rechts van me ging een gladiator neer na een onderhandse steek met een scherpe gladius. Het bloed droop zwart en glinsterend, vaag oranje door het vuur, op de grond. Zijn zwaard kletterde op de straat. Ik bukte om het op te rapen.

'Geef dat aan mij,' beval Vulferam terwijl hij mijn pols vastpakte. Hij nam het wapen over en woog het in zijn hand. 'Ga!' schreeuwde hij, en hij duwde mij tegen Lucius' rug aan.

Zonder na te denken sprintten wij naar voren. We renden vlak langs de muur terwijl de linie van soldaten naar voren kwam om het gat te dichten. Vulferam rende naast me mee en uitte een strijdkreet van ons volk die ik al in geen jaren meer had gehoord. Het oude, maar bekende geluid gaf mijn benen kracht en ze droegen me verder toen Vulferam op de meest rechtse soldaat af ging, met de punt van het zwaard precies tussen de ogen van de man gericht. Die hief direct zijn schild en stootte het naar voren om Vulferams klap af te weren. Deze afleiding was voor Lucius en mij genoeg om door de opening te glippen terwijl Vulferam zijn schouder tegen het schild aan stootte en zijn lemmet met een klap op het zwaard liet neerkomen dat in de richting van mijn bovenbeen schoot. Zonder de steun van een kameraad aan de rechterkant viel de soldaat neer, waardoor de man achter hem struikelde toen hij het gat wilde opvullen. Lucius en ik stoven naar voren terwijl Vulferam over de gevallen soldaat heen sprong. We renden voor ons leven over de Via Flaminia, de donkere nacht in, weg van de vlammenzee die wij hadden aangestoken om één man te bevrijden.

Ik had gezien wat de betekenis van een groots gebaar was, en ik vond het fantastisch. Bovendien had ik een belangrijke les geleerd: het belangrijkste ingrediënt van leiderschap is visie.

Na een paar honderd passen vertraagden we, aangezien we niet werden achtervolgd, en we glipten tussen de graftombes aan de linkerkant door. We staken het veld van Agrippa over en liepen in de richting van de Saluspoort.

'Als we in de stad zijn,' zei Lucius, zwaar ademend van de inspanning en, ongetwijfeld, opwinding, 'steken we de Quirinaal over naar het Forum Romanum en dan naar de Palatijn. We kunnen je oom het paleis binnensmokkelen; niemand durft mijn vertrekken te doorzoeken, zelfs al zouden ze vermoeden dat wij iets te maken hebben met een dergelijke verachtelijke gebeurtenis.'

'Waarom heb je het gedaan?' vroeg Vulferam. 'Ik weet wie je bent; ik heb drie of vier keer voor je gevochten.'

Lucius keek Vulferam aan terwijl we de met fakkels verlichte poort naderden. 'Als je weet wie ik ben, zul je het begrijpen als ik zeg dat ik het heb gedaan omdat het kan.'

'Al die levens om één man te redden.'

'Inderdaad. Denk je eens in hoe waardevol jouw leven nu is, dus verspil het niet. Trek nu je mantel strak om je heen en doe alsof je onze lijfwacht bent als we door de poort heen lopen.'

De soldaten die de wacht hielden bij de Saluspoort stapten opzij toen Lucius zijn naam noemde en we liepen onder de poort door terwijl een andere groep mensen zich de andere kant op haastte. Toen we elkaar in het licht van de fakkels passeerden keek hun leider onze kant op en bleef plotseling staan. 'Lucius Julius Caesar, vergeef me dat ik u niet meer respect toon, maar ik heb dringende zaken.'

'Het is wel goed, Cassianus Crispus. Laat me u niet langer ophouden.'

De lanista knikte en keek toen vluchtig naar Vulferam, die zijn gezicht in de schaduw probeerde te houden. Nadat hij nog eens had gekeken spoedde Cassianus Crispus zich met een bedenkelijk gezicht naar zijn verwoeste bron van inkomsten.

Lucius keek hem na en sloeg met zijn hand tegen de muur. 'Verdomme!'

Twee dagen later zaten Lucius en ik op een stenen bank in de tuin van Augustus' paleis. We zaten al drie uur te wachten sinds we bij zonsopkomst het bericht hadden gekregen dat de keizer ons wilde spreken; we wisten wel waarover.

'Ik zal natuurlijk alles ontkennen,' zei Lucius voor de tiende keer. 'Net als jij.'

'Crispus heeft ons gezien en hij heeft Vulferam herkend; hoe vaak moet ik dit nog zeggen? Je kunt het zoveel ontkennen als je wilt, maar je adoptievader zal je niet geloven.'

'Natuurlijk wel. Hij gelooft niet dat ik slechte dingen doe, want hij weet niet beter dan dat ik me altijd keurig gedraag.'

'Wees daar maar niet zo zeker van, Lucius,' klonk tot onze verrassing een vrouwenstem.

We keken allebei over onze schouder. Livia, Augustus' vrouw, stond half verborgen achter een zuil in de overdekte gang rond de tuin. Ik had nooit persoonlijk te maken gehad met deze elegante vrouw die, als je de geruchten mocht geloven, een veel grotere rol in de Romeinse politiek speelde dan enkel die van Augustus' echtgenote.

'Augustus ziet veel meer dan jij misschien denkt, en hoort nog meer. Hij is goed op de hoogte van enkele van jouw onaangename liefhebberijen, Lucius. Hij heeft je gedrag door de vingers gezien omdat het hem, tot dusverre, geen geld heeft gekost. Maar nu is er een zeer geliefde lanista die beweert dat zijn zoon zijn complex heeft platgebrand en de dood en ontsnapping van meer dan de helft van zijn mannen en de noodzaak om de rest te straffen op zijn geweten heeft. Ik denk dat hij alleen maar kwader wordt als je jezelf hier met leugens uit probeert te redden. En ik kan je vertellen dat hij al erg kwaad is.' Ze glimlachte alsof de gedachte aan Augustus' woede haar opwond, maar haar ogen behielden de kille blik waarmee ze Lucius strak aankeek. Toen schoten ze kort mijn kant op, en ik huiverde toen ik zag hoeveel wilskracht erin lag. 'Wat die barbaar betreft, ik stel voor dat je voortaan bij hem uit de buurt blijft, Lucius. Hij lijkt me geen fraai gezelschap. Er zit te veel bos in hem, en dat is iets wat je er met opvoeding nooit uit krijgt. Je kunt de barbaar uit de wildernis halen, maar het blijft altijd een wilde.'

Zonder me nog een blik waardig te keuren draaide ze zich om en liep ze weg, ons vertwijfeld achterlatend. Ik was haar echter op een vreemde manier dankbaar dat we het nu niet erger zouden maken.

Lucius slikte moeizaam toen hij haar nakeek. Weg was al zijn zelfvertrouwen, en voor de eerste keer zag ik iets van onzekerheid op zijn gezicht.

'Wat ga je doen?' vroeg ik.

'Doen? Ik weet het niet. Daar moet ik over nadenken.'

We zaten nog een halfuur in stilte na te denken over Livia's advies, tot onze ongemakkelijke rust werd onderbroken door de komst van de belangrijkste man van Rome. Hij kwam alleen, gekleed in een simpele tuniek, en met in zijn hand een snoeimes.

Ik was flink gegroeid sinds ik hem voor het laatst had gezien en was nu, op mijn zestiende, langer dan de machtigste man op aarde, ook al droeg hij schoenen met dikke zolen en twee duimbreedtes hoge hakken. Maar lengte betekende niets als je met Augustus praatte. Zijn kleine lichaam en ongedwongenheid straalden autoriteit uit. Het was alsof hij met een ultieme zelfverzekerdheid bewoog; zelfs de kleinste beweging van zijn pink leek ruim van tevoren te zijn gepland en op dit moment uitgevoerd omdat het exact de juiste beweging was om zijn gedachten kracht bij te zetten. 'Wat moet ik tegen die man zeggen, Lucius?' vroeg hij zonder omwegen – geklets voegde voor hem niets toe, tenzij hij het gebruikte om zijn gesprekspartner uit het veld te slaan.

Ik keek vanuit mijn ooghoek naar Lucius en schrok; zijn gezicht was één en al onschuld. Hij had Livia's uitdaging aangenomen. 'Welke man, vader?'

Augustus glimlachte naar zijn adoptiezoon en kleinzoon en hield zijn blik een tijdje vast. Lucius vertrok geen spier, zijn gezicht stond verward en geïnteresseerd.

Augustus stak zijn hand uit en kneep in zijn schouder. 'Ik hoopte al dat je zo zou reageren, jongen. Ik was er zelfs zeker van. Livia leek te denken dat jij dit misdrijf had begaan.'

'Welk misdrijf, vader?'

Toen vertelde Augustus over de brand in de school. Zijn verslag was vrij accuraat, behalve dan dat onze betrokkenheid niet werd genoemd.

'Dus Crispus denkt dat wij het hebben gedaan omdat we hem vannacht in de Saluspoort zijn tegengekomen?'

'Hij zegt dat je een van zijn gladiatoren bij je had.'

'Nee, vader; ik was met Arminius. Er liep een andere man vlak voor ons door de poort. Ik had hem nooit eerder gezien. Hij kwam aanrennen en passeerde ons vlak voordat we langs de bewakers kwamen. Ik heb geen aandacht aan hem besteed, maar als ik er nu over nadenk zou hij best een van de ontsnapte gladiatoren kunnen zijn geweest. Hij rende heel snel de Quirinaal op toen hij de poort door was.'

Augustus richtte zijn aandacht op een struik en begon dode takjes en bladeren af te knippen. 'Maar wat deden jullie dan op dat tijdstip op de Campus Martius?'

'We kwamen terug van de tempel van Flora. We hebben haar geëerd omdat haar festival over een paar dagen begint.'

Augustus concentreerde zich even volledig op het snoeien. 'Inderdaad, de Floralia begint eind april. Sinds wanneer ben je in haar geïnteresseerd?'

'Ik breng haar altijd aan het begin van de lente een offer.'

'Midden in de nacht?'

Lucius haalde zijn schouders op. 'We hadden geen slaap, dus we dachten...'

'Leugenaar!' beet Livia hem toe terwijl ze achter Augustus verscheen.

Augustus bleef knippen zonder naar haar te kijken. 'Liefste, het is niet nodig om zo agressief te doen.'

'En jij hoeft niet zo onnozel te doen.'

'Onnozel?'

'Onnozel, ja.' Livia wees met haar vinger op Lucius. 'Je gelooft alles wat hij je heeft verteld, hè?'

'Ik geloof in elk geval niet dat hij een ludus in brand heeft gestoken en een twintigtal gladiatoren de dood in heeft gejaagd en ervoor heeft gezorgd dat er nog meer konden ontsnappen. Waarom zou hij zoiets willen doen?'

Livia keek haar echtgenoot vol ongeloof aan en gaf hem een uitbrander dat hij zich zo gemakkelijk voor de gek liet houden door een manipulatief kind. Augustus liet de tirade over zich heen komen en bleef takjes afknippen alsof hij in zijn eentje was. Lucius keek me van opzij aan en ik zag de triomf in zijn blik terwijl Livia, woedend dat haar leugens er niet toe hadden geleid dat hij schuld had bekend bij Augustus, haar hart luchtte – zonder resultaat.

Toen begreep ik wat de waarde van wantrouwen was en hoe je het in je voordeel kon gebruiken.

'Ben je klaar, vrouw?' vroeg Augustus rustig toen Livia even naar adem hapte. 'Want ik begin mijn geduld te verliezen.'

Zijn stem had een dreigende ondertoon; kil en dreigend.

Livia deed haar mond open en bedacht zich toen. Ze wierp Lucius een dodelijke blik toe en liep toen verrassend rustig, gezien haar woede-uitbarsting, de tuin uit.

Augustus grinnikte. 'Vrouwen... hè, jongens? Zo achterdochtig; altijd bereid het slechtste van mensen te denken.'

Lucius bukte zich om de afgeknipte takjes en bladeren op te rapen. 'Inderdaad, vader, zelfs als het helemaal niet logisch is. Wat zou ik willen bereiken met het in brand steken van een gladiatorenschool?'

Augustus dacht even over die vraag na. 'Dat vroeg ik me ook af; het slaat gewoon nergens op.' Hij bleef even in gedachten verzonken staan, zich duidelijk niet bewust van het feit dat de brand was gesticht om mijn oom te bevrijden, die Rome inmiddels al uit was gesmokkeld en op weg was naar Germania zodat hij niet kon worden gebruikt als bewijs tegen ons. 'Maar goed, je lijkt Livia op de een of andere manier tegen de haren in te hebben gestreken, dus het lijkt me het beste als je een tijdje bij haar uit de buurt blijft. Je broer Gaius staat op het punt naar het oosten te vertrekken om een verdrag te sluiten met koning Phraates van de Parthen. Hij lijkt het idee te hebben opgevat dat als hij zich met Armenia bemoeit, ik zijn vier halfbroers en rivalen voor zijn troon, die wij hier als gijzelaars houden, zal executeren. Ik heb Gaius gezegd dat hij twee legioenen moet meenemen en de westelijke provincies van Parthië moet bedreigen. Intussen heb ik boodschappers naar Phraates gestuurd met het bericht dat ik zijn rivalen zeer zeker niet zal executeren als hij zich in Armenia mengt, ook al zijn ze hier als verzekering van het goede gedrag van de Parthen. Ik wil het echter wel overwegen als hij en Gaius tot een verdrag kunnen komen dat de Romeinse belangen in Armenia garandeert. Je bent nu zestien, dus ik denk dat het goed is als je met je broer meegaat. Je gaat in dienst om militaire en diplomatieke ervaring op te doen. Wat zeg je ervan?'

'Ik zou liever in Rome blijven, vader.'

'Zodat je van nog meer kwajongensstreken kunt worden beschuldigd?' Hij grinnikte weer en gaf Lucius een klap op zijn schouder. 'Luister, jongen; ik geloof niet dat je het hebt gedaan, maar dat betekent niet dat je het niet hebt gedaan. Waar rook is, is vuur – als je me de woordspeling wilt vergeven – en je bent al van een heleboel andere streken en misdrijven beschuldigd die je altijd hebt ontkend en waarbij je altijd met goede redenen kwam waarom je er niet eens in de buurt kon zijn. Dit keer plaatsen een getuige en je bekentenis je echter in de buurt van de plaats van het misdrijf.

Een man moet altijd zijn mogelijke zwakheden onder ogen zien:

misschien ben ik een liefhebbende, oude vader en laat ik mezelf door jou voor de gek houden. Dus voor ieders bestwil ga jij samen met je broer op deze missie naar het oosten. Dat is goed voor je. Hoe kun je trouwens mijn erfgenaam zijn als je de wateren waarin ik zwem niet kent?' Hij keek naar mij. 'Arminius zal met je meegaan, zodat hij kan zien hoe uitgestrekt het Romeinse Rijk is. Jullie kunnen allebei dienen als krijgstribunen in Gaius' staf.'

Lucius en ik keken elkaar aan en grijnsden: we waren weggekomen met brandstichting en moord en kregen nu, als beloning, het oosten te zien.

HOOFDSTUK V

Thumelicatz liet zijn blik over zijn vier Romeinse gasten gaan toen Aius het perkament oprolde en Tiburtius zich voorbereidde om aan het volgende deel te beginnen. 'Dit is ook ironisch, vinden jullie niet, heren? De keizerin van Rome die mijn vader, door haar venijn, het belang laat zien van wantrouwen en de noodzaak om durf te tonen bij iemand die als leugenaar te boek staat; en dat is vrijwel iedereen die zich een weg naar de top heeft gekonkeld.'

De jongste broer ging verzitten, alsof hij opschrok uit zijn mijmeringen. 'Lucius nam heel bewust een risico door alles voor Augustus te ontkennen; hij had niets te verliezen. Ik zou hetzelfde hebben gedaan als ik in zijn schoenen stond.'

Thumelicatz trok zijn wenkbrauwen op. 'Niets te verliezen? Hij was een van de erfgenamen van Augustus.'

'Klopt, maar hij moet zich er toen al van bewust zijn geweest welke ambities Livia had voor haar zoons. Ze had Augustus zover gekregen Drusus tot de belangrijkste generaal van het keizerrijk te benoemen. Als hij was blijven leven zou hij, en niet zijn obstinate oudere broer Tiberius, de voor de hand liggende erfgenaam van Augustus zijn geweest als Lucius en Gaius op de een of andere manier van het toneel waren verdwenen. Maar nu Drusus dood was en Tiberius zich naar Rhodos had laten verbannen, smeedde ze een plan om van Gaius en Lucius af te komen, zodat Augustus gedwongen zou zijn om terug te vallen op Tiberius. Lucius gokte erop dat als zij loog om hem angst in te boezemen en een bekentenis af te laten leggen voor Augustus, waardoor al zijn eerdere ontkenningen verdacht werden en hij in de achting van zijn adoptievader zou dalen, Augustus hem zou geloven als hij de beschuldiging ontkende. Maar als ze niet loog en Augustus inderdaad wist dat hij verantwoordelijk was voor de brandstichting, dan kon hij aanvankelijk evengoed alles ontkennen en het dan later onder druk toegeven. De uitkomst zou exact hetzelfde zijn: al zijn misstappen uit het verleden zouden bekend worden en hij zou in Augustus' achting dalen.'

'Jij denkt dus dat Lucius vermoedde dat Livia hem probeerde te ondermijnen?'

'Natuurlijk deed ze dat. De meeste mensen vermoeden dat zij uiteindelijk verantwoordelijk is geweest voor de dood van beide broers.'

Thumelicatz liet de pot met ingelegde testikels rondgaan; niemand pakte er een. 'Mijn vader stipt dat later in zijn verhaal aan, maar hij had alleen indirecte bewijzen.'

'Maar die bewijzen zijn interessant,' merkte de straatvechter op. 'Wie werd na Augustus keizer? Livia's oudste zoon Tiberius, want Gaius en Lucius waren allebei jong gestorven. Als maar de helft van de geruchten over Livia waar is, zou ik zeggen dat ze meer dan indirect waren, als je begrijpt wat ik bedoel.'

'Dat klopt,' zei Thumelicatz, 'maar we zullen het nooit zeker weten. We lopen echter weer te ver op de zaken vooruit; Erminatz vertelt later over hun dood. Eerst hebben we nog de missie naar Parthië. Tiburtius, sla het deel over de reis maar over, want dat is voornamelijk een beschrijving van de bezienswaardigheden langs de route. Het enige interessante zijn de steeds terugkerende woordenwisselingen tussen Lucius en Gaius. Ze staken over naar Griekenland en trokken vervolgens naar Athene om vandaar per schip naar Antiochië in Syrië te varen, waar ze werden opgewacht door twee legioenen en hun hulptroepen. Van daaruit marcheerden ze naar Thapscum aan de Eufraat, de grens tussen Rome en Parthië. Vlak bij de stad ligt een eiland in de rivier.' Hij pakte de volgende perkamentrol uit Tiburtius' handen en las de tekst vluchtig door. 'Begin maar na deze regel: "Gaius' dwaasheid ging gelijk op met zijn toenemende autoriteit."'

'Goed, meester.' De oude slaaf pakte de rol terug en vond snel waar hij moest verdergaan.

Hoewel hij slechts een afgevaardigde van Augustus was en niet de keizer zelf, stond Gaius erop dat hij niet eerder dan Phraates de oversteek naar het eiland zou maken; een Romein mocht nooit worden gedwongen te wachten op een barbaar, zo stelde hij. Phraates dacht uiteraard exact het tegenovergestelde, en met recht, want hij was een koning – een koning van vele koningen, om precies te zijn.

'We staan hier morgen nog als je niet toegeeft!' schreeuwde Lucius tegen Gaius toen die nogmaals weigerde aan zijn broers smeekbede gehoor te geven en de oversteek naar het eiland te maken, waar de paviljoens al waren opgebouwd voor de bespreking. Gaius' staf, die zich rond de *praetorium*-tent, de commandopost in het midden van het kamp, had opgesteld keek gegeneerd toe hoe de broers in het openbaar ruzieden.

Maar Gaius hield voet bij stuk. 'Ik begin niet vanuit een zwakke positie aan de onderhandelingen.'

'De onderhandelingen zijn al achter de rug, idioot. Je bent alleen hier om ze af te ronden en het verdrag in Augustus' naam te ondertekenen, zodat Armenia weer onder onze invloed komt. Wat maakt het uit wie er als eerste op dat eiland is.'

'Het maakt mij wat uit.' Gaius wendde zich tot de oudste krijgstribuun in zijn staf, de zoon van de onlangs benoemde prefect van de Praetoriaanse Garde. 'Sejanus, laat mijn broer en...' – hij keek naar mij en grijnsde spottend – '... zijn oogappel even uit.'

Lucius Aelius Sejanus begeleidde Lucius en mij met veel hoffelijkheid en excuses naar buiten. Hij wilde altijd een wit voetje halen bij mensen met status. Lucius kookte van woede om zijn broers onbuigzaamheid. Hij sloeg Sejanus' hand van zich af en stormde weg.

Ik denk dat Lucius zich hier begon te realiseren dat hij flexibeler en pragmatischer was dan zijn broer, en hoewel ik niet zal zeggen dat hij Gaius ging haten, weet ik wel dat hij in het korte leven dat hem nog restte een afkeer voor hem ontwikkelde en niet meer naar hem opkeek als een oudere broer. Hij sprak met mij over zijn kritiek op Gaius en ik denk dat de vijanden van Rome de dood van de broers moeten betreuren: als ze allebei waren blijven leven, zou hun wederzijdse afkeer van elkaar – die op dat moment werd aangewakkerd – zijn gegroeid, en als ze samen Augustus' erfgenamen waren gebleven, was het na zijn dood vast en zeker tot een burgeroorlog gekomen. Maar het liep anders.

Twee dagen lang staarden Gaius en Phraates elkaar, omringd

door hun legers, van twee kanten van de rivier aan. De Parthen waren met tienduizend boogschutters te paard en half zoveel katafrakt-cavalerie, een bonte kleurenpracht van de vrolijke sjabrakken van de paarden, de vlaggen en banieren en de opzichtige uitrusting van de Parthen zelf. Hun lukraak opgebouwde kamp contrasteerde met de keurige rijen en saaie kleuren van een Romeins kamp en de bewoners. Ik voelde direct waardering voor de Parthen, want ik zag een kleurrijk, wanordelijk en trots volk. Ik moest denken aan mijn eigen volk en hun vrije, wanordelijke leven waarin een man zijn rijkdom en dapperheid in zijn uitrusting mocht laten zien, in plaats van dat ze allemaal dezelfde kleurloze toga of dezelfde roodbruine tuniek van de legionairs droegen. Daar, aan de andere kant van de rivier, zag ik individuen, de eerste die ik had gezien sinds mijn komst naar Rome, en mijn verlangen om naar huis te gaan groeide. Niet dat Romeinen geen individuen zijn, ze uiten het gewoon op andere manieren zodat ze er, voor een buitenstaander, allemaal vrijwel hetzelfde uitzien. En toen ik zo naar de Parthen, een kwartmijl bij me vandaan aan de andere kant van de rivier, stond te kijken, begreep ik de essentie van de Romeinse aard: hun soldaten zien er hetzelfde uit, hun elite in de senaats- en ridderklasse kleedt zich hetzelfde en bewandelt dezelfde weg, en hoewel er een intense rivaliteit heerst om status en positie, willen ze allemaal hetzelfde voor Rome en zetten ze hun persoonlijke geschillen opzij om daar samen naar te streven. Als dat zo was, zo redeneerde ik, kon je voorspellen dat ze zich allemaal op dezelfde manier zouden gedragen indien Rome, en zodoende ook zijzelf en hun families, door bepaalde omstandigheden werd bedreigd. Hun kracht in hun eenheid en het vermogen om als één man te handelen, de kracht die de legioenen bij een frontale aanval onverslaanbaar maakt, kon ook hun zwakte zijn. Als ik ze kon dwingen op een voorspelbare manier te handelen, hoefde ik geen frontale aanval in te zetten omdat ik ze naar mij toe kon laten komen, naar een plek van mijn keuze, naar een plek waar ze mij niet zouden verwachten. En met dat ontkiemende idee in mijn hoofd, de manier om de indringers uit Germania te krijgen die mijn vader was ontgaan, nam ik met Lucius deel aan zijn volgende uitspatting.

Er lagen veel boten in Thapscum, veelal van vissers, dus we konden met gemak de rivier oversteken naar het Parthische kamp. Om er geen twijfel over te laten bestaan dat we Romeinse krijgstribunen waren en geen spionnen, droegen we onze bronzen, gespierde borstplaten, scheenplaten, militaire mantels en helmen – ik had van Lucius een prachtige cavaleriehelm met een afneembaar levensecht masker gekregen toen we in Rome onze uitrusting bij elkaar zochten. Hij had het amusant gevonden om mij het masker te geven en zei dat het me meer Romeins maakte omdat het mijn barbaarse trekken verborg.

'Mijn naam is Lucius Julius Caesar,' zei Lucius, in het Grieks, tegen de Parthische bewakers op de aanlegsteiger toen onze visser de boot langszij legde, 'en ik wil koning Phraates spreken.'

Sinds de verovering door Alexander de Grote was het Grieks de taal van de hooggeboren mannen in het oosten – er wordt zelfs beweerd dat je helemaal naar het afgelegen India kunt reizen en jezelf verstaanbaar kunt maken met enkel Grieks.

De officier onder wiens bevel de bewakers stonden keek eerst ontzet toe hoe Lucius uit de boot sprong, en barstte toen in lachen uit. 'Er is maar één Romein die de Grote Koning wenst te spreken en ik kan je verzekeren dat jij dat niet bent, knul.'

Lucius had weinig geduld met ondergeschikten, en nog minder met ondergeschikten die zich in zijn ogen ongemanierd en neerbuigend gedroegen. Zonder rekening te houden met het feit dat hij zich in een vijandelijk kamp bevond, stapte hij op de Parthische officier, die twee keer zo oud was als hij, af en trok hem aan zijn baard zo ver naar zich toe dat hun neuzen elkaar bijna raakten. 'Je hebt duidelijk niet in de gaten met wie je het genoegen hebt, dus ik zal het je gemakkelijk maken. Ik geloof dat je meester, Phraates, er plezier in schept om mensen die hem irriteren te spietsen. Als hij erachter komt dat je niet hebt doorgegeven dat de jongste zoon van de keizer der Romeinen met hem wilde spreken, zal hij dat erg vervelend vinden. Heb je al wel eens iets groters dan een lul in je reet gehad?'

De geschrokken officier had daar duidelijk geen ervaring mee en leek niet van plan om nu met grotere voorwerpen te gaan experimenteren. Met een onzekere blik keek hij de zestienjarige jongen aan die hem bij zijn baard vasthad en probeerde hij vast te stellen of hij was wie hij beweerde te zijn. Zijn mannen stapten naar voren en trokken hun zwaarden. De officier gebaarde dat ze terug moesten gaan. Hij pakte Lucius' hand en trok hem van zijn baard. Hij zou met deze arrogante Romeinse jongen meewerken, ondanks de vernedering. 'Mijn nederige excuses, edele heer. U moet begrijpen dat ik op geen enkele manier kon weten dat u werkelijk bent wie u beweerde te zijn.'

'Dat wil ik niet begrijpen. Het enige wat ik begrijp is: "Wilt u mij volgen? Ik zal u naar de tent van de Grote Koning brengen en zijn hofmeester vertellen dat u hem wenst te spreken."'

De officier glimlachte flauwtjes, duidelijk verslagen. 'Edele heer, wilt u mij volgen?'

'Wat als hij je laat oppakken en gijzelen?' vroeg ik Lucius terwijl we zaten te wachten tot we bij de Grote Koning werden geroepen en nipten van een schuimig drankje dat kietelde aan je tong, maar toch erg verfrissend was.

'Waarom zou Phraates dat doen?'

'Om Gaius onder druk te zetten om als eerste naar het eiland te varen.'

'En tegelijkertijd Augustus tegen de haren in te strijken? Hij zou wel gek zijn nu hij eindelijk een overeenkomst met hem heeft gesloten die wel een generatie kan standhouden en die misschien ook wel leidt tot de executie van zijn vier halfbroers. Welnee, Phraates zal gewoon luisteren naar wat ik te zeggen heb, en dan volgt hij mijn advies op en kunnen we hier binnenkort allemaal vrolijk vertrekken, met uitzondering van die opgeblazen klootzak, mijn broer Gaius. Je moet het me wel zeggen, hoor, als ik me ga gedragen als een van die vijftigjarige mannen die nooit een leger hebben geleid en nooit consul zijn geworden en zich dan als een blaaskaak gaan gedragen om te verhullen dat ze niets hebben bereikt in hun leven.'

'Je kunt het Gaius niet kwalijk nemen. Hij kan er niets aan doen dat Augustus hem de macht en positie heeft gegeven die geen enkele achttienjarige ooit heeft gehad.'

'Hij kan er wel iets aan doen dat hij om waardigheden strijdt met de Grote Koning van Parthië.' Hij gebaarde naar de enorme tent waarin we zaten te wachten – hij was twee keer zo groot als de grootste tent van de Romeinen en diende enkel als wachtruimte voordat je in de audiëntietent werd toegelaten. 'Wat Gaius niet begrijpt, is dat de Parthen de dingen heel anders doen dan wij. Kijk maar naar deze overbodige pracht en praal; heeft Phraates echt zo'n grote tent nodig om zijn gasten in te laten wachten onder het genot van een drankje? Natuurlijk niet; maar hij weet waarschijnlijk niet eens dat hij hem heeft. Zijn hofhouding doet deze dingen, want hoe groter ze hun koning maken, hoe belangrijker ze zichzelf kunnen voelen. Het draait om trots en die trots zorgt ervoor dat ze niet zullen toestaan dat hun Grote Koning afgaat tegenover een achttienjarige Romein, ook al is hij de aangenomen zoon van de keizer. Phraates weet dat en zal daarom niet als eerste naar het eiland gaan. Als hij dat deed, zou hij zwakte tonen en op zwakte van een Parthische koning staat de doodstraf, uitgevoerd door een overweldiger. Gaius heeft die beperkingen echter niet, en moet dus gewoon pragmatisch zijn en de eerste stap zetten. Niemand hier zal hem uitlachen omdat hij op Phraates wacht. Rome zal niet minder machtig worden omdat die kleine Gaius een uur of twee op een eiland moet rondhangen. Augustus zal hem niet berispen omdat hij als eerste heeft toegegeven. Het kan niemand in Rome ook maar iets schelen.'

Er kwam een kamerheer binnen die zachtjes zijn keel schraapte toen hij de gordijnen opzijschoof en naar binnen schreed. 'De Koning der Koningen, het Licht van de Zon, de Heer van het Oosten en Westen en Vrees van het Noorden verwaardigt zich u te ontvangen.'

'Dat is vriendelijk van hem,' zei Lucius zonder een spoor van ironie voordat hij er, fluisterend zodat alleen ik het kon horen, aan toevoegde: 'En nu zal ik me verwaardigen die trotse klootzak te laten zien hoe hij zijn bebaarde gezicht kan redden.'

Er klonk afkeurend gemompel omdat noch Lucius, noch ik het hoofd boog, laat staan dat we ons languit op onze buik voor Phraates wierpen, zoals het protocol opdroeg. De kamerheer die voordat hij ons in de koninklijke aanwezigheid bracht erop had gestaan dat we de *proskynesis* uitvoerden, keek geschokt naar ons op toen we voor de koning stonden, naast zijn liggende gestalte, ongetwijfeld doodsbang dat hij verantwoordelijk zou worden gehouden voor ons lompe gedrag. Lucius klaagde dan wel dat Gaius te veel op zijn waardigheid stond, hij was zelf ook niet van plan door het stof te gaan voor een oosterling, wat de consequenties ook waren, en al helemaal niet voor een oosterling die slechts een paar jaar ouder was dan hijzelf. Phraates leek echter geen aandacht te schenken aan het gebrek aan protocol; hij leek helemaal nergens aandacht aan te schenken zoals hij op zijn hoge troon met doffe ogen en een afwezige blik voor zich uit zat te staren naar iets boven onze hoofden. Zijn baard, die door zijn vlassigheid zijn leeftijd verried – hij was op dat moment achttien – was paars gekleurd en zijn schouderlange, gekrulde haar werd op zijn plaats gehouden door een gouden koninklijke diadeem die was ingelegd met robijnen en parels. Uit niets bleek dat hij onze komst in het paviljoen dat de omvang van de voorkamer meer dan recht deed had opgemerkt. De zijflappen van de tent waren omhoog geslagen zodat een koel briesje tussen de vele gebeeldhouwde houten palen die het hoge dak droegen door kon waaien. De vloer was bedekt met tapijten die zulke ingewikkelde patronen en uiteenlopende kleuren hadden dat elk wel een kunstwerk op zich leek. En in die grote ruimte stonden de edelen van Parthië, die allemaal de volledige proskynesis hadden afgewerkt.

Naast de troon stond een zeer oude man. Hij leunde op een stok, met een rug die was gebogen door de vele jaren die ook zijn baard en haar hadden uitgedund en zijn ogen rood hadden gekleurd. 'Wat brengt je naar de overkant, Lucius Julius Caesar? Waarom verstoor je de rust van het Licht van de Zon?'

Lucius rechtte zijn rug en keek de koning recht aan terwijl hij zijn woordvoerder antwoord gaf. 'We hopen dat we het Licht van de Zon geen overlast bezorgen. We zijn juist de rivier overgestoken om een oplossing voor een probleem voor te stellen en zijn zorgen te verlichten.'

Er verscheen iets van interesse op het verder onbeweeglijke gezicht van de Grote Koning.

'Spreek dan,' beval de woordvoerder, 'zodat het Licht van de Zon je woorden kan beoordelen.'

Lucius wachtte even en keek omlaag naar zijn handen die hij voor zijn lichaam ineen had geslagen, alsof hij nadacht over hoe hij zijn woorden het beste kon formuleren. 'Er zijn momenten dat er voor de schijn schijnbaar iets moet veranderen. Het Licht van de Zon reist niet af naar het eiland vóór mijn broer Gaius, die, op zijn beurt, niet naar het eiland wil afreizen voor het Licht van de Zon. Wie er in deze situatie ook goed of fout zit, feit is dat we ons in een impasse bevinden die ertoe zal leiden dat het verdrag dat door onze twee grootmachten is overeengekomen niet zal worden ondertekend zolang we in deze verzengende hitte niets bereiken. Ik heb daarom een voorstel: Gaius zal naar het eiland afreizen als het Licht van de Zon *schijnbaar* al op het eiland is. Het enige wat moet gebeuren is dat het gevolg en de banieren van de Grote Koning de rivier oversteken. Als Gaius dat ziet, zal hij denken dat hij gewonnen heeft en vertrekken. Op dat moment kan het Licht van de Zon aan boord van zijn schip gaan en na hem op het eiland arriveren.' Lucius spreidde zijn handen en trok zijn wenkbrauwen op om de eenvoud van zijn plan te benadrukken, en alle ogen werden op Phraates gericht in afwachting van zijn reactie.

Het duurde even voor die kwam en was een verrassing toen het zover was: Phraates keek zijn woordvoerder aan en vroeg hem om zijn mening.

De woordvoerder stapte naar voren. 'Ik kan dit niet toestaan. Het zou betekenen dat ik en al uw gehoorzame dienaren van u gescheiden zouden worden en moeten wachten op de komst van een Romeinse snotneus...'

'Jouw waardigheid doet hier niet ter zake, oude man!' Lucius wees met zijn vinger naar de woordvoerder. 'Het Licht van de Zon vroeg wat je van mijn suggestie vindt, niet of het je persoonlijk uitkomt.'

De woordvoerder deinsde terug voor de harde toon waarmee hij door zo'n jonge jongen werd terechtgewezen en keek zijn meester smekend aan. Phraates bleef met zijn blik op oneindig voor zich uit staren.

Lucius drong aan. 'Geef antwoord, oude man: wil je dat je meester mijn advies opvolgt, ook al komt je dat persoonlijk niet goed uit, of wil je dat hij je waardigheid in stand houdt en deze plek verlaat als de Grote Koning die werd geklopt door een achttienjarige Romein?' De plotselinge, gemeenschappelijke zucht bij de implicatie dat de Grote Koning iets anders dan onfeilbaar was floot in mijn oren en alle ogen werden op Phraates gericht om zijn reactie te zien.

Phraates gaf een bijna onzichtbaar knikje terwijl zijn mondhoeken vertrokken tot wat bijna als een lachje kon worden gezien. 'Ga, zoon van Augustus, en laat je mannen morgen direct na de dageraad de rivier afspeuren.'

Opnieuw tegen alle protocollen in draaiden we de Grote Koning de rug toe om te vertrekken.

'Maar je vriend blijft hier als waarborg. Als ik op het eiland aankom en Gaius er niet aantref, zal ik direct vertrekken en hem er achterlaten, alleen en gespietst.'

Ik voelde Lucius naast me verstrakken en mij een zijdelingse blik toewerpen voordat hij zich weer omdraaide om Phraates aan te kijken. 'Als je wilt dat er iemand hier blijft, laat mij dat dan zijn, Licht van de Zon.'

'Als ik jou, een zoon van Augustus, met een scherpe spies zou doorboren, zouden we weer oorlog krijgen. Maar wie zou er rouwen om een betrekkelijk onbeduidend persoon uit de donkere, noordelijke bossen – behalve jij misschien, Lucius Julius Caesar, aangezien jullie nu al een jaar of vijf samen optrekken. Ga nu!'

Stomverbaasd over hoe accuraat de Grote Koning geïnformeerd was, deed Lucius zijn mond open om iets te zeggen, maar toen bedacht hij zich, draaide zich om en verliet het paviljoen, mij verbluft achterlatend over het feit dat Phraates wist wie ik was.

'Je eet vanavond bij mijn moeder en mij aan tafel, Erminatz,' zei hij toen hij opstond van zijn troon en mijn verbazing nog groter maakte door mijn Germaanse naam te gebruiken. Iedereen in het paviljoen verlaagde zichzelf voor de staande koning; in mijn verwarring lag ik ineens op mijn buik.

We hadden bijna een uur in stilte gegeten, begeleid door dissonante – zo klonk het in elk geval voor mij – muziek die werd voortgebracht door een aantal fluiten, vreemd gevormde harpen en zacht beroerde trommels die meerdere toonhoogtes konden voortbrengen. Ik weet nog dat ik me een beetje ongemakkelijk voelde, want ik had geen andere kleren bij me en droeg dus nog steeds mijn uniform. Iets wat ik vreemd vond, was dat zijn moeder niet aanwezig was, hoewel hij had gezegd van wel. Het gezelschap – twaalf personen, inclusief de woordvoerder – bestond uitsluitend uit mannen, maar ik hield mezelf voor dat dat normaal was omdat de Parthen hun vrouwen nog strenger uit het zicht van anderen hielden dan de Grieken. Het eten was echter net zo weelderig als je zou verwachten aan een tafel van de Koning van alle Koningen van het Parthische rijk. Er waren kleine witte korrels die ik nooit eerder had gezien, met een lichte textuur, gemengd met gedroogde abrikozen en rozijnen en noten met een groene tint, en daarbij geroosterd lamsvlees zo mals dat ik van de eerste hap enorm begon te kwijlen. Er waren ook stoofschotels van kikkererwten met...

'Ik denk dat we dat allemaal wel kunnen overslaan, Tiburtius,' onderbrak Thumelicatz de oude slaaf. Geen van zijn Romeinse gasten leek er iets op tegen te hebben. 'Jullie zullen het vast met me eens zijn, heren, dat een omschrijving van de Parthische tafelmanieren en avondtoilet op dit moment irrelevant is.' Hij pakte de perkamentrol en las hem vluchtig door. 'Het enige interessante is dat mijn vader beschrijft dat Augustus een uitzonderlijk mooie Griekse concubine had gegeven aan de vader van Phraates, ook een Phraates, de vierde met die naam, als onderdeel van de onderhandelingen over de teruggave van de Adelaars die Crassus bij Carrhae was kwijtgeraakt. Deze vrouw, Musa, werd al snel Praathes' meest geliefde echtgenote en hij benoemde haar zoon tot zijn erfgenaam. Musa haalde Phraates vervolgens over om zijn andere zoons naar Rome te sturen als de gijzelaars die nodig waren voor een volgend verdrag, zeventien jaar later. Toen alle mogelijke rivalen van haar zoon in Romeinse handen waren, vergiftigde ze de Grote Koning en zette ze haar zoon op de troon als de vijfde koning met de naam Phraates. Dat is op zich niet erg interessant of opzienbarend, maar wat er daarna gebeurde was dat wel.' Hij gaf de rol terug aan Tiburtius en wees op een regel. 'Begin daar maar.'

Phraates veegde zijn vingers af, legde zijn hand op zijn borst en liet een enorme boer, wat in Parthië aangeeft dat je lekker hebt gegeten en verzadigd bent. Alle andere eters deden hetzelfde en overstemden daarmee bijna de muziek terwijl de slaven rustig rondliepen en de tafels afruimden.

Toen iedereen zijn waardering voor de maaltijd had laten blijken, leek Phraates me voor het eerst die avond op te merken. 'Ik weet verrassend veel over de verschillende gijzelaars die zich op het moment in Rome bevinden, Erminatz. Mijn halfbroers horen er namelijk ook bij en ik heb mensen die hen voortdurend in de gaten houden en mij op de hoogte brengen van hun bezigheden maar ook van die van de anderen. Ik weet dat jij en Lucius herrie schoppen in Rome en dat Augustus niets doet om jullie een halt toe te roepen; hij gelooft niet eens de berichten die hij over jullie gedrag ontvangt. Ik weet dat jij de zoon bent van Siegimeri, de koning van de Cherusken, en dat je hem zult opvolgen als koning als je erin slaagt terug te keren naar je vaderland. Ik weet ook dat jij en je jongere broer Chlodochar elkaar niet meer spreken omdat je vindt dat hij te Romeins geworden is, en daaruit concludeer ik dat je jezelf niet als Romein beschouwt. Ik denk dat ik daarom veilig kan aannemen dat jij, ondanks je vriendschap met Lucius Julius Caesar, Rome niet gunstig gezind bent. Heb ik gelijk?'

Ik stond versteld van het observatievermogen van deze jonge vorst en aarzelde kort voor ik antwoord gaf, ervan uitgaand dat het beter was om hem de waarheid te vertellen. Als Gaius niet als eerste op het eiland was, zou Phraates me minder snel spietsen als hij me als een vijand van Rome zag. Toch was ik voorzichtig met mijn antwoord. 'Als het moment komt dat ik mijn vader moet opvolgen, Licht van de Zon, ben ik dat verplicht aan mijn volk.'

Phraates glimlachte en hief zijn met edelstenen bezette drinkbeker naar me op om te proosten. 'Dat is het antwoord van iemand die vermoedt dat Augustus overal oren heeft, zelfs in deze tent. Maar ik zal niet verder aandringen, hoewel ik je kan verzekeren dat niets wat hier wordt gezegd deze tent zal verlaten. Het volstaat te zeggen dat ik denk dat wij vrienden kunnen worden.' Met een minieme beweging van zijn rechterhand stuurde hij de andere gasten weg. Die liepen diep gebogen achterwaarts weg van de koninklijke aanwezigheid. Alleen de woordvoerder bleef.

Toen de gasten de tent hadden verlaten, werd er achter Phraates een gordijn opzijgeschoven. Er kwam een vrouw binnen en ik slaakte bijna een kreet toen ik haar schoonheid zag. Ze was letterlijk adembenemend mooi. Haar lange, zijden gewaden verhulden elke beweging van het onderste deel van haar lichaam, waardoor ze leek te zweven. Ze hield haar hoofd gebogen en keek niet op met haar cosmetisch omlijnde ogen, maar ik kon genoeg van haar gezicht zien om intens naar haar te verlangen, ook al was ze meer dan twee keer zo oud als ik. Haar huid was licht als de dageraad op de eerste dag van de komst van de IJsgoden in mei. Haar mond, klein maar met volle lippen, contrasteerde met haar wangen als een vroegbloeiende roos die is berijpt door de IJsgoden; hij had iets nukkigs, alsof ze je uitdaagde haar wat dan ook te weigeren. Maar het was haar haar, hoog opgestoken en vastgezet met een zijden lint waarvan de uiteinden op gecompliceerde wijze waren vervlochten zodat er een diadeem van haar rond haar hoofd zat, dat ondanks de schoonheid van haar gezicht de aandacht trok: roodgoud als de opkomende zon boven een bevroren meer, goud vermengd met koper en zo fonkelend dat ik het gevoel had dat het aanraken zou betekenen dat je het meest kostbare van deze Midden-Aarde aanraakte.

En ik was niet de enige man in de ruimte die werd betoverd. Toen ze dichterbij kwam kon Phraates, ondanks zijn gereserveerde blik op oneindig, zijn ogen niet van haar afhouden. Hij stond op van zijn bank en stak zijn handen naar haar uit toen ze dichterbij schreed. Hij keek op haar neer en zuchtte alsof hij versteld stond van een schoonheid die hij voor het eerst zag. Zij keek op om zijn blik te ontmoeten en ik zag dat haar ogen waren vervuld van een liefde en verlangen die ze warm maakten, ondanks de lichte ijsblauwe kleur. Hij streelde over haar wang en boog zich voorover om haar te zoenen, hun lippen raakten elkaar en gingen vaneen en ik moest mijn blik losrukken uit angst voor de opkomende jaloezie over het feit dat deze koning zo'n vrouw bezat. Ik keek naar de woordvoerder, oud en gerimpeld en naar me glimlachend alsof hij wist wat ik voelde en ervan genoot omdat een dergelijke drang niet meer in zijn verschrompelde lendenen opkwam.

'Moeder, heb je een goede dag gehad?'

Mijn hoofd draaide alle kanten op om te zien wie die woorden had uitgesproken, maar we waren maar met zijn vieren.

'Ja, mijn zoon,' zei de vrouw. 'Maar ik heb de uren geteld tot dit moment.'

Ik hoop dat de schok niet van mijn gezicht af te lezen viel toen de waarheid tot me doordrong.

'Erminatz,' zei Phraates terwijl hij in haar ogen bleef staren, 'dit is mijn moeder, Musa. Toen ze hoorde dat jij Lucius vergezelde, wilde ze je ontmoeten als je geschikt zou lijken te zijn voor onze voornemens.'

'Het is me een eer,' zei ik met schorre stem.

Musa stapte uit de omarming van haar zoon en ging op een bank zitten. Ze gebaarde dat ik hetzelfde moest doen terwijl Phraates zich naast haar liet zakken. De glimlach van de woordvoerder was verdwenen en hij was weer het toonbeeld van hoffelijke ernst.

Musa bekeek me even aandachtig, alsof ze mijn karakter wilde aflezen. Ik voelde me ongemakkelijk onder haar blik en probeerde me niet voor te stellen hoe ver zij en haar zoon samen zouden gaan. 'Jij weet hoe het is om uit je huis te worden weggehaald en gedwongen ergens anders te moeten wonen, nietwaar, Erminatz?'

'Inderdaad, eh... vrouwe.' Ik wist niet zeker hoe ik een incestueuze koningin moest aanspreken.

Musa leek zich niet te bekommeren om de juistheid van haar titel. 'Ik werd twintig jaar geleden door Augustus uit mijn huis in Korinthe weggehaald. Ik was in vrijheid geboren en, ondanks mijn jeugdige leeftijd, de meest succesvolle *hetaira* in mijn stad; ik kon een klein fortuin vragen voor een avond in mijn gezelschap. Mijn moeder was een gevierde hetaira geweest en had mij goed wegwijs gemaakt in de kunst van mannen plezieren. Maar schoonheid heeft twee gezichten, en toen geruchten over die van mij de keizer bereikten nam hij me in zijn bezit, ondanks mijn vrije status, en gaf hij me weg aan een buitenlandse koning om een afspraak te verzegelen, alsof ik niets meer was dan een ordinaire beschilderde versiering of een aap die kunstjes opvoert.' Ze pauzeerde even en streelde haar zoons baard terwijl ze naar mij glimlachte. 'Je vraagt je waarschijnlijk af waarom ik zou klagen: ik ben de moeder van de Grote Koning en we regeren samen; ik heb meer macht en rijkdom dan ik in Korinthe ooit had kunnen vergaren.'

In meer dan één opzicht, dacht ik.

Musa's blik verhardde. 'Mijn trots was me afgenomen. De controle over mijn lichaam was me afgenomen. Ik bevond me niet meer in een wereld vol mannen die ik zelf kon uitkiezen, elke avond een andere, soms terugkerend naar een favoriet, hetzij vanwege zijn seksuele voorkeuren of zijn conversatie – een hetaira is niet alleen een hoer, weet je?'

Dat wist ik niet, maar ik knikte toch.

'Ons beroep vraagt vaardigheden die het vermaak van een hele avond overspannen: beschaafde conversatie, muziek maken, dansen, maar ook de seksuele daden waardoor mannen hun geld weggeven op een manier die ik altijd amusant heb gevonden. Maar wat heb je aan die vaardigheden als je plotseling in een wereld van vrouwen terechtkomt, in het rijk van een harem? Een wereld die om slechts één man draait, waar alle vrouwen jaloers strijden om zijn aandacht, zijn gunst en één nacht om de kans te krijgen zwanger te worden en een jongetje op de wereld te zetten; een kind dat je middel zal zijn om boven de andere vrouwen uit te stijgen. En ik heb mijn kans gegrepen en ben zwanger geworden en heb me in de loop der jaren opgewerkt in de hiërarchie, met mijn zoon als wapen, tot ik me van al mijn rivalen, alle andere mogelijke erfgenamen en zelfs de Grote Koning zelf had ontdaan. Maar er is nog altijd één ding waarvan ik me niet heb kunnen ontdoen en dat is hetgeen dat me mijn trots heeft afgenomen: Rome. Rome, dat me uit eigenbelang heeft ingeruild om de bij Carrhae verloren Adelaars terug te krijgen. En nu Rome ze terug heeft, wil ik ze weer afnemen.'

Ik werd overweldigd door de felheid die zich tijdens haar verhaal had opgebouwd, maar ik begreep haar verbolgenheid, haar haat. Ze had gelijk: ik wist wat het was als je trots je werd afgenomen en je geen controle meer had over je eigen leven en je tegen je wil in een omgeving werd geplaatst die tegennatuurlijk voor je was. Ik wist het maar al te goed; en daar was zij, een incestueuze koningin die haar echtgenoot had vermoord, en ik voelde met haar mee. 'Dat zou ik u graag zien doen, vrouwe.'

Ze wierp haar hoofd naar achteren en lachte kort. 'Ik ook, mijn sterke, jonge Germaan, ik ook. Maar ik ben bang dat het nooit zover zal komen. Zelfs de Romeinen zijn niet zo stom dat ze niets hebben geleerd van Carrhae. Ze zullen ervoor zorgen nooit meer in de open woestijn overgeleverd te zijn aan onze enorme cavalerie. We vechten alleen nog kleine oorlogen met hen uit; schermutselingen vergeleken bij de slag van Carrhae. Maar jij, daarentegen – er trekken legioenen door jouw land, legioenen met Adelaars, legioenen met Adelaars die wachten op de klap. Jij kunt doen wat ik nu niet meer kan; jij kunt de Adelaars van Rome terughalen en mijn trots herstellen.'

Ik keek naar haar, deze moordenares, deze minnares van haar eigen zoon, deze schoonheid vervuld van kille haat, deze IJskoningin, en ik wist dat ik, ondanks alles wat ze was, haar verzoek niet kon, niet wilde afslaan. Ook al had ik niet de wens Rome te vernederen op de manier die zij voor ogen had, ik zou het voor haar hebben gedaan, wat de prijs ook was, maar hoe ik het dan zou moeten doen, was me een raadsel. 'Waarom denkt u dat ik tot zoiets in staat zou zijn, vrouwe?'

Musa glimlachte en het raakte mijn hart. 'Jij hebt al het vertrouwen van Rome. Je bent Lucius' metgezel en Augustus heeft je zelf hiernaartoe gestuurd om hem te vergezellen. Je bent een bevoorrechte gijzelaar, en omdat de Romeinse arrogantie mateloos is, nemen ze aan dat als je een van hen wordt dat altijd zo blijft. Ze kunnen niet bedenken dat iemand die de vruchten en geneugten van Rome heeft geproefd haar de rug zal toekeren. Jouw loopbaan zal niet de *cursus honorum* zijn, de opeenvolging van militaire en rechterlijke functies die hooggeboren Romeinen vervullen. Jij zult een militaire weg bewandelen. Je zult gezag en verantwoordelijkheden krijgen, niet in de legioenen, maar in de hulptroepen.'

En toen herinnerde ik me het laatste wat mijn vader tegen me had gezegd voordat ik bijna acht jaar eerder met centurio Sabinus naar Rome was vertrokken: *Rome gaat de troepen opleiden die de ruggengraat zullen vormen van het leger dat ons gaat bevrijden. Dat noem ik een bevredigend besluit van onze overeenkomst.* Het zaadje van een idee dat ik al had ontkiemde nu: het begon me te dagen hoe ik Rome kon verslaan en welke weg ik daarvoor moest bewandelen. Met een toenemende zelfverzekerdheid zei ik daarom: 'Ik zal Rome trouw dienen in de hulptroepen, en als ik dan het vertrouwen en respect van de keizer heb, zal ik vragen om mijn eigen mannen te mogen aanvoeren.' Ik keek omlaag naar de cavaleriehelm met het masker die ik naast me op de grond had neergelegd. 'Het geschenk van Lucius zal van pas komen. Ik zal de keizer zover krijgen dat hij me tot prefect van de Cheruskische hulpcavalerie-ala benoemt.'

Musa glimlachte weer en ik moest de drang weerstaan om haar vast te pakken en tegen me aan te drukken, om haar te bezitten. 'Precies, mijn dappere Germaanse krijger. De Romeinen houden er nog altijd de gevaarlijke, dwaze gewoonte op na om hun hulptroepen in hun eigen provincies te laten dienen. De Cherusken, Chatten, Frisii hebben allemaal verdragen met Rome die ze verplichten mannen te leveren voor de hulpcohorten, en veel van die cohorten worden in Germania Magna ingezet om de daar gestationeerde legioenen te beschermen.'

Nu was het mijn beurt om te glimlachen. 'Het zou zo simpel zijn als er een plan was.'

'Zeg dat wel. Er zijn nu drie legioenen gestationeerd in Germania Magna. Het enige wat je moet doen is een manier vinden om de gouverneur ertoe te brengen een van die legioenen in een kwetsbare positie te brengen.'

'Hij zou een bepaald soort man moeten zijn; iemand die op een voorspelbare Romeinse manier te werk gaat,' zei ik. Ik dacht na over de vraag of Romeinen allemaal op dezelfde, voorspelbare manier zouden kunnen reageren in een bepaalde reeks omstandigheden die Rome rechtstreeks zou bedreigen. 'Als er genoeg tijd is, ben ik ervan overtuigd dat ik de omstandigheden zo kan smeden dat ik de gouverneur op een plek krijg waar zoveel dreiging is dat het zelfs voor de minst krijgshaftige man wijs zou zijn om de hulpcohorten de flanken in de gaten te laten houden.'

'En het legioen dan te verwoesten met dezelfde troepen die zijn opgeleid om hen te beschermen.'

'Het zou helemaal een groots gebaar zijn om de andere twee legioenen te verwoesten als ze hun kameraden te hulp schieten.'

Musa keek me vragend aan. 'Wat bedoel je?'

'Het grootse gebaar: dat heeft Lucius me geleerd. Als je iets doet, moet je het op zo'n grootse wijze doen dat het niet ongedaan kan worden gemaakt. Zo zal dit ook zijn. Ik heb er altijd van gedroomd om mijn volk te leiden in een opstand tegen Rome, maar dat zou niets zijn vergeleken bij dit. Als ik coalities kan sluiten met de hulptroepen van andere stammen en de stamleden zelf ook achter me kan krijgen, kan ik op deze manier in slechts drie klappen een einde maken aan de Romeinse aanwezigheid ten oosten van de Rhenus en ten noorden van de Danuvius.'

Ze stak haar hand naar me uit en ik nam hem met genoegen aan. 'Ik wist dat je het zou begrijpen. Richt je nu op dat doel, en nergens anders meer op. Haal hun Adelaars terug en geef jou en mij onze trots terug.'

En zo werd de koers van mijn leven uitgezet.

De volgende dag gingen we...

Thumelicatz stak zijn hand op om Tiburtius te laten stoppen met lezen. 'Ik denk dat we de langdradige details over hoe Phraates Gaius voor de gek hield en de rivier liet oversteken, kunnen overslaan. Gaius was razend en wilde opstappen, maar Lucius wist hem ervan te overtuigen dat zijn waardigheid een nog grotere deuk zou oplopen als hij niet alleen voor de gek was gehouden door een oosterling, maar de kwestie vervolgens erger had gemaakt door ook nog voor hem weg te lopen. En het verdrag werd, zoals jullie als Romeinen wel zullen weten, getekend.'

De aristocraat stond op en strekte zijn benen. 'Wat is er van Phraates geworden?'

'Mijn vader vertelt iets verderop dat hij enkele jaren later met zijn moeder is getrouwd en heeft geprobeerd haar tot koningin te benoemen. Dat ging zelfs de Parthische adel te ver en ze hebben hem gedood. Wat Musa betreft, tja, zij is rond dezelfde tijd gestorven en, de Parthen kennende, waarschijnlijk met meer tussen haar benen dan ze ooit had gehad. Maar we hoeven geen medelijden met haar te hebben na de moorden die zij op haar geweten had. En we hoeven ons ook niet bezig te houden met de volgende perkamentrol, want die handelt alleen over mijn vaders laatste jaren in Rome. We zullen het verhaal bijna drie jaar later weer oppikken, als mijn vader Augustus al heeft overtuigd van zijn loyaliteit. Aius, die rol, graag.'

HOOFDSTUK VI

Chlodochar keek me aan, met onverbloemde haat op zijn gezicht. 'Nooit, Arminius. Nooit. Ik ga niet met jou en je smerige Cherusken mee.'

Hij had in het Latijn geantwoord op een vraag die ik hem in onze eigen taal had gesteld. Het gaf perfect aan hoe ver we uit elkaar waren gegroeid. Ik gooide het over een andere boeg, in de hoop dat hij op het allerlaatste moment van gedachten zou veranderen; ons schip zou rond het middaguur uitvaren naar Massalia. 'Als je met me meegaat en in de hulptroepen dient, kunnen we daarna naar huis. Dan zien we onze ouders weer, onze zus, ons vaderland...'

Chlodochar spuugde op de grond. 'Dat bestaat voor mij niet meer. Ik ben geen woesteling en ik ben ook niet stom: Augustus vertrouwt je misschien wel genoeg om je de leiding te geven over de Cheruskische cavalerie-ala, maar ik weet dat je je tegen hem zult keren zodra je de kans krijgt en daar wil ik geen deel van uitmaken. Ik wil niet lijden voor jouw verraad. Rome is alles wat ik nodig heb.'

'Als ik dat zou doen, wordt het je dood, want als je hier blijft, dan blijf je een gijzelaar.'

'Ik ben een vriend van Germanicus. Ik ben een Romein uit de adellijke klasse. Ik ben geen gijzelaar als waarborg voor het goede gedrag van een barbaarse vader of broer.'

Ik keek hem aan, onze blikken vonden elkaar, en ik zag dat mijn stam en ik hem voorgoed kwijt waren. Er was niets wat ik nog kon zeggen. Ik draaide me om en verliet het huis van Antonia voor de laatste keer om te beginnen aan een reis waarvan ik hoopte dat hij me thuis zou brengen. Met een hart dat afwisselend zwaarmoedig was om het verlies van een broer en lichtvoetig bij de gedachte dat ik Rome eindelijk achter me zou laten, voegde ik me bij Lucius en zijn groepje stafofficieren voor de korte rit naar Ostia, de haven van Rome; onze wegen liepen een stukje gelijk.

Het was niet normaal dat er langs de weg naar Ostia zoveel kruizen stonden, maar toen we de poort uit reden en vervolgens de graanschuren passeerden en Rome achter ons lieten, viel het me op hoeveel niet-burgers er de afgelopen tijd waren terechtgesteld. Rome liet aan eenieder die de poorten bereikte zien welk lot ze in petto had voor iedereen die haar tegenwerkte.

'Er is een kleine opstand geweest onder de staatsslaven in Ostia,' verklaarde Lucius toen hij mij mijn hoofd zag schudden vanwege de omvang van de executies.

Sejanus, die naar Lucius' staf was overgeplaatst nu Gaius al zijn tijd in de Senaat doorbracht, rochelde en richtte een flinke fluim op de bebloede, gebroken benen van een van de slachtoffers, die op het randje van de dood balanceerde. 'De keizer heeft mijn vader opgedragen geen mededogen te tonen, dus hij heeft de gevangenen gesplitst.' Hij grinnikte. 'Dit zijn de geluksvogels.'

'En de anderen?' vroeg ik.

'De marmergroeven in Carrara. Zij doen er twee jaar over om dood te gaan, in plaats van twee dagen.' Hij lachte, en de anderen lachten met hem mee.

Ik deed alsof ik mee lachte, maar toen trok iets op een van de lijken mijn aandacht. Op de borst, net boven het hart, was onder het bloed nog net een tatoeage zichtbaar die ik direct herkende omdat ik hem in mijn kindertijd maar al te vaak had gezien en omdat ik hoopte hem ooit ook te mogen dragen: het was een wolf. De wolf van de Cherusken.

De neplach stierf in mijn keel toen ik naar de eens zo moedige krijger keek die nu zonder een wapen in zijn hand deze Midden-Aarde verliet. Hoe kon hij nu het Walhalla vinden?

Rome had veel goed te maken.

De havenstad Massalia is een gemengde stad. Hij is door de Grieken gesticht in het deel van Gallië dat nu Narbonensis wordt genoemd, maar dat voor de Romeinen gewoon Provincia is, omdat ze het al zo lang in handen hebben. Het is al generaties lang het middelpunt van de Gallisch-Romeinse handel en heeft zodoende een bevolking die vooral uit handelaren en dieven bestaat – twee beroepen die in mijn ervaring op hetzelfde neerkomen.

Augustus had me geen specifieke orders gegeven over hoe ik Oppidum Ubiorum, de provinciehoofdstad van Germania Inferior, aan de Rhenus moest bereiken, mits ik er half juni maar was om de Cheruskische cavalerie-ala die ik onder mijn commando zou krijgen er te treffen. Ik had daarom besloten om met Lucius mee te reizen, omdat onze wegen tot aan Lugudunum dezelfde kant op gingen. Ik wist dat dit waarschijnlijk de laatste kans zou zijn om samen op te trekken voordat onze militaire loopbanen ons van elkaar scheidden; hij vertrok naar de legioenen, ik naar de hulptroepen. En als ik mijn loyaliteit nogmaals had bewezen door de vijanden van Rome te doden met mijn nieuwe Cheruskische cavalerie, was ik van plan hen mee terug te nemen naar Germania en dan... nou ja, dan zou ik niet meer terugkomen en zouden Lucius en ik vijanden worden.

Maar uiteindelijk werd me dat bespaard.

Zodra we in de militaire haven van Massalia van boord gingen, merkte ik dat er iets mis was met Lucius. Hij had weinig energie, en dat was niet te wijten aan de zes dagen varen over zee vanaf Ostia. Ik had al een stuk of zes reizen met hem gemaakt en wist dat hij nooit last had van de ziekte die je op zee kon krijgen. Als we een nieuwe stad binnenvoeren, stelde hij meestal een drinkgelag voor dat een aantal zeer plezierige dagen zou duren en een spoor van vernieling, schulden en dood achterliet. In Massalia hield Lucius zich echter uitsluitend bezig met Augustus' instructies en inspecteerde hij de vier cohorten van legioenrekruten die op hem hadden staan wachten. Hij liet ze een paar dagen lang gevechtsoefeningen doen om zich ervan te vergewissen dat ze goed waren getraind, terwijl de rest van zijn staf de kwartiermeesters terroriseerde en de inhoud van hun voorraadkamers erdoorheen joeg – waar ze, na een aantal standrechtelijke executies, toestemming voor gaven.

'Die klootzakken moet een lesje worden geleerd,' vertelde Lucius zijn staf tijdens de avondbriefing in het weelderige verblijf van de garnizoensprefect op onze derde dag in Massalia. 'Sejanus, organiseer een aantal onaangekondigde inspecties. Als je ontdekt dat nog één kwartiermeester materieel voor zichzelf achterhoudt, moet zijn kop ook rollen. Het feit dat het een gewoonte lijkt te zijn, is wat mij betreft geen excuus. Ik laat mijn mannen geen vijfhonderd mijl marcheren zonder voldoende tenten, extra schoeisel, tunieken en mantels, en zonder genoeg rantsoenen en wapentuig om de vijand te doden als we ter plaatse zijn en, natuurlijk, de ezels en wagens om alles te vervoeren.' Hij keek zijn officieren een voor een aan, zijn ogen vol verontwaardiging. Het zweet op zijn voorhoofd glinsterde in het lamplicht. 'Als we alles hebben wat we nodig hebben, moet je de rest van de kwartiermeesters over de manschappen verdelen. Ze kunnen met ons meekomen en met eigen ogen zien hoe belangrijk extra materieel is.'

'Ook de eerlijke, meneer?' vroeg een jonge krijgstribuun met een smalle band.

'Ik heb nog nooit van een eerlijke kwartiermeester gehoord, dus ja. De volgende keer als ik ergens bevoorraad moet worden, word ik dan misschien met een beetje meer respect behandeld.'

'Of ze verstoppen hun voorraden beter voor je komst,' stelde Oppius, de prefect van het kleine garnizoen in Massalia. 'Ze zijn behoorlijk slinks, en ik kan het weten. Ze zien alles in hun voorraadkamers als hun persoonlijke eigendom en staan niet graag iets af.'

'Je had het om te beginnen al niet zo ver moeten laten komen. Hoeveel betalen ze je om een oogje dicht te knijpen?' Lucius gebaarde met zijn wijnbeker naar de marmeren en bronzen bustes, het dure glaswerk, zilverwerk en meubilair waarmee de ruimte op weelderige wijze was ingericht. Hij nam een slok. 'En je wijn is ook al van de beste kwaliteit. Echte Italiaanse Falernische wijn, niet van die Gallische namaaktroep.' Hij wees naar twee amforen die in de hoek stonden. 'En je hebt er ook meer dan genoeg van.'

'Het bevalt me niet wat je insinueert, Caesar. Ik hou de bevoorrading van hier tot aan de grens bij de Rhenus nauwgezet in de gaten.'

'Waarom waren mijn officieren dan genoodzaakt om twee van de kwartiermeesters standrechtelijk te executeren?'

'Omdat ze té hebberig waren.'

Lucius keek hem aan. Zijn gezicht was bleek, naar wij aannamen door zijn woede over de lauwe houding van de man ten opzichte van de diefstal van de eigendommen van het leger, maar toen begon hij ineens te proesten en naar adem te happen. Ik rende met een aantal anderen op hem af om hem op te vangen toen zijn benen het begaven en zijn ogen uitpuilden. We legden hem op een bank. Zijn borst ging zwoegend op en neer terwijl hij moeizaam ademhaalde. 'Aan de kant, geef hem ruimte,' riep ik, automatisch de leiding nemend omdat het mijn vriend was die in nood verkeerde. Ik trok Lucius' mond open, en toen ik niets zag zitten wat het ademhalen bemoeilijkte, stak ik mijn vinger diep in zijn keel en draaide ik zijn hoofd opzij. Hij kokhalsde en braakte toen met veel moeite over de voeten van de omstanders heen. Hij braakte nog een keer en begon toen te hijgen, met korte, snelle ademhalingen. Hij deed zijn ogen dicht en kreeg na een tijdje zijn ademhaling weer onder controle.

'Ga weg,' mompelde hij. 'Allemaal.'

Na enige aarzeling begonnen we weg te lopen. Lucius greep mijn arm vast. 'Jij niet, Arminius. Ik moet iets te drinken krijgen van iemand die ik kan vertrouwen.'

'Vertrouwen?'

'Vertrouwen, ja. Iemand van wie ik zeker weet dat hij niet voor Livia werkt.'

Ik schonk water uit de kan op Oppius' tafel in een beker.

Lucius schudde zijn hoofd. 'Nee, Arminius, niet daaruit. Gooi dat weg. Geef me wat wijn uit die afgesloten amforen die hier al stonden, niet uit eentje die wij hebben meegebracht.'

Ik goot het water op de vloer, pakte een van de amforen uit de hoek, verbrak het waszegel, trok de kurk eruit en vulde de kan opnieuw. 'Waarom denk je dat Livia je probeert te vergiftigen?' Ik vulde zijn beker en drukte die in zijn trillende hand.

'Als ze mij uit de weg ruimt, blijft alleen Gaius over als Augustus' erfgenaam. Elke verstandige heerser moet ten minste één persoon achter de hand hebben. Maar stel dat Gaius ook jong overlijdt?'

Ik begreep het direct. 'Dan moet hij Tiberius laten terugkomen van Rhodos?'

Lucius nam een slok, maar er droop een heleboel over zijn kin.

'En dan krijgt Livia haar zoon terug en kan ze vrijwel alles eisen wat ze wil. Ik realiseerde me dat dit haar plan was toen ik me onderweg hiernaartoe steeds zwakker begon te voelen. Iemand was me aan het vergiftigen en ik begreep maar niet hoe, want we deelden allemaal hetzelfde eten en drinken. Maar nu weet ik hoe.'

'En weet je zeker dat het Livia is?'

'Wie heeft er anders baat bij mijn dood?'

Ik vulde zijn beker nog eens, en nu dronk hij kalmer en kwam zijn ademhaling tot rust. 'Hoe kunnen we haar tegenhouden?'

Lucius schudde zijn hoofd. 'Ik denk dat het al te laat is. Ze heeft me op de een of andere manier een dodelijke dosis langzaam werkend vergif toegediend voordat we vertrokken. Ik heb niets gegeten of gedronken wat de anderen niet ook hebben gehad en ik ben steeds voorzichtig geweest met de borden en bekers die ik gebruikte. Ik heb ze elke keer met een smoes met iemand anders geruild. En toch ben ik me steeds slechter gaan voelen. Soms heb ik moeite met ademhalen en ik zie steeds wazig. Ik heb Gaius geschreven dat hij de volgende is, maar je weet hoe hij is, hij zal me niet geloven. Livia zal winnen.'

Ik stond op. 'Ik ga een dokter halen.'

Lucius lachte. Het was een ijl, spijtig lachje. 'Doe geen moeite, mijn vriend. Doktoren kunnen me niet meer helpen. Livia is niet zo stom om iets te gebruiken waarvoor mogelijk een remedie bestaat. Daar is ze veel te goed voor.'

'Wat kunnen we dan doen?'

'Doen? Niets. Maar je moet me iets beloven, omwille van onze vriendschap.'

'Als het kan, beloof ik je alles.'

'Waarom zou het niet kunnen?'

'Ik weet het niet, het is gewoon...' Ik bleef hem het antwoord schuldig, omdat ik niet kon zeggen dat de reden was dat ik niet van plan was terug te keren naar Rome. 'Wat wil je dat ik doe?'

'Alleen maar dit: mij wreken.'

We stuurden Lucius' lichaam de volgende ochtend terug naar Rome. Hij was rond middernacht overleden. Mijn verdriet werd overschaduwd door mijn zorgen over hoe ik mijn belofte aan mijn stervende vriend moest nakomen, aangezien ik nooit meer hoopte terug te keren in Rome. Maar het lot dat de Nornen voor ons weven zit altijd vol kronkels en wendingen en we weten nooit wat hun bedoeling is.

Ik was nog geen achttien maanden in Oppidum Ubiorum toen Lucius' voorspelling uitkwam: Gaius was plotseling gestorven in Armenia en Tiberius werd uit Rhodos teruggehaald. De prijs die Livia Augustus liet betalen was dat hij militair bevel kreeg – een enorm hoge prijs: Tiberius werd de hoogste militaire leider in Germania Magna. Het doel van deze functie was om de zuidelijke marken van Germania aan de Danuvius te onderwerpen en in het keizerrijk op te nemen. Hiervoor moesten de Marcomannen worden verslagen in Bojohaemum, waar ze recentelijk hun toevlucht hadden gezocht en waar ze de pro-Romeinse Keltische stam, de Boii, uit hun *haemat* of thuisland – vandaar de naam van de regio – hadden verdrongen. Augustus gaf hiertoe het bevel voor de grootste concentratie van troepen sinds de burgeroorlogen die hem aan de macht hadden geholpen. Tien legioenen en evenveel hulptroepen werden naar de provincie Raetia gestuurd, waaronder mijn ala van Cherusken. Het was een taak waar ik zeer naar uitkeek, omdat het mijn doel dichter binnen handbereik bracht: als Tiberius zou slagen – en er was geen reden om aan te nemen dat hij niet zou slagen, gezien de omvang van zijn leger – hadden wij door onze deelname aan een grote overwinning op een Germaanse stam blijk gegeven van onze loyaliteit aan Rome en werd de kans groter dat we dichter bij ons vaderland zouden mogen dienen.

Met die fijne gedachte in mijn achterhoofd leidde ik mijn ala in het daaropvolgende jaar naar het zuiden, langs de Rhenus en dan oostwaarts Raetia in naar Tiberius' kamp bij Augusta Vindelicorum. Mijn mannen waren allemaal van mijn stam, en veel van hen kende ik van de reputaties die hun vaders genoten in mijn kindertijd. Hoewel ze zich allemaal vrijwillig hadden aangeboden om als hulptroepen in het Romeinse leger te dienen, waren ze allemaal nog echte Cherusken en beschouwden ze mij – ook al hadden ze veel respect voor mijn vader, die nog leefde – meer als een Romein dan een Cherusk, ondanks het feit dat ik al bijna drie jaar hun bevelhebber was en de Cheruskische wolf op mijn borst had laten tatoeeren. Hoe kon ik ze met woorden van dat idee afbrengen? Ik, die al die jaren in Rome was geweest en door de keizer zelf in een ridderlijke rang was benoemd? Ik, die vloeiender Latijn sprak dan mijn eigen moedertaal? Ik, die van Rome het bevel over hen had gekregen? Alleen mijn oom Vulferam en mijn neef Aldhard, die zich uit dankbaarheid hadden aangemeld en nu als mijn belangrijkste decuriones dienden, kenden mijn ware aard. Voor de rest was ik een vreemdeling voor mijn eigen volk.

Maar dat zou kort na onze komst in Augusta Vindelicorum veranderen.

Tiberius leek nog narriger dan ik me hem herinnerde toen ik kort na onze aankomst zijn praetorium binnenkwam.

Hij keek naar me op met een treurige blik, alsof hij zojuist slecht nieuws had ontvangen. 'Dus jij bent de zoon van Siegmarius. Ik herinner me dat ik je in Rome een paar keer heb gezien.'

'Dat klopt, generaal. Maar we hebben nooit officieel kennisgemaakt.'

'Nee, dat geloof ik ook niet.' Hij zuchtte alsof hij het gewicht dat op zijn schouders rustte niet lang meer zou kunnen dragen. 'Misschien leren we elkaar in de ophanden zijnde veldtocht beter kennen.'

'Ik zou niets liever willen.' Ik was een kei in vleierij, iets wat ik onder Lucius uitgebreid had kunnen bestuderen.

Tiberius was echter geen vleier en doorzag me direct. 'Dit is een militaire legerplaats en geen etentje op de Palatijn, Arminius. Ik verwacht dat mannen zich hier als mannen gedragen, en niet als stroopsmeerders. Ik heb soldaten nodig, geen hovelingen.'

Ik moet toegeven dat ik hem direct mocht. 'Mijn excuses, generaal. Ik ben te lang in Rome geweest.'

'En ik ben er te lang weggeweest om er nu door te willen worden achtervolgd. Hebben je mannen hun kwartier toegewezen gekregen?'

'Ja, generaal.'

'Prima. Zorg dat ze zich installeren en meld je dan vanavond voor een werkdiner met mij en de rest van mijn staf. Je zult het hier druk krijgen, prefect, de cavalerie is mijn ogen en oren, en mijn zicht en gehoor moeten allebei zeer scherp zijn.'

'We vertrekken over twee dagen en steken bij Sorviodurum de Danuvius over,' kondigde Tiberius aan in een volgepakt triclinium, terwijl hij een stuk van het harde brood afscheurde en het doorgaf aan zijn buurman. Er was geen luxe te vinden op deze campagnetafel. 'Daarvandaan is het nog ongeveer tweehonderd mijl naar Maroboden, de hoofdstad van de Marcomannen. Mijn inlichtingendienst heeft me laten weten dat Maroboduus, hun koning, daar de komende maand zal verblijven, dus we hebben genoeg tijd om daar te komen en hen te dwingen de strijd met ons aan te gaan. Versla ze en dood, als het even kan, meteen ook de koning en dan hebben we de stam bij de ballen.' Hij keek de kring van legaten en prefecten van de hulptroepen rond. Zij knikten ernstig in het geflakker van de enkele lampen die Tiberius zichzelf toestond. Vergenoegd over het feit dat zijn ondergeschikten achter hem stonden, wendde hij zich tot mij. 'Arminius, jouw Cherusken en de Bataafse alae zullen twee nachten voor de belangrijkste strijdtroepen in delen de rivier worden overgezet, dus jullie vertrekken morgen. Tien mijl voor de rivier komen jullie bij een dertig mijl brede keten van hoge heuvels. Er loopt één pas doorheen, in noordelijke richting. Aan weerskanten van die pas liggen de meest onherbergzame bossen, het soort terrein waar jouw Cherusken wel aan gewend zijn, volgens mij.'

Ik grijnsde en hief mijn beker. 'Ze zullen zich daar prima thuis voelen, generaal.'

De lichtzinnigheid van mijn opmerking ging volledig langs Tiberius heen. 'Dat dacht ik wel. Ik wil verslagen vanuit de gehele pas ontvangen als de rest van het leger twee dagen later de rivier is overgestoken. De Bataven bieden jullie ondersteuning, één ala in de pas en de andere aan het begin, zodat jullie op hen kunnen terugvallen als de vijand zich in groten getale in de buurt blijkt te bevinden.' Hij pakte een handvol knoflooktenen uit een schaal op tafel en stopte er een in zijn mond terwijl hij zich tot zijn buurman wendde. 'Varus, jij voert het bevel over de colonne en neemt de legioenscavalerie van de Negende Hispana mee als escorte en om als boodschappers te fungeren. Ik weet zeker dat legaat Bibaculus ze graag aan je uitleent.'

Een corpulente man aan de andere kant van de tafel hief een kippenpoot op. 'Voor het algemeen belang, generaal, het algemeen belang.'

Publius Quinctilius Varus zette zijn borst op, duidelijk in zijn nopjes met het persoonlijke bevel over de voorhoede. 'Ik zal u goed op de hoogte houden, generaal.'

'Daar hou ik je aan, Varus. En denk aan de belofte van mijn stiefvader.'

'Hoe kan ik die vergeten?'

Ik wendde me met een vragende blik naar de prefect van een van de Bataafse alae die naast me zat.

'Hij heeft hem het gouverneurschap van Germania Magna beloofd als het een officiële provincie wordt, in plaats van een militaire positie,' bracht de prefect me op de hoogte.

'Is dat zo?' Ik keek naar de man die was voorbestemd om voor mijn volk over leven en dood te beslissen en besloot uit te zoeken of hij de juiste Romein was voor wat ik in gedachten had.

En zo maakte ik de volgende dag kennis met Publius Quinctilius Varus terwijl we oostwaarts naar de Danuvius reden.

'Het was natuurlijk een grote eer dat ik samen met Tiberius tot consul werd benoemd,' vertelde Varus met de soort hooghartigheid die je alleen zag bij de zoons van gegoede, aristocratische families. 'Maar geen verrassing, aangezien we op dat moment allebei getrouwd waren met een dochter van Agrippa. Ik kan niet ontkennen dat het erg goed is geweest voor mijn vooruitzichten, en ik heb sindsdien niet meer achterom gekeken. Dat is ook alleen maar goed voor het oudste nog levende lid van de Quinctilii. Ik ben nu Augustus' favoriete gouverneur.' Hij vond deze opmerking om onverklaarbare reden erg amusant en zette zijn aristocratische waardigheid op het spel door, in mijn ogen, als een vrouw te giechelen. Uiteindelijk kreeg hij zichzelf weer in de hand. 'Dit is namelijk mijn derde benoeming tot gouverneur sinds ik geen consul meer ben. Syrië, Afrika en nu Germania Magna; allemaal militaire provincies met legioenen, wat aangeeft hoeveel vertrouwen de keizer in mijn vaardigheden heeft.' Hij gaf zijn paard een bemoedigend klopje, alsof hij het dier gerust wilde stellen dat het toch wel goed genoeg was om zo'n belangrijk persoon te dragen. 'Ik verwacht dat Germania mijn lastigste post zal worden, want ik begrijp dat het een zeer barbaars oord is. Wat jij, Arminius?'

'Dat was het wel toen ik er zestien jaar geleden wegging. Er staan nauwelijks stenen bouwwerken tussen de Rhenus en de Albis.'

'Dat is dan een van de eerste dingen die ik zal aanpakken als ik gouverneur ben. Er moeten openbare gebouwen komen die groot genoeg zijn om de lokale bevolking te overrompelen. Alleen dan kunnen we het Romeinse recht met enige autoriteit uitoefenen.'

'Wat u zegt, Varus,' zei ik. Ik begreep geen woord van wat hij probeerde te zeggen, maar voor alle mannen met een te hoge dunk van zichzelf geldt dat je het alleen maar met ze eens hoeft te zijn om bij hen in de gunst te komen. 'En ik ben er zeker van dat de keizer u in die post zal benoemen.'

'Het gaat er niet om of ik wel of geen gouverneur word; dat staat al vast. Nee, het gaat erom of Germania al een gouverneur nodig heeft. Als het niet wordt uitgeroepen tot een gepacificeerd gebied, zal het een militaire zone blijven en geen provincie. Dat is de vraag: is Germania Magna klaar voor een civiel bestuur?'

'Tja, gouverneur,' zei ik zonder een spoor van ironie, 'laten wij daar dan samen voor gaan zorgen.'

Varus keek me aan, liet een bulderende lach horen en gaf me een klap op mijn rug. 'Ik denk dat wij het fantastisch goed met elkaar zullen kunnen vinden, Arminius.'

En zo was het; daar zorgde ik wel voor.

'Nu komen we te weten hoe ver vooruit mijn vader plande,' onderbrak Thumelicatz het verhaal. 'En het was niet moeilijk voor hem om het volledige vertrouwen te winnen van de man die hij wilde verraden.' Hij knikte naar de slaaf. 'Ga verder bij de oversteek.'

's Nachts een rivier oversteken is altijd riskant, helemaal als de rivier zo breed is als de Danuvius. Maar om een poging te wagen zonder verkenners vooruit te sturen om te controleren of het aan de overkant veilig was, was gekkenwerk. De vaardigheden waar Varus zo over had opgeschept en waaraan de keizer schijnbaar zoveel waarde hechtte waren duidelijk sterk overdreven. Gelukkig werden we niet opgewacht door een grote krijgsmacht, maar we bereikten niet ongezien de overkant, iets wat hij met een paar verkenners mogelijk had kunnen voorkomen. Het was een fout die veel levens zou kosten, en waardoor ik met zekerheid kon zeggen dat Varus de juiste man was voor mijn doel: hij was een Romein die ik precies zo kon laten reageren als ik wilde. Ik jubelde vanbinnen; nu hoefde ik alleen nog maar mijn eigen volk naar mijn hand te zetten. Maar dat, zo wist ik, zou geen gemakkelijke opgave zijn.

Aan de overkant van de Danuvius ligt ontgonnen, vruchtbaar land dat er niet anders uitziet dan de keizerlijke zijde: boerderijen, keurige boomgaarden en vee dat op weelderige weiden staat te grazen. Gemakkelijk terrein om snel doorheen te trekken, zelfs in het donker. Pas als je de heuvels bereikt, krijgt het ruige woud – dat de Romeinen zo vrezen – grip op het landschap. Toen in de dageraad de onherbergzame toppen van de heuvels voor ons zichtbaar werden, begonnen we naar de pas te klimmen die de keten doorsneed.

Hoewel geen van ons had geslapen, verdreef de opwinding van een nieuwe campagne elk spoor van vermoeidheid. Varus was dus helder van geest toen hij me aan het begin van de pas bij zich riep.

'Je kunt beginnen met het schoonvegen van de heuvels, Arminius,' zei hij toen ik mijn paard naast hem liet stilhouden en het masker van mijn helm omhoog schoof. 'De helft van je mannen naar het noorden en de andere helft naar het zuiden. Aan beide kanten een paar mijl moet genoeg zijn om alles wat een hinderlaag kan bedreigen weg te vagen. Ik leid de twee Bataafse alae in een laag tempo naar het oosten, zodat je op hen kunt terugvallen als er problemen zijn.'

Daarmee overdonderde hij me. 'Allebei?'

'Natuurlijk.'

'Maar hoe zit het dan met onze dekking? Een van de alae zal hier bij de ingang van de pas moeten blijven voor het geval de vijand ons probeert in te sluiten.'

Varus lachte weer op zijn vrouwelijke manier. 'Dat zouden ze niet durven als het overgrote deel van het leger zich voorbereidt op de oversteek, zelfs als ze hier waren, wat ik ten zeerste betwijfel omdat we nog geen tekenen van hen hebben gezien.'

'Dat is omdat het nog maar net licht wordt.'

Hij keek me aan met een blik die grensde aan woede omdat ik zijn beslissingen in twijfel durfde te trekken.

'U hebt gelijk,' stelde ik hem snel gerust. 'Tien legioenen moeten meer dan genoeg zijn om ons dekking te bieden.'

Hierdoor fleurde Varus weer op. 'Zeker. Ze zullen tenslotte in de loop van morgen op de westelijke oever aankomen.'

Ik salueerde naar hem en vroeg me af hoe hij Syrië had kunnen overleven met zo'n nonchalante houding ten opzichte van de veiligheid van zijn mannen. Diep vanbinnen dacht ik echter dat hij waarschijnlijk gelijk had: geen enkele vijand zou ons van achteren proberen aan te vallen in de wetenschap dat er tien legioenen achter hen oprukten. En dus verdeelde ik mijn strijdmacht in tweeën en nam ik de zuidelijke groep onder mijn hoede. Ik leidde acht turmae van tweeëndertig man de heuvels in terwijl Vulferam met eenzelfde aantal mannen in noordelijke richting vertrok.

Bij het verkennen van vijandelijk terrein is voorzichtigheid geboden, dus we kamden het gebied methodisch uit. Ik verdeelde mijn turmae zo dat elk een halve mijl had om schoon te vegen. Ik bleef met de vier overgebleven turmae in de achterhoede om in actie te komen als een van de ploegen op problemen stuitte. We bewogen ons langzaam vooruit, steeds in contact met Varus' hoofdmacht in de pas om te voorkomen dat ze te ver vooruitliepen. Ik nam niet de moeite om te controleren of Varus wel verkenners vooruit had gestuurd, want dat was zo vanzelfsprekend dat het niet in me opkwam dat hij deze elementaire voorzorgsmaatregel zou nalaten. We trokken steeds verder op en na tien uur waren we bijna halverwege de dertig mijl lange pas zonder ook maar iets van de vijand te hebben gezien. Mijn boodschappers gingen en kwamen met regelmatige tussenpozen en meldden dat alles in orde was met de hoofdcolonne en dat Vulferams ploeg in het noorden in hetzelfde tempo als wij vooruit bewoog en ook niemand was tegengekomen. Kortom, alles verliep volgens plan en die wetenschap moet de toch al futloze Varus ertoe hebben aangezet nog achtelozer te handelen. We sloegen die avond ons kamp op bij de hoofdmacht in de pas en het was opvallend dat er geen omheining werd gebouwd en er slechts een paar mannen op wacht werden gezet. Varus was ervan overtuigd dat de Marcomannen veel te bang waren voor het leger dat in ons kielzog volgde om een dreiging te vormen. En die nacht kreeg hij gelijk. Toen we wakker werden was er niets anders te melden dan drie deserties en een sterfgeval als gevolg van een valpartij de vorige dag.

We ontbeten dus en keerden terug naar onze post om verder te trekken naar het einde van de pas, dat we 's avonds hoopten te bereiken, als het oversteken van de Danuvius in volle gang zou zijn.

Het begon aanvankelijk met één schreeuw, hoog en doordringend, een schreeuw van helse, aanhoudende pijn en niet die van een man die in een gevecht gewond is geraakt, en hij kwam van achter ons. Eén schreeuw was niet genoeg om mijn mannen bij elkaar te roepen en de bescherming van Varus op te zoeken. Er zouden immers meerdere verklaringen voor de schreeuw kunnen zijn – hoewel die geen van alle plezierig konden zijn voor de man die hem voortbracht. De tweede schreeuw, minstens zo gekweld als de eerste, baarde me meer zorgen, en de derde, die de tweede vergezelde, gaf echt reden tot ongerustheid. Op dat moment kwam de boodschapper terug van Varus' voorhoede. Hij had niets nieuws te melden en zei dat hij voor de eerste schreeuw was vertrokken. Hij vertelde wel dat hij het idee had dat alle drie de schreeuwen uit dezelfde richting waren gekomen. En toen legde ik het verband: drie verschillende schreeuwen, drie deserties in de afgelopen nacht. Stel dat het geen deserties waren geweest, maar ontvoeringen? In dat geval was dit een intentieverklaring: we waren niet alleen en deze drie mannen waren zojuist opgeofferd om een overwinning af te dwingen. Zo zou elke Germaanse stam het hebben aangepakt. Op het moment dat die gedachte vorm kreeg, werd hij bevestigd door het onmiskenbare geluid van een Germaanse aanval: hoorns en strijdkreten echoden door de heuvels, waardoor het onmogelijk was, dat dacht ik tenminste, vast te stellen van welke kant ze kwamen – van voren of van achteren. Wat wel zeker was, was dat Varus' legeronderdeel werd aangevallen. Ik stuurde ruiters op pad om de turmae in het veld terug te halen met het bevel ons in noordelijke richting te volgen, en vertrok zelf met de vier eenheden die ik bij me had naar het noorden, naar de volgens de boodschapper laatst bekende positie van Varus.

We spoedden ons vooruit, zo snel het dichte woud ons toeliet. Het geluid van het gevecht nam in hetzelfde tempo toe als mijn overtuiging dat de omvang van de strijdmacht die nodig was om twee Bataafse hulptroepen aan te vallen en een kans om te winnen te hebben, betekende dat de komst van tweehonderdvijftig man weinig verschil zou maken, tenzij Vulferams mannen op hetzelfde moment vanuit de tegengestelde richting zouden komen.

Na een tijdje werd de pas zichtbaar. De Bataven bevonden zich honderd voet onder ons en werden hevig bestookt vanuit het oosten en het westen. Varus had de klassieke fout gemaakt van een aristocratische Romeinse bevelhebber die denkt dat talent een geboorterecht is: hij had geen verkenners vooruit gestuurd en hij had zijn achterhoede niet beschermd, en zodoende had hij het voor elkaar gekregen dat hij nu was omsingeld. Hij was echt perfect voor mij. Een paar honderd Marcomannen te voet hadden hem van achteren beslopen terwijl eenzelfde aantal krijgers vanuit de pas voor hem de aanval had ingezet. Zijn cavalerie moest in colonne blijven rijden omdat de pas zo smal was, dus er konden niet meer dan tien mannen tegelijk in de voorhoede of achterhoede vechten. De rest probeerde hun paarden rustig te houden in de langzaam volstromende ruimte binnen de colonne terwijl de Marcomannen vanaf de steile flanken toestroomden. Het was een chaos en binnen een uur zouden de meesten van Varus' mannen dood zijn of gevangen zijn genomen.

Ik had geen andere keus dan hem te hulp te schieten en daarmee zijn dankbaarheid en vertrouwen te winnen.

'Afstijgen!' schreeuwde ik. Mijn hart ging tekeer bij de gedachte dat ik mijn mannen voor het eerst zou leiden in de strijd. Nu zouden ze de kans krijgen om mijn moed te zien, hoewel ik niet helemaal zonder angst was. Dit was, afgezien van een paar kleine schermutselingen, mijn eerste echte veldslag.

De decuriones gaven mijn bevel door en binnen een paar tellen was de halve ala infanterie geworden, wat veel beter was om de steile helling af te rennen en de nog nietsvermoedende Marcomannen aan de westkant van Varus te bestormen. Als ik ze uit elkaar kon drijven, zou Varus zijn mannen terug naar de rivier kunnen leiden en zich weer bij het grootste deel van Tiberius' leger voegen.

Er was geen tijd om tactische plannen te maken en ik wist dat Lucius, als hij erbij was geweest, ervoor zou hebben gekozen om snel en hard toe te slaan. En dat is precies wat we deden.

Ik schreeuwde de strijdkreet van mijn volk voor de eerste keer uit woede, schoof mijn gezichtsmasker omlaag, trok mijn *spatha* en zwaaide er boven mijn hoofd mee rond terwijl ik naar voren stapte. We renden met zijn allen de steile helling af, een enkeling buitelend en rollend omdat hij was gestruikeld, in een aanval gericht op de flank van de krijgers tussen Varus en Tiberius in.

De Marcomannen waren zo druk bezig de ingesloten, onbeweeglijke cavaleristen van hun paarden te trekken en af te slachten en het lawaai van de strijd was zo hevig dat onze aanval onopgemerkt bleef tot ik mijn lemmet in het onbedekte hoofd van een jonge krijger stak. Ik sneed de bovenkant van zijn schedel als de top van een macaber hardgekookt ei gevuld met een grijze, in plaats van gele, dooier die over zijn makkers heen spatte en onze aanwezigheid bekendmaakte. Een verrassingsaanval in de flank is echter lastig te weerstaan omdat mannen door de klap zijwaarts worden weggeworpen, waardoor de samenhang snel verdwijnt en de vijand in de formatie kan binnendringen. We vochten ons een weg door de menigte heen en namen ledematen en levens met bloederige zwaaien van onze zwaarden en steken van onze speren, steeds langzamer omdat de Marcomannen voor ons bijeen werden gedreven. De nog op hun paarden zittende Bataven, die zagen dat wij hen te hulp schoten, vonden echter nieuwe energie om te vechten. Gebruikmakend van de verwarring bij de vijand, spoorden ze hun paarden aan achterwaarts te lopen waardoor de voorste hoeven de lucht in schoten en schedels kraakten en sleutelbeenderen braken. Binnen een zeer gering aantal hartslagen werden de Marcomannen van twee kanten teruggedrongen, verminkte lijken en jammerende gewonden achterlatend. Onder het bloed zwaaide ik mijn zwaard met toenemend plezier in het rond, niet zozeer omdat onze aanval succesvol bleek, maar meer omdat de Marcomannen me hadden laten zien hoe een kleine groep krijgers een veel grotere en gedisciplineerde Romeinse strijdmacht kon ontkrachten. Als wij niet van opzij te hulp waren geschoten, zou Varus het niet hebben gered. Terwijl de krijgers zich omdraaiden en wegvluchtten in de richtingen waaruit ze waren gekomen en wij ze met zoveel wreedheid als we nog konden opbrengen achterna zaten, vroeg ik me af wat er zou zijn gebeurd als wij aan de kant van de Marcomannen hadden gestaan. Als je de troepen die de flank van een Romeinse colonne beschermden zover kon krijgen dat ze zich tegen hun last zouden keren, zou die colonne omsingeld zijn, en de laatste woorden van mijn vader drongen weer tot me door: *Rome gaat de troepen opleiden die de ruggengraat zullen vormen van het leger dat ons gaat bevrijden.* Ik zag nu het bewijs van Musa's opvatting van hoe een legioen kon worden verslagen en begreep welke kant mijn vaders gedachten op waren gegaan: als mijn Cheruskische ala en alle andere Germaanse hulptroepen die een marcherende colonne beschermden zich tegen de legionairs die ze moesten beschermen zouden keren en dan hulp kregen van krijgers van de verschillende stammen, zou het, mits het terrein en de omstandigheden gunstig waren, slechts een kwestie van tijd zijn voor de colonne werd weggevaagd.

En toen stak Lucius' invloed de kop op: waarom zouden we het bij een colonne houden? Waarom niet een leger? Een heel leger, het leger van Germania Magna; het leger dat de man die had verzuimd verkenners vooruit te sturen en zijn achterhoede te beschermen, de man wiens leven ik zojuist had gered, binnenkort onder zijn hoede zou hebben. Dat zou het allergrootste gebaar zijn: de vernietiging van elke Romeinse militair in heel Germania Magna.

Terwijl mijn hoofd werd gevuld met deze gedachten, kwam Varus op me af. Hij sprong van zijn paard en omhelsde me. 'Mijn vriend, we staan allemaal bij je in het krijt. Met slechts een paar mannen heb je ons uit een netelige situatie gered. Dat zal ik nooit vergeten.'

Ik boog mijn hoofd. 'Ik deed gewoon mijn plicht, heer.'

'Een plicht die alleen een Romein kan begrijpen: de levens van zijn in gevaar verkerende strijdmakkers redden, in plaats van te vluchten en zichzelf in veiligheid te brengen. Ik zie nu in dat je tijd in Rome jou heeft gevormd, Arminius.'

Ik deed niets om hem van dat idee af te brengen omdat een boodschapper van de hoofdmacht ons eindelijk had weten te bereiken.

'En?' vroeg Varus aan de man. 'Hoe verloopt de oversteek?'

'Niet, heer. Die is afgeblazen.'

'Afgeblazen?'

'Inderdaad, heer. Ik ben gestuurd om u terug te roepen naar de westelijke oever. Vlak nadat jullie waren overgestoken arriveerde er een koerier van de keizer. Er is in Pannonia een grote opstand uit-

> gebroken die zich steeds verder uitbreidt. Augustus heeft Tiberius opgedragen met zijn leger naar het zuiden te trekken en de opstand met al het geweld dat nodig is de kop in te drukken. De voorhoede is al vertrokken.'

'En zo begon de opstand van Pannonia,' zei Thumelicatz, 'maar dat is voor ons weinig interessant, want mijn vader diende op waardige en meedogenloze wijze. Hij leidde strafexpedities, brandde dorpen plat, lokte plunderaars en dergelijke in de val in een smerige uitputtingsslag. Maar ondanks het feit dat de Marcomannen niet echt bedwongen waren, werd Varus tot gouverneur van Germania Magna benoemd en hij nam het daaropvolgende jaar die positie in. Twee jaar daarna, toen het oproer in Pannonia onder controle was, werd de ala van mijn vader in het noorden gestationeerd. Hij ging eindelijk naar huis en had zijn thuiskomst inmiddels helemaal uitgestippeld. Lees verder, Aius.'

HOOFDSTUK VII

We staken de Rhenus over bij Castra Vetera, het winterkwartier van het Achttiende Legioen, en volgden daarna de Weg van de Lange Bruggen in oostelijke richting langs de rivier de Lupia, de grens tussen het land van de Marsi in het zuiden en dat van de Bructeren aan de noordkant. Hoewel de herinneringen aan het land van mijn voorvaderen in de zestien jaar van mijn afwezigheid waren vervaagd, leek er weinig te zijn veranderd: de nederzettingen en boerderijen waren nog altijd rond het centraal gelegen langhuis van de belangrijkste familie gegroepeerd, de velden eromheen waren nog altijd in kleine stukken verdeeld in plaats van in de enorme, door slaven bewerkte velden van Romeinse boerderijen, en de mensen die er aan het werk waren droegen nog altijd Germaanse kleding. Het enige verschil was de Romeinse weg die we volgden, die tot in het hart van Germania liep zodat de Romeinse legioenen er wanneer ze maar wilden ongestraft konden binnendringen.

Als mijn mannen blij waren met het vooruitzicht dat ze na zes jaar in het leger terugkeerden naar huis, kun je je wel voorstellen hoe ik me voelde na mijn lange verbanning. Maar nu keerde ik terug naar huis, als een Romeins burger in de ridderorde met vierhonderd man hulpcavalerie onder zijn hoede, trotse mannen van mijn stam, de Cherusken, door Rome opgeleid om voor haar te vechten. Maar nu ik ze onder mijn bevel had, zouden ze een van de middelen voor de Romeinse ondergang in Germania worden.

Ik moest me melden bij de gouverneur, mijn oude bekende, Publius Quinctilius Varus. Het feit dat hij nog steeds bij me in het krijt stond zou het, zo hoopte ik, makkelijker maken bij hem in de gunst te komen. Als ik deze man ten val wilde brengen, moest ik zijn volledige vertrouwen hebben. De prefect van het kamp bij Castra Vetera had me verteld dat Varus aan het begin van de campagnetijd naar het oosten was getrokken met het idee om met drie legioenen, het Zeventiende, Achttiende en Negentiende, Germania te doorkruisen om het Romeinse gezag in de nieuwe provincie te bevestigen en het volk een voorproefje te geven van haar wetten. Er had geen ongeschiktere politicus, jurist en militair gekozen kunnen worden voor deze gevoelige zaak.

'Hij verwachtte dat we gerechtigheid zouden zien in de Romeinse wetten en eerlijkheid in haar belastingen,' klaagde Mallovendatz, de jonge koning van de Marsi, toen we samen wat dronken in zijn huis. Het was op de vijfde avond van mijn reis naar het oosten. 'Hij houdt geen rekening met onze gewoonten als hij straffen oplegt, en wekt vaak de woede van zowel de aanklager als de beklaagde.' Mallovendatz maakte een afwijzend handgebaar naar mijn uniform. 'Daarbij legt hij ons extreem hoge belastingen op om geld bij elkaar te krijgen voor de Romeinse uitbreiding op de oostelijke oever van de Albis. Maar ik neem aan dat jij zijn acties wel zult goedpraten, aangezien je nu een van hen bent.'

De belediging maakte me boos, maar ik wist mijn gezicht in de plooi te houden door een flinke slok bier te nemen. Het was niet goed voor mijn plan om uit de gratie te raken bij deze jonge, trotse koning; het was niet goed voor mijn plan om uit de gratie te raken bij elke willekeurige leider van de Germaanse stammen aan deze kant van de Albis. 'Hoeveel mannen heb je geleverd voor het leger van Rome?'

Mallovendatz' lichtblauwe ogen keken me over de rand van zijn drinkhoorn lachend, en berekenend, aan. 'Mijn mannen zijn vrij om het zilver van Rome aan te nemen.'

'Zodat jij dat van jou niet aan ze hoeft te geven?'

De Marsi-koning zette zijn hoorn met een klap neer, waardoor het schuimende bier over de tafel stroomde. De gesprekken om ons heen verstomden en twaalf mannen die mij vergezelden keken nerveus om zich heen en telden de Marsi-krijgers die op lange banken in de zaal vol rook zaten. 'Hoe waag je het mijn generositeit naar mijn mannen in mijn eigen huis in twijfel te trekken, Erminatz?

Jij, die het grootste deel van zijn leven van Romeinse kliekjes heeft geleefd? Jij, die enkel wordt gevolgd door de mannen die Rome je heeft gegeven?'

Ik hief mijn handpalmen naar hem op en hield mijn hoofd scheef om aan te geven dat ik mijn ongelijk bekende en me gewonnen gaf. 'Mijn excuses.'

Hij gromde en hield zijn hoorn op zodat een slaaf hem weer kon vullen. De krijgers om ons heen hervatten hun gesprekken nu ze wisten dat hun heer niet in een ruzie verwikkeld was die tot geweld zou kunnen leiden.

Ik leunde dichter naar hem toe. 'Maar serieus, Mallovendatz, hoeveel mannen van jouw stam dienen in het Romeinse leger?'

Hij bekeek me achterdochtig, maar zag geen valsheid op mijn gezicht, want het was een oprechte vraag en niet bedoeld om hem in de val te lokken. 'Er zijn, pak hem beet, achthonderd man infanterie in het Eerste Marsi-cohort onder hun eigen officieren en geen Romeinse import.'

'Zelfs de prefect niet?'

'Nee, dat is mijn neef, Egino.'

Ik grijnsde, om de arrogantie en dwaasheid van Rome. 'Nou, dat is dan helemaal perfect.'

De Marsi-koning keek me vragend aan. 'Is dat zo? Hoezo dan?'

'Je kunt ze nog aansturen. Hoeveel van je andere mannen nemen Romeins zilver aan?'

'Nog eens vierhonderd die dienen in het Vierde Germaanse cohort; de andere helft bestaat uit Bructeren.'

'Ik neem aan dat de spanningen hoog oplopen in dat cohort.'

Mallovendatz schudde treurig zijn hoofd. 'Dat is wat ik bedoel: ze houden geen rekening met onze gewoontes en dwingen mijn mannen om naast onze buren te dienen met wie we, als Rome ons niet bezighoudt, meestal in een oorlog verwikkeld zijn.'

Ik was, net als iedereen in Germania Magna en de twee Germaanse Romeinse provincies ten westen van de Rhenus, goed bekend met de antipathie tussen de Marsi en hun buren ten noorden van de Lupia. Ik ging zachter praten. 'Maar we worden beziggehouden door Rome en je bent zodoende niet in een oorlog verwikkeld met de Bructeren, wat inhoudt dat je ze kunt zien als...?'

Hij veegde het schuim van zijn lange, blonde baard en trok vragend een wenkbrauw op. 'Als niet echt onze vijanden, op dit moment?' Hij grinnikte om zijn flauwe grapje.

'Als je ze zo wilt noemen, inderdaad. Het punt is dat je meer dan duizend goed opgeleide en bewapende mannen in de Romeinse bezettingsmacht hebt...'

'En een hulpcavalerie.'

'Twaalfhonderd man infanterie en bijna vijfhonderd cavaleristen; en wat hebben de Bructeren?'

Hij dacht even na. 'Ongeveer evenveel infanteristen en twee keer zoveel cavaleristen.'

Ik wist dat ik nu zijn aandacht had, want het moest lastig voor hem zijn geweest om zijn trots opzij te zetten en toe te geven dat de Bructeren de Marsi ergens in overtroffen, al was het in het dienen van Rome. 'En hoeveel krijgers kunnen jullie samen te wapen roepen?'

Hij nam een flinke slok van zijn bier terwijl hij het in zijn hoofd uitrekende. 'Samen kunnen we achtduizend goed bewapende mannen bijeen krijgen, en elk nog vijfduizend stuks uitschot plus een stuk of vijfhonderd man cavalerie.'

'Voeg die krijgers toe aan de hulptroepen en wat heb je dan?'

Hij grijnsde bij de gedachte. 'Ik begrijp waar je op doelt, mijn vriend. Maar die strijdmacht zou niet genoeg zijn om drie legioenen tegen te houden.'

'Dat klopt,' gaf ik toe. 'Het zou niet genoeg zijn om drie legioenen in formatie tegen te houden. Maar als wij de handen ineenslaan met vier andere stammen, in een alliantie waarin geen enkele stam boven de andere verheven is, een bondgenootschap van Alle Mannen, en dat dan tegenover drie legioenen die uit elkaar getrokken zijn tijdens hun mars?'

Hij keek me geschokt aan. 'Hoe wil je drie legioenen in een positie krijgen dat je ze zo in een hinderlaag kunt laten lopen?'

'Laat dat maar aan mij over, Mallovendatz. De vraag is of jij, als ik dat voor elkaar krijg, samen met je oude vijanden wilt vechten tegen de gezamenlijke vijand?' Ik keek hem indringend aan, pakte zijn linkerpols vast en fluisterde: 'Als je de vrijheid wilt hebben om weer tegen je vijanden te strijden, wanneer je maar wilt, moet je je eerst samen met hen sterk maken en achter mij staan. Ik ben van plan dit land te bevrijden op een manier dat het vrij blijft, en daarvoor moeten we elke Romeinse soldaat hier doden zodat ze te bang zullen zijn om terug te komen.'

Hij kneep zijn ogen tot spleetjes. 'Waarom zou jij de leider moeten zijn? Je bent niet eens koning.'

'Dat is nou net de reden, Mallovendatz: ik ben geen koning en ik heb het grootste deel van mijn leven van Romeinse kliekjes geleefd, zoals je zelf zo accuraat en fijntjes opmerkte. Bovendien heb ik geen andere mannen dan degenen die Rome aan me heeft toevertrouwd. Mijn vader, Siegimeri, leeft nog en is nog altijd de koning van de Cherusken, dus ik heb in Germania geen andere positie dan die die Rome me heeft gegeven: prefect van de Cheruskische ala. Ik kan ervan uitgaan dat Varus me vertrouwt, want hij ziet me eerder als Romeins dan als Germaans. Dat vertrouwen is enkel op mij gericht en datzelfde vertrouwen zal zijn ondergang betekenen. Sluit je bij mij aan en ik zal een verbond van de stammen smeden. Elke stam zal gelijk zijn in het bondgenootschap van Alle Mannen.'

Mallovendatz overdacht dit met een paar slokken bier. Intussen zetten zijn en mijn mannen een rauw dranklied in waarbij ze in de maat met hun hoorns op tafel bonkten en zich op de dijen sloegen. 'Ik kan je nog niet mijn woord geven dat ik me bij je zal aansluiten. Maar wat ik wel kan zeggen, is dat ik je niet zal tegenwerken. Ik zal niets van wat je vanavond hebt verteld herhalen en ik zal klaarstaan om je te helpen als je plan lijkt te gaan slagen.'

'Met andere woorden: je wilt het risico niet nemen om aan de kant van de verliezer te staan?'

Hij haalde zijn schouders op. 'Ik sta al aan de kant van de verliezer. Waarom zou ik het nog erger maken voor mezelf?'

Ik wist dat er niet meer in zou zitten, en het was eigenlijk een redelijk uitgangspunt. Wie zou er immers zo gek zijn om een aanval op drie Romeinse legioenen op zich te nemen?

Mijn voorstel werd op dezelfde manier begroet door Engilram, de oude koning van de Bructeren, toen ik hem twee avonden later sprak in zijn huis net ten noorden van Aliso, het grootste Romeinse fort langs onze route. Ik had het grootste deel van mijn manschappen achtergelaten in ons kamp buiten de muren van Aliso, was de Lupia overgestoken en had met twaalf metgezellen de twintig mijlen naar de belangrijkste stad van de Bructeren, aan de rand van het Teutoburgerwoud, het grote bos van het noorden, te paard afgelegd. Ik werd op hoffelijke wijze ontvangen, werd meegenomen op een zwijnenjacht in de bossen en kreeg het beste vlees en bier voorgeschoteld terwijl er beleefd naar me werd geluisterd. Daarna werd ik vaarwel gezegd met een vage toezegging voor steun mochten de omstandigheden gunstig lijken en het moment juist zijn en meer van dat soort gemeenplaatsen. Ik kon ook Engilram zijn aarzeling niet kwalijk nemen. Hij liep tenslotte al heel wat jaren mee en was niet zo oud geworden door onbesuisde beslissingen te nemen. Noch kon ik iets aanmerken op Adgandestrius, de jonge koning van de Chatten die Engilrams hoge leeftijd leek te willen evenaren door mij geen onvoorwaardelijke steun te willen toezeggen, ondanks het feit dat ik bijna zestig mijl van mijn route was afgeweken om hem een bezoek te brengen in Mattium, het belangrijkste bolwerk van de Chatten.

'Mijn volk zal me alleen in de strijd tegen Rome volgen als ze zeker zijn van een overwinning,' vertelde Adgandestrius me tijdens ons gesprek onder vier ogen in een hoek van de grote ruimte in zijn huis. 'In mijn vaders tijd hebben we te veel levens verloren in vergeldingsaanvallen voor mislukte aanslagen op Rome. Nu hij feestviert in het Walhalla wil ik hem niet onnodig veel van mijn krijgers als gezelschap sturen. Het zal lastig zijn om drie legioenen te verslaan, zelfs als je erin slaagt ze ergens naartoe te lokken waar ze geen kant op kunnen. Waarom heb je voor het Teutoburgerwoud gekozen?'

'Daar heb ik een paar dagen geleden gesproken met Engilram...'

Adgandestrius spuugde vol walging op de grond toen hij die naam hoorde. 'Je verwacht toch niet dat die rat je zal steunen?'

'Op dit moment verwacht ik van niemand steun, want iedereen lijkt zijn leven belangrijker te vinden dan zijn eer.'

Adgandestrius' ogen schoten vuur, maar aan de buitenkant bleef hij rustig. 'Het is niet netjes om je gastheer te beledigen.'

'Ik bedoelde het niet als belediging, het was gewoon een vaststelling van de feiten.' Ik stak mijn hand op om hem de mond te snoeren. 'Iedereen die ik tot dusverre heb gesproken vindt het idee om Germania Magna van Rome te bevrijden fantastisch, maar niemand is bereid de eerste klap uit te delen voor het geval die helemaal misgaat. Ik kan dit alleen doen als ik weet dat de stammen me zullen volgen. Wat hebben we eraan als Varus zijn leger het Teutoburgerwoud in leidt en ik maar drie of vier cohorten heb om een aanval uit te voeren? Er moeten duizenden krijgers klaarstaan om zijn colonne van beide kanten aan te vallen zodra hij in de gaten krijgt dat zijn eigen hulptroepen hem in de val hebben gelokt. We moeten hem hard treffen, met zo veel mogelijk krijgers, als de verrassing nog het grootst is – alleen zo kunnen we hem wegvagen. Als we hem laten ontkomen, wordt het een dagenlange veldslag en zal het ons waarschijnlijk niet lukken om hem volledig te vernietigen.' Ik sloeg met mijn vuist in mijn handpalm en keek de jonge koning van de Chatten met een koele blik aan. 'We kunnen in het Teutoburgerwoud genoeg mannen verbergen om Rome voor eens en voor altijd tot stilstand te brengen, maar al die mannen zullen er niet zijn als hun koningen hen er niet naartoe leiden.'

Hoewel hij ongeveer even oud was als ik, lachte Adgandestrius naar me alsof ik een klein kind was dat een of ander groots en onbereikbaar plan had. 'Denk je echt dat je dit voor elkaar kunt krijgen? Jij? Genoeg stammen bij elkaar krijgen om drie legioenen te verslaan? Iedereen ziet jou als een marionet van Rome die rondloopt in een uniform dat ze je hebben gegeven toen je je eigen soort verloochende en het Romeinse burgerschap aannam.'

Nu was het mijn beurt om boos te worden, maar ik wist dat ruziemaken met deze hooghartige jonge koning de ondergang van Rome op geen enkele manier zou versnellen, dus ik beet op mijn tong en probeerde mijn ademhaling onder controle te krijgen. 'Dat is nou juist het punt. Ben je zo stom dat je niet kunt begrijpen dat dit uniform het geheim van onze overwinning is? Als elke Germaanse krijger in het Romeinse uniform zich op hetzelfde, onverwachte moment tegen Rome zou keren, zijn ze door het verrassingselement dubbel zo sterk. Maar we moeten versterking hebben. Jij, Engilram, Mallovendatz, de koningen van de Chauken, de Sugambren en mijn eigen stam, de Cherusken, moeten jullie mannen op een door mij gekozen moment naar het Teutoburgerwoud brengen. Denk eens aan het leger dat we kunnen hebben, Adgandestrius. Denk je eens in wat dat leger voor elkaar kan krijgen met een verrassingsaanval op drie legioenen in colonne.'

Adgandestrius draaide zijn baard om zijn vinger en zag het in gedachten voor zich. 'Wanneer zal dat plaatsvinden?'

Een golf van opluchting stroomde door me heen. 'Niet dit jaar. Dit jaar moet ik Varus' vertrouwen winnen. Het moet volgend jaar gebeuren, als hij aan het einde van de campagnetijd over de Weg van de Lange Bruggen naar het westen marcheert. Als ik in het noorden een opstand in scène zet, zal hij van de route afwijken om die neer te slaan. Het draait allemaal om timing. Ik moet ervoor zorgen dat hij naar het noorden gaat, zodat hij door het Teutoburgerwoud heen trekt. Als onze hulptroepen als gidsen optreden, kunnen we hem in een hinderlaag lokken en het daar afmaken.'

De Chatten-koning glimlachte vergenoegd. 'Goed, Erminatz. Ik zal je teken afwachten, maar mijn krijgers zullen bij je hinderlaag zijn. Er is echter één voorwaarde.'

'Zeg het maar.'

'Als de eerste actie niet goed gaat, zullen wij niet meedoen.'

'Dus als de eerste aanval mislukt, wil je weglopen en ons laten creperen?'

Adgandestrius haalde zijn schouders op. 'Mijn vader heeft me geleerd dat je in een oorlog een mislukking nooit moet aanmoedigen.'

Ik verliet hem in de wetenschap dat ik geen betere toezegging van hem zou krijgen. Zijn mannen zouden er echter zijn en hij had groot gelijk dat hij zijn vaders advies opvolgde. Ik zou er gewoon voor moeten zorgen dat de eerste aanval niet op een mislukking uitliep.

Dat probleem hield me bezig tijdens onze reis door het donkere Becaniswoud en de oversteek van de Visurgis, waarna we eindelijk weer in het land van de Cherusken waren. Het plan was in me opgekomen na het zien van de ondoordringbare omvang van het Teutoburgerwoud tijdens mijn jachtpartij met Engilram: het bos was heuvelachtig, de bomen stonden dicht op elkaar en er waren veel ravijnen. Als een leger lichtvaardig genoeg was om het bos in te gaan, zou het gevaarlijk langzaam vooruitkomen.

Dat was echter niet het belangrijkste voordeel van het bos. Wat me pas echt aan het denken zette, was de ligging net ten noorden van de Weg van de Lange Bruggen. De weg liep ruim honderd mijl langs de zuidkant van het bos en werd elke herfst gebruikt door Romeinse legioenen die terugkeerden naar hun winterkampen aan de Rhenus. Als ik Varus op het moment dat hij een kwart van de route had afgelegd op de hoogte bracht van een fictieve opstand in het noorden, had hij drie opties: teruggaan en om het bos heen marcheren, verdergaan en om het bos heen marcheren, of direct naar het noorden afbuigen en dwars door het bos heen marcheren. Die derde optie zou in zijn ogen de snelste zijn, omdat hij een rechte lijn zou afleggen. Met zijn Germaanse hulptroepen als gidsen zou hij zich veilig wanen – tot ze zich tegen hem keerden, natuurlijk, en dat zou eenvoudig te regelen zijn als ze onder het bevel van hun eigen officieren stonden.

Maar om dit te laten slagen, moest ik al zeker twintigduizend man in het bos hebben. En dat zou een uitdaging zijn: hoe kon ik twintigduizend bewapende krijgers vanuit de hele regio op één plek krijgen zonder dat de Romeinen iets in de gaten hadden? En als dat was gelukt, hoe zou ik ze dan kunnen bevoorraden in de tijd die het kostte om Varus en zijn legioenen naar hen toe te leiden?

Ik overpeinsde dat logistieke probleem terwijl we het weelderige boerenland van de Cherusken doorkruisten en het massief van het Harzland, bekroond door de hoogste berg, de Brocken, voor ons steeds groter opdoemde. Tegen de tijd dat we het kronkelende pad naar mijn vaders huis op reden, was ik al een stuk dichter bij de oplossing. Het antwoord leek voor de hand te liggen. Maar toen verdreef de aanblik van het huis dat ik al zestien jaar niet meer had gezien het uit mijn gedachten. Ik werd overspoeld door vreugde om het weerzien met mijn familie en ik spoorde mijn paard aan om de laatste kwartmijl in galop af te leggen.

Het weerzien met mijn vader en moeder was even bitter als fijn. Mijn zuster was in de tijd van de IJsgoden in mei van dat jaar overleden, exact zestien jaar nadat mijn broer en ik naar Rome waren vertrokken. Tranen dropen in mijn vaders baard toen hij vertelde hoe ze haar leven had geleid zonder haar twee broers; door haar verdriet had ze niet zwanger kunnen raken en zodoende waren er geen kleinkinderen.

'En hoe is het met Chlodochar?' vroeg mijn vader toen we naast het open vuur in zijn huis zaten en iets dronken ter nagedachtenis aan de vrouw die, als jong meisje, slechts een vage herinnering voor me was.

Ik veegde met de rug van mijn hand het bier van mijn lippen en zette mijn drinkhoorn neer. 'We zijn hem kwijt, vader. Hij houdt van alles wat Romeins is en herinnert zich niets meer van zijn leven hier.'

Mijn vaders gezicht betrok. 'Hoe kon je dat laten gebeuren? Jij moest hem beschermen.'

'Er was niets wat ik kon doen, vader. Hij raakte bevriend met Germanicus, een van de prinsen van Rome, en weigerde met mij in onze eigen taal te praten. Ik betwijfel of hij nog meer dan tien woorden kent; hij zei dat het een taal voor wilden was. Hij weigerde met mij te dienen in de Cheruskische ala en wilde bij Germanicus blijven. Ik heb hem voor het laatst gezien toen we samen in Pannonia dienden, twee jaar geleden. Hij weigerde met me te praten, zelfs in het Latijn.'

Mijn vader dacht even over mijn woorden na. 'Die Germanicus, is dat de zoon van Drusus?'

'Inderdaad, vader.'

'Dan zal hij waarschijnlijk een even groot generaal worden als Drusus was en zal Chlodochar onder hem dienen.'

'Inderdaad, hij is zelfs al hard op weg. En dat betekent dat Chlodochar en ik op een dag tegenover elkaar op het slagveld zullen staan, als Germanicus mij betaald komt zetten wat ik heb gedaan.'

'Wat heb je dan gedaan, mijn zoon?'

'Ik heb het lef gehad om te dromen. Herinner je je het laatste wat je tegen me zei?'

'Dat is al lang geleden.'

'Maar ik ben het nooit vergeten. Je zei: "Rome gaat de troepen opleiden die de ruggengraat zullen vormen van het leger dat ons gaat bevrijden." Dat idee is me altijd bijgebleven en ik heb nu bedacht hoe we de troepen die Rome ons heeft geschonken kunnen gebruiken.' Ik legde mijn plan voor de ondergang van Varus uit en vertelde welke problemen ik voorzag terwijl mijn vader me verbluft zat aan te staren.

'Je wilt in één klap elk legioen in Germania Magna wegvagen?'

'Dat klopt, vader. Een groots gebaar.'

'Dat kun je wel zeggen.'

'En ik heb het van een Romein geleerd.' Ik glimlachte bij de herinnering aan Lucius en vroeg me af wat hij van mijn plan zou hebben gevonden. Hij zou ongetwijfeld waardering hebben gehad voor het concept, maar niet voor het doel. 'Ik wil het zo plannen dat de achtergebleven garnizoenen zullen worden afgeslacht op het moment dat wij de strijd aanbinden met Varus' leger. Dan belegeren we de Weg van de Lange Bruggen, voor het geval er contingenten proberen te ontsnappen, en speuren we het platteland af naar achterblijvers; we schenken geen genade. Een enkeling zal de Rhenus weten over te steken, maar dat is in ons voordeel: ze zullen vertellen over de gramschap van Germania Magna en hun kameraden zullen niet hierheen durven komen om de doden te wreken. Maar uiteindelijk zullen ze toch terugkomen om wraak te nemen en dan moeten we ze naar het hart van ons land lokken. We zullen ze niet treffen bij de Rhenus, laat ze maar verder komen. We zullen ze treffen aan de Albis, ver van hun bases. We zullen hun toevoerlijn plunderen en ze laten vrezen zo ver van huis, in onze oneindige bossen, van alles te worden afgesneden. Kortom, vader, we zullen ze laten inzien dat er hier geen toekomst is voor Rome en dat ze er beter aan doen ons onze eigen boontjes te laten doppen. Onze mannen zullen in de hulpcohorten blijven dienen, onze koopmannen zullen handel blijven drijven met het keizerrijk, maar hun belastinginners, hun wetten en hun taal moeten aan de andere kant van de Rhenus blijven. De Germaanse cultuur zal niet worden aangetast door Latijnse invloeden, maar onze mensen zullen blijven profiteren van het Romeinse zilver.'

Mijn vader schudde zijn hoofd, meer van verwondering dan van ongeloof. 'Het was ook mijn droom om de troepen die Rome had opgeleid tegen haar te gebruiken. In de jaren dat je bent weggeweest, heb ik gezocht naar en gewacht op een kans om exact dat te doen wat jij nu beschrijft, mijn zoon, maar dan alleen met de Cherusken tegen slechts één legioen. Ik hoopte dat onze overwinning andere stammen zou aanmoedigen om de rest aan te pakken als die zich op ons kwamen wreken.'

'Maar je weet toch, diep vanbinnen, dat de andere stammen niets zouden doen, vader. Ze zouden toekijken hoe je door Rome wordt verscheurd en het van harte toejuichen. Dat is de realiteit van de Germaanse eenheid.'

'Ik ben bang dat je gelijk hebt, Erminatz. Ik heb niet één koning bereid gevonden een gezamenlijke aanval te steunen.'

'Omdat jij zelf een koning bent. Welke koning wil zich nu ondergeschikt maken aan een andere?'

'Precies.' Toen was hij stil en keek hij me aan terwijl het idee langzaam tot hem doordrong. 'Maar jij bent geen koning. Jij bent een man met een droom, een Germaanse droom waaraan koningen zich kunnen vastklampen zonder hun waardigheid ten opzichte van de anderen te verliezen. Hoe wil je ze achter je krijgen?'

'Ik heb al met Adgandestrius, Engilram en Mallovendatz gesproken, en nu met jou.'

'Wie ga je verder nog benaderen?'

'Alleen de Chauken en de Sugambren.'

'Alle stammen rond het Teutoburgerwoud. En Maroboduus van de Marcomannen in het zuiden? Als zij meedoen, zou dat veel schelen. Ze zijn met heel veel.'

'Nee, vader, we moeten het bij deze zes houden. Als grote groepen krijgers te ver op pad gaan, trekt dat de aandacht van Romeinse spionnen en wordt Varus achterdochtig. Om dit te laten slagen, moet ik minstens een maand voor de aanval beginnen om de mannen in het bos te verzamelen. Een paar honderd man per dag van verschillende stammen.'

'Die moeten allemaal te eten krijgen.'

'Ik weet het. Met het wild, de bessen en paddenstoelen in het bos kunnen ze even vooruit, maar het zal niet genoeg zijn. Daarom moet ik dit jaar graanbergen en voorraden gezouten vlees gaan aanleggen.'

'Dat is een enorme onderneming.'

'Dit is niet iets wat we zonder uitgebreide planning kunnen doen, alles moet goed geregeld zijn.'

'Waar wil je het voedsel vandaan halen?'

'De drie koningen die ik tot nu toe heb gesproken, hebben toegezegd dat ze me willen steunen als de eerste aanval succesvol is. Ze leiden hun mannen het bos in, maar laten ze pas tegen Rome strijden als ons volk en de hulptroepen de colonne een beslissende slag toebrengen.' Ik hief mijn hand op om mijn vaders woede-uitbarsting te stoppen. 'Ik weet wat je denkt, vader. Ik denk hetzelfde. Maar je kunt het ze niet kwalijk nemen. Als dit misgaat, zal er een uitvoerige, bloederige straf volgen. Toch zijn ze bereid hun mannen paraat te houden. Ik laat hen betalen voor dit privilege: zij doneren de granen en het vee. Als ze de kans willen hebben om te zegevieren, moet dat wel op mijn voorwaarden gebeuren.'

'En hoe zit het met ons volk?'

'Ons volk neemt het grootste risico. Wij doneren niets, maar wij gaan de opslagruimtes in het bos aanleggen. We moeten onze mannen een paar roden laten ontginnen, zodat we gras kunnen inzaaien voor het vee.'

Mijn vader grijnsde. Hij begreep precies wat ik van plan was. 'Dus alleen wij weten waar de depots liggen.'

'En we onthullen de locaties alleen als wij dat nodig achten.'

'Zodat wij de overschotten kunnen houden en ons volk van een goede wintervoorraad kunnen verzekeren als het misgaat en het Harzland wordt belegerd.'

'Exact. Maar het zal niet misgaan, vader. Ik zal ervoor zorgen dat aan alles is gedacht. Maar eerst moet ik Varus vinden en me bij hem melden.'

'Ik zal je morgen naar hem toe brengen. Hij bevindt zich op de oever van de Albis, waar hij zitting houdt en het Romeinse recht toepast.'

En daar vonden we hem, na een dag rijden, zittend op een curulische zetel in een paviljoen op de westelijke oever van de Albis, op het grondgebied van de Sueben.

'Zo te zien verkeren ze in prima conditie,' zei Varus met een klap op mijn rug terwijl hij na het afsluiten van zijn zittingsdag mijn ala inspecteerde. 'Hebben ze veel gevechten meegemaakt sinds de laatste keer dat ik ze heb gezien?'

'Strafexpedities in Pannonia, rebellen aanpakken, maar niets zoals tegen de Marcomannen in Bojohaemum,' antwoordde ik. Ik dikte de gebeurtenis bewust aan om Varus eraan te herinneren dat hij zijn leven aan mij en mijn mannen te danken had. Ik voelde dat mijn vader me kritisch bekeek.

Varus gaf me weer een klap op mijn rug. 'Dat was een bloederige dag. Ik zal nooit begrijpen hoe ze ons zo snel konden insluiten.'

Dat kwam door uw onprofessionele kijk op verkenners, was mijn gedachte die ik niet met hem deelde.

'Maar goed, jouw mannen hebben ze verjaagd. Het is goed om ze weer te zien, en jou ook, Arminius. Ik heb graag getalenteerde jonge officieren in mijn staf.'

Zijn toon was neerbuigend en afstandelijk, maar ik glimlachte dankbaar en nam zijn uitnodiging aan om met hem te eten; een uitnodiging die niet gold voor mijn vader.

Toen hij van ons wegliep, spuugde mijn vader op de grond. 'Waarom heb je zijn leven gered?'

'Zoals de situatie er nu voor staat, denk ik dat het juist goed is dat ik dat heb gedaan.'

'Dit jaar wil ik een paar keer op onderzoek uitgaan aan de andere kant van de Albis en de moed van de Semnonen testen,' kondigde Varus aan toen zijn gasten hun plaatsen rond de tafel hadden ingenomen. 'Ik denk dat we ze eens duidelijk moeten maken dat Rome aan deze kant van de rivier een blijvertje is en we geen plunderingen tolereren van die ongewassen barbaren van de andere kant.'

Deze opmerking leidde tot gegrinnik onder zijn officieren.

'Is het de bedoeling dat we hier permanent aanwezig blijven?' vroeg Vala Numonius, prefect van een van de Gallische alae van de hulpcavalerie.

'Nee, Vala. Ik heb van de keizer de opdracht gekregen om enkel de oostelijke grens langs de Albis te versterken, maar ik moet ook belastinggelden innen en rekruten voor de hulptroepen werven onder de stammen tussen die grens en de volgende grote rivier, de Viadua. Volgens mij is het zijn bedoeling om ze op de lange termijn te civiliseren door middel van contacten en de handel en hun jonge krijgers die in ons leger dienen, onze taal leren en een voorkeur ontwikkelen voor ons zilver. Als dat is bereikt, zal hij die gebieden in het keizerrijk opnemen als de nieuwe provincie Germania Ultima, met de Viadua als grens.'

Vala leek onder de indruk. 'En dan?'

'Dat weet ik niet. Handelaren spreken over een andere rivier met de naam Vistula, een paar honderd mijl ten oosten van de Viadua, maar het is de vraag of Augustus zijn rijk zo ver wil uitbreiden. De stammen daar, de Goten, de Vandalen en de Bourgondiërs, schijnen nog wilder te zijn dan de Semnonen en een werkelijk vreselijke persoonlijke hygiëne te hebben, in plaats van alleen maar vreselijk te zijn.'

Er werd vleierig gelachen en er klonken enkele sarcastische opmerkingen over de Germaanse reinheid zonder dat iemand beschaamd naar mij keek, en ik besefte dat ik een van hen was: door mijn korte haar en mijn kleding, tuniek en slippers zag ik eruit als een Romein en door mijn foutloze Latijn klonk ik ook zo. Het was net als in de nacht van de brand om Vulferam te bevrijden: omdat alles aan me leek te kloppen, verwachtte niemand dat ik kwaad in de zin had. Het kwam niet in hen op dat ik diep vanbinnen Germaans was, dus ik lachte en grapte met hen mee zodat verborgen zou blijven waar mijn loyaliteit werkelijk lag.

'Maar serieus, heren,' ging Varus verder toen de grapjes opraakten, 'ons doel voor dit jaar is om vrede te brengen op de oostelijke oever van de Albis, maar nog niet om hem te bezetten. Augustus zei dat ik ze eerst moet leren dat ze zich moeten wassen!'

Dat leidde tot een nieuwe golf van gelach en grappen, en ik deed even luidkeels mee als de anderen terwijl de eerste gang, de *gustatio*, werd binnengebracht. Met vochtige ogen van het lachen bekeek ik de verschillende schalen die op tafel waren uitgestald. Hoewel het eten fraai werd gepresenteerd en uit een verfijnde combinatie van ingrediënten bestond, verachtte ik de pietluttigheid en hunkerde ik naar een hertenbout boven een open vuur ergens diep in het bos, in plaats van hier te delen in het eten van mijn vijand en onderwijl te lachen om grappen die ten koste gingen van mijn eigen volk.

'En daar zat hij dus,' zei Thumelicatz, die het verhaal met een handbeweging tot een einde bracht. 'Een officier in de staf van Varus. Door zijn gelijken geaccepteerd als een van hen; niet anders dan degenen met

Latijns bloed of Gallisch bloed of Spaans bloed omdat hij een Romeinse naam, een Romeins uniform en een Romeins accent had. Hoe kon hij iets anders zijn dan een Romein? Waarom zou hij iets anders willen zijn dan een Romein? Jullie kunnen je niet voorstellen dat iemand die jullie *kostbare* geschenk van burgerschap heeft gekregen daar weer vanaf zou willen, hè?'

Hij pauzeerde en glimlachte toen zijn Romeinse gasten ongemakkelijk in hun stoelen schoven, wetend dat hij de waarheid sprak. 'O Rome, je bent zelf je ergste vijand: omdat je denkt dat je zo perfect bent, kun je niet begrijpen dat iemand daar anders over denkt. En door die arrogantie, die blindheid, die bekrompen eigendunk liet Varus de man die zijn leven had gered toe tot het kringetje om zich heen, onwetend van het feit dat hij Rome zijn hele leven in het geheim had verafschuwd, onwetend van het feit dat deze man, Erminatz, van plan was elke Romeinse soldaat in Germania Magna te doden.'

HOOFDSTUK VIII

'Dat voelt een stuk beter,' zei de straatvechter toen hij de tent weer binnenkwam en zijn kleding goed deed met een tevreden blik op zijn gezicht. 'Dat bier waar jullie hier zo gek op zijn, loopt dwars door me heen.' Hij keek naar Aius en Tiburtius en grijnsde. 'Ik snap niet hoe jullie dit aankunnen; je moet drie of vier keer pissen voordat je voelt dat je iets kwijt bent.'

De oude slaven keken naar Thumelicatz, die knikte dat ze mochten spreken.

Het was Aius die antwoord gaf. 'De meester staat soms toe dat we wijn drinken. Nu de wijngaarden die jullie Romeinen hebben geplant...'

'*Wij* Romeinen,' corrigeerde de straatvechter hem terwijl hij weer ging zitten.

Aius schudde langzaam en droevig zijn hoofd. 'Nee, *jullie* Romeinen. Wij hebben het recht om onszelf zo te noemen verspeeld toen we onze Adelaars verloren.'

'Wat jij wilt, vriend.'

'Nu de wijngaarden die jullie Romeinen hebben geplant in Gallië en de twee Germaanse provincies volgroeid zijn, is de wijn uit die gebieden overvloedig en goedkoop.'

De straatvechter schonk zichzelf meer bier in. 'Maar is het goede wijn?'

'Goed genoeg voor slaven.'

'Ik denk niet dat het een vriendelijke daad is om wijn voor ze te kopen,' zei Thumelicatz. 'Het lijkt mij juist een kwelling om aan thuis herinnerd te worden terwijl ze hebben gezworen er nooit meer terug te keren. Maar dat is de prijs die ze betalen omdat ze ons land binnen zijn getrokken en er vervolgens voor hebben gekozen niet te branden in ons vuur. Ik koop de wijn, en zij drinken hem dankbaar op. Misschien brengt het een beetje troost in de misère waarin ze leven, want ze hebben me nooit gevraagd om het niet voor hen te kopen.' Hij keek naar de twee oude Adelaardragers, die allebei hun blik neersloegen op de rollen op de tafel voor hen. 'Maar wie kan zeggen wat er omgaat in die eerloze hoofden? En dan nog, wie maakt het wat uit? Ze zijn hier om een taak uit te voeren, dus laten we ons niet al te veel zorgen om hen maken.'

Hij pakte de volgende perkamentrol op en las hem vluchtig door. 'Mijn vader werkte dus samen met Varus, hielp hem om zijn orders van Augustus uit te voeren en een begin te maken met de pacificatie van de oostelijke oever van de Albis. Hij nam zijn hulpcavalerie talloze keren mee naar de overkant van de rivier om stammen af te straffen die aan onze kant hadden geplunderd. Hij nam mensen gevangen, pakte hoofdmannen op en brandde dorpen plat. Hij noch zijn mannen klaagden, want ze vochten tegen stammen die de Cherusken in het verleden kwaad hadden gedaan. Ze konden nu wraak nemen en doen alsof ze dat voor Rome deden. Varus nam het allemaal klakkeloos aan, maar er was één man die hem op de een of andere manier doorzag, en die man was geen Romein; hij was een Germaan van dezelfde stam als Erminatz. Hij was zelfs een familielid, Siegimeri's neef Segestes. Of hij nu innig van Rome hield of Erminatz verachtte om redenen die later duidelijk zullen worden, Segestes deed zijn best om Varus te overtuigen van mijn vaders bedrog.' Hij gaf de rol terug aan Aius. 'Lees vanaf dit punt verder.'

De oude slaaf kneep zijn ogen samen tegen het lamplicht en begon.

Ik had nog nooit iemand gezien als zij. Ze was mooier dan Musa en zette elke vrouw in haar buurt in de schaduw. Haar schoonheid was jeugdig en fris als een jonge boom in de lente en ze bruiste van de energie en levenskracht, als een dartelend lammetje op een zonovergoten ochtend. Haren zo blond dat ze meer dan hun gewicht in goud waard waren, een huid die zo glad en licht was dat hij bijna reflecterend was, en ogen... Nou ja, ogen waarin een man zichzelf voorgoed kon verliezen: blauw en helder als de zee op een zomerdag; ze konden je alle zekerheden ontnemen en je met één blik veranderen in een bibberend wrak, betoverd. Ik zag Thusnelda voor het eerst toen de sneeuw smolt en de koningen en onderhoofdmannen van de zes stammen samenkwamen in mijn vaders huis, en ik wist dat ik haar moest hebben. Ze was echter nog een zomer te jong om tot echtgenote te worden genomen, en bovendien was er nog een groot obstakel voor welke plannen dan ook: haar vader, Segestes, mijn vaders neef. Hij haatte Siegimeri, omdat hij vond dat hij de Cherusken zou moeten leiden, en daarom haatte hij mij, de zoon van het onderwerp van zijn jaloezie, ook. Maar toen ze in Segestes' gevolg mijn vaders nederzetting binnen kwam rijden, staarde ik naar haar zoals een dorstige man naar een koel stroompje water zou kijken. Ik wilde dat ze me zou overspoelen en dan zou ik haar helemaal tot me nemen. Maar zelfs als die hindernis er niet was geweest en ik haar die dag zonder omwegen tot de mijne had kunnen maken, zou ik het niet hebben gedaan; niet op dat moment. Want toen ik haar voor de eerste keer zag, begonnen mijn plannen vaste vorm aan te nemen en wist ik dat ik geen tijd zou hebben voor de geneugten van een jonge echtgenote tot ze op succesvolle wijze waren uitgevoerd.

Die eerste winter terug in Germania had ik allereerst een bezoek gebracht aan de koningen van de Chauken en de Sugambren, die me allebei exact hetzelfde antwoord gaven als de anderen: ze zouden hun mannen naar het Teutoburgerwoud sturen, maar ze wilden niets toezeggen tot ze zeker waren van een overwinning. Ik nam afscheid van de mannen met woorden van dankbaarheid en prees hen voor hun moed en visie omdat ze overwogen deel uit te maken van een leger dat ons land zou bevrijden van het volk dat het zich met geweld had toegeëigend. Ik kreeg van beiden echter één concrete belofte los: ze zouden mondvoorraden leveren. Dus terwijl mijn Cheruskische mannen zakken graan en veevoer verzamelden en rundvee en schapen naar de ontgonnen roden in het bos dreven, bracht ik opnieuw een bezoek aan de andere drie koningen.

'Dus als ik het goed begrijp,' zei Adgandestrius terwijl hij naast het bulderende vuur in het midden van zijn huis mijn woorden overpeinsde, 'wil je dat wij betalen voor de eer om aanwezig te zijn en toe te kijken bij je eerste aanval. Is dat juist?'

Ik deed mijn best om mijn ergernis over de opzettelijke stompzinnigheid van deze man te verbergen. 'Je weet heel goed dat dat niet waar is, Adgandestrius. Ik probeer gewoon vooruit te plannen. Als je een man van je woord bent...'

'En er is geen reden om aan te nemen dat ik dat niet ben. De Chatten houden altijd woord.'

'Dat klopt. Als je je belofte nakomt en je krijgers naar het Teutoburgerwoud brengt, zullen ze moeten eten. Een aantal van hen zal zich daar gedurende een maan moeten schuilhouden.'

'Een maan?'

'Ja, een hele maan. We moeten Varus zover krijgen dat hij naar ons toe komt. We moeten hem opwachten, en daarom moeten we er al van tevoren zijn. Ruim van tevoren.'

'En wat als ik besluit om mijn krijgers niet van tevoren – *ruim* van tevoren naar het bos te brengen?'

'Dan verspeel je de kans om te delen in de overwinning op Rome.' Ik keek hem met een starre blik aan. 'En je zou je niet aan je woord hebben gehouden. Als we zegevieren, zal elke stam in Germania weten wie erbij was en wie had beloofd erbij te zijn maar niet is komen opdagen, en geen enkele man zal zijn tafel met jou en je krijgers willen delen. Je zult in de achting dalen van de andere stammen, maar ook van je eigen vrouwen.'

En dat leverde de reactie op die ik voor ogen had: met een enorme klap van zijn vuist op de tafel sprong Adgandestrius overeind, zodat zijn bank achterover omviel op de met biezen bestrooide vloer. Zijn mannen draaiden allemaal met een ruk hun hoofd om als reactie op de uitbarsting van hun heer, en hij greep zijn dolk en ramde de punt zo hard in de tafel dat het wapen trillend voor me bleef staan. Ik bleef bewegingloos zitten, hem nog altijd strak aankijkend.

'Hoe durf je mij en de Chatten zo te kleineren, jij, zoon van een vriend van Rome. Een man die toekijkt hoe Rome zijn mensen belasting laat betalen tot ze niets meer hebben en de hielen van Varus likt terwijl hij zijn land plundert. Een man die...'

'Denk na, Adgandestrius. Denk na! Zo is het voor jullie allemaal geweest. Jouw vader heeft misschien een betere overeenkomst gesloten met Rome; hij hoefde zijn zoons misschien niet weg te sturen als gijzelaars, maar dat is omdat hij niet heeft geprobeerd Rome in een veldslag te verslaan. Mijn vader moest met Drusus onderhandelen nadat hij was verslagen in een grote slag waarin de bloem van de Cherusken was geknakt. Mijn vader kon geen voorwaarden stellen, maar ik doe dat nu wel, en je kunt er deel van uitmaken of niet. Laat je eergevoel spreken.' Ik zette allebei mijn handen op de tafel en duwde mezelf omhoog terwijl ik mijn blik niet één keer van hem afwendde. 'Hoe wil je dat je vrouwen over je denken, Adgandestrius? Hoe wil je dat de Chatten je zien? Denk daarover na, want alleen jij kunt in deze kwestie een beslissing nemen.'

Ik draaide me om en liep weg, in de wetenschap dat ik een nieuwe vijand had.

Toch kwam Adgandestrius door het beeld van een toekomst zonder eer voor de Chatten in actie en hij begon voorraden naar het Teutoburgerwoud te sturen. Alleen deed hij het zo dat het leek alsof het zijn idee was en ik een dwaas was die er zelf niet aan had gedacht. Engilram van de Bructeren en Mallovendatz van de Marsi vereisten minder overredingskracht. De eerste, een wijze, oude man, zag de noodzaak er direct van in, en de tweede voelde zoveel haat jegens Rome dat hij met alles zou instemmen om haar ondergang dichterbij te brengen, ook al was het het idee van een ander.

En zo, met de winter waarin de legioenen in hun winterkwartieren verbleven en de in Germania achtergebleven garnizoenen niet verder gingen dan de bevroren rivieren om het ijs te breken en hun waterzakken opnieuw te vullen als dekmantel, vulden wij onze voorraadkamers beetje bij beetje. Toen in de lente de dooi inzette, hadden we genoeg proviand om twintigduizend krijgers een maand in leven te houden. Dit nieuws werd met wisselend enthousiasme ontvangen toen ik de koningen en hun onderhoofdmannen ervan op de hoogte bracht rond een grote tafel in mijn vaders met haarden en fakkels verlichte huis in het Harzland. Het waren de laatste paar dagen voor Rome uit haar winterslaap zou ontwaken en haar legioenen vanaf de Rhenus naar het oosten zou laten marcheren om haar overwicht in Germania voor, zo hoopte ik, de laatste keer te doen gelden.

'En waarom zou jij de voorraden moeten bewaken, Siegimeri?' vroeg Adgandestrius mijn vader terwijl hij rook uit zijn gezicht wapperde en een geërgerde blik op de grote haard wierp. De houtblokken waren vochtig van de smeltende sneeuw.

'Daar kan ik geen antwoord op geven, Adgandestrius. Erminatz maakt hier de dienst uit, dat weet je best, zodat geen enkele koning een andere overheerst.'

Mijn oom, Inguiomer, knikte instemmend. 'Dat is vanzelfsprekend.'

Segestes, mijn bloedverwant, spuugde op de biezen. 'Het is dus vanzelfsprekend om dan maar door een jongen te worden overheerst.'

Het was voor het eerst dat ik de onderhoofdmannen van de stammen bij het plan had betrokken, nadat ik eerst alleen met de koningen had overlegd. Veel van hen, Segestes in het bijzonder, waren beledigd dat ik hen niet had ingelicht.

'Wat heeft die *jongen*, dat hij denkt drie legioenen te kunnen verslaan?' ging Segestes verder met minachting in zijn stem. Zijn ogen schoten vuur in het geflakker van de fakkels.

'Ik heb het inzicht, Segestes. Ik heb het inzicht, de wilskracht, de haat en het plan, maar bovenal heb ik het vertrouwen van Varus. Ik ben de enige hier die het uniform van Rome draagt. Jawel, jij hebt aan de zijde van Rome gevochten, maar als Germaanse bondgenoot en niet, zoals ik, als prefect van een cohort hulptroepen. Ik word als een Romein beschouwd en kan dus worden vertrouwd. Jullie worden gezien als ongelikte barbaren die net zo min te vertrouwen zijn als de Parthen.'

Segestes was razend. 'Wij houden ons aan ons woord!'

'De Parthen ook, maar de Romeinen kiezen ervoor dat niet te geloven. Het is een kwestie van perceptie: in mij zien ze een gladgeschoren, kortharige soldaat, die een kuras, een tuniek en een rode mantel draagt en vloeiend Latijn spreekt met een aristocratisch accent. Vertel me eens, wat denk je dat ze zien als ze naar jou kijken?'

Mijn verwant keek de kring van koningen en onderhoofdmannen rond, met hun haren in knotten boven op hun hoofd, lange baarden en broeken en krullerige tatoeages die zichtbaar waren op elk stukje blote huid. 'Pikken jullie deze beledigingen van een jonge hond? Een welp van Rome!'

'Ik bedoelde het niet als belediging. Het is een observatie die het antwoord op de vraag waarom ik drie legioenen zou kunnen verslaan verduidelijkt. Ik kan ze verslaan omdat ik ze van binnenuit kan treffen. Jullie, daarentegen, jullie allemaal, kunnen ze alleen van buitenaf aanvallen, frontaal. We weten allemaal wat er gebeurt als jullie een frontale aanval op Rome uitvoeren.'

Segestes schraapte zijn keel en spuugde een fluim uit. 'Ik weiger nog langer naar dit onderkruipsel te luisteren.' Hij duwde zijn stoel naar achteren en beende de ruimte uit.

Ik zag hem met leedwezen vertrekken. Niet omdat hij niet mee zou werken, wat vervelend was, maar omdat ik die ochtend, toen hij met zijn gevolg en familie hier was aangekomen, Thusnelda voor het eerst had gezien. Ik vroeg me af hoe ik nu ooit nog zijn toestemming zou kunnen krijgen om met zijn dochter te trouwen. Maar die zorg werd al snel door mijn vader verdreven.

'Ik zal erop toezien dat hij geen stomme dingen doet,' mompelde Inguiomer in mijn oor toen het gezelschap begon te bakkeleien over waar ze zojuist getuige van waren geweest.

Ik keek mijn oom geschrokken aan. 'Ben je bang dat hij ons zal verraden?'

Hij haalde zijn schouders op.

Mijn vader leunde naar voren en zei op zachte toon: 'Hij is een trotse, maar rancuneuze jonge bloedverwant die het nooit verder heeft geschopt dan hoofdman van een onderstam van de Cherusken. Nu ziet hij hoe jij je, na al die jaren in ballingschap, voorbereidt op meer roem dan hij ooit voor mogelijk heeft gehouden. Koningen en andere hoofdmannen doen wat jij hun opdraagt en dat kan hij niet accepteren. Hij heeft liever dat jij faalt en Germania tot onderwerping veroordeelt, dan dat hij de geschiedenis ingaat als slechts een bloedverwant van de grote Erminatz.'

'En als hij de geschiedenis in zou gaan als mijn schoonvader?' fluisterde ik.

Mijn vader fronste en keek me vanonder zijn borstelige wenkbrauwen aan terwijl hij probeerde te begrijpen wat ik bedoelde. 'Zou je met Thusnelda trouwen?'

'Waarom niet? Ze is mooi, ze is volgend voorjaar oud genoeg, en Segestes zou dichter bij me komen te staan.'

Hij schudde zijn hoofd. 'Wat je zegt is allemaal waar, en zelfs als Segestes kan worden overgehaald om zijn dochter met jou te laten trouwen, kan hij het huwelijk niet laten plaatsvinden zonder zijn belofte aan Adgandestrius te verbreken.'

'Adgandestrius?'

'Ja. Thusnelda is zijn verloofde.'

Ik keek naar de andere kant van de tafel, waar de koning van de Chatten zat, en bezwoer bij de Grote Donderaar dat zoveel levenslust en schoonheid niet mochten worden bezoedeld door de man die zichzelf tot mijn vijand had gemaakt. Ik slikte mijn bitterheid weg en riep het gezelschap weer tot de orde. Uiteindelijk werd het weer stil.

'Nu we de voorraden op orde hebben, wachten we tot september. In de tussentijd doen we niets wat Varus' argwaan kan wekken. We volgen zijn bevelen op en betalen Rome belasting. Als hij je om krijgers vraagt om zijn legioenen en hulptroepen die ten oosten van de Albis vechten aan te vullen, dan stuur je die of, nog beter, breng je ze zelf naar hem toe. Wij zijn de meest volgzame onderdanen. We verwelkomen Rome en stemmen in met Augustus' plan dat Varus voorbereidingen treft voor de annexatie van de oostelijke oever van de Albis. We kijken uit naar de vorming van Germania Ultima en zullen er alles aan doen om Varus dit jaar langs de Albis bezig te houden. Er zullen elders in Germania geen problemen optreden, niets wat zijn aanwezigheid vereist, zodat hij bij de volgende herfstnachtevening in september, als het tijd is om terug te keren naar het winterkwartier, de Weg van de Lange Bruggen terug naar het westen zal volgen. En dan zal ik naar hem toe gaan met nieuws over een fictieve opstand van de Ampsivaren ten noorden van het Teutoburgerwoud.'

Ik stopte even en keek naar de mannen die naar me zaten te luisteren. Ze dachten allemaal over mijn woorden na, en zelfs Adgandestrius leek het te accepteren. Het leek me dus veilig om met mijn eerste bevel te komen. 'Het is vroeg in september volle maan. Dan beginnen we onze krachten te verzamelen in het woud. Als de maan begint af te nemen, beginnen jullie de krijgers in groepen van maximaal honderd man tegelijk naar het bos te sturen. Probeer ze zo mogelijk 's nachts te laten reizen, zodat de massaverplaatsing zo min mogelijk opvalt. We treffen elkaar bij het Bos van Donar – het zuidelijke, bedoel ik, niet het noordelijke – op de dag na de herfstnachtevening en wachten daar op mijn vaders bericht dat Varus naar het westen is vertrokken. En dan, mijn vrienden, hebben we hem in de tang en zullen we hem een slag toebrengen die zijn weerklank in alle tijden zal hebben.'

'En de hulptroepen?' vroeg Engilram.

'Die worden iets eerder op de hoogte gebracht. Laat jullie stamhoofden in de cohorten weten dat ze als het zover is mijn bevelen moeten gehoorzamen alsof ze van hun eigen koning komen. Dit zal het allesbeslissende moment zijn: als ik de cohorten van de hulptroepen op verkenning vooruit kan leiden en aan weerskanten van de colonne positie kan laten innemen, kan ik, samen met mijn Cheruskische krijgers, de colonne in twee of drie delen opbreken. Als we dat doen, mijn vrienden, zullen de goden met ons zijn en kunnen we de legioenen stukje bij beetje vernietigen. Dat zou het moment zijn dat ik jullie vraag ons met jullie krijgers te hulp te schieten. Dat zou het moment zijn dat we de bovenhand krijgen en de overwinning moeten grijpen. Als we hun de gelegenheid bieden zich te hergroeperen, zullen ze een defensieve positie opbouwen. Wij hebben niet de discipline voor een belegering en onze mannen zullen wegteren. We moeten er dus op de eerste dag een einde aan maken.' Ik sloeg hard met mijn vuist op tafel. 'Op de eerste dag, mijn vrienden. Op de eerste dag, anders zullen we falen. Jullie moeten de beslissing nemen om je op de eerste dag op het middaguur bij mij aan te sluiten.'

Adgandestrius glimlachte zonder warmte. 'En als we beslissen om onze krijgers niet naar je toe te sturen? Wat dan? Onze mannen in de hulpcohorten zullen zich al tegen Rome hebben gekeerd, daar kunnen we niet omheen. Varus zal aannemen dat wij er de opdracht toe hebben gegeven en zal ons evenzeer afstraffen als hen.'

Ik keek naar hem en vroeg me af waarom een man met zo weinig ruggengraat een geschenk als Thusnelda moest krijgen. 'Varus kan niet elke man in Germania Magna aan het kruis nagelen. Hij zal eerst de Cherusken opzoeken. Onze stam heeft het meeste te verliezen; hij zal ons laten lijden als we falen. Jullie, daarentegen, kunnen hem gijzelaars sturen, om vergiffenis smeken, zeggen dat jullie niet wisten dat die schurk, Erminatz, jullie mannen had opgestookt. Of je kunt jezelf er met een ander soort vleierij uit redden, Adgandestrius. Maar onthoud dit: als je besluit om je stam niet te laten meedoen, dan verspelen we voorgoed de kans om ons vaderland te bevrijden. Laat Varus met ons doen wat hij wil als we falen; wat kan hij doen dat erger is dan ons land stelen en ons vernederen voor onze moeders, echtgenotes en dochters?'

Eerst was het stil, er klonk een enkele klap op de tafel. En toen werd die aan de andere kant van de tafel opgepikt. Toen sloot een derde zich erbij aan en kregen de klappen een ritme dat langzaam en gestaag werd opgebouwd. Mijn vader sloeg met zijn handpalm op tafel, voegde zich in het ritme en zorgde ervoor dat mijn drinkhoorn opsprong. Ik keek naar de mannen die aan tafel zaten. Elke man prees mijn plan; elke man behalve Adgandestrius. Ik glimlachte triomfantelijk naar hem en hij wierp me een kwade blik toe voordat hij overdreven begon mee te klappen.

Ik deed alsof ik zijn sarcasme niet zag, want ik wist op dat moment dat ik de Chauken, de Marsi, de Bructeren en de Sugambren voor me had gewonnen. Als al die krijgers zich bij mijn vaders Cherusken aansloten, zou mijn plan zeker kunnen slagen, ongeacht wat de Chatten deden. Adgandestrius zou ons niet verraden; hij zou niet zijn gezicht willen verliezen door met de staart tussen de benen af te druipen. Hij zou niet de enige koning willen zijn die niet de ballen had om drie legioenen weg te vagen. Zijn krijgers zouden hun steentje bijdragen in de strijd en roem vergaren ondanks de aarzeling van hun koning.

Toen het ritme woester werd, gebaarde mijn vader naar zijn hofmeester dat hij de krijgers die buiten wachtten moest binnenlaten en dat de geroosterde zwijnen en herten en de vaten bier naar binnen konden worden gebracht, zodat het feestmaal kon beginnen. De mannen stroomden door de drie deuren naar binnen, juichend, zonder te weten waarom, maar omdat hun meesters het ook deden en ik keek met een lach op mijn gezicht toe. Ik lachte niet alleen omdat ik tevreden was dat mijn plan was goedgekeurd, hoewel dat erg fijn was; nee, ik lachte omdat ik zojuist had bedacht hoe ik Adgandestrius kon vernederen en tegelijkertijd kon krijgen waar ik zo naar verlangde. Het was een fijne gedachte, die nog fijner werd door de grootsheid van het gebaar. Lucius zou trots op me zijn geweest.

HOOFDSTUK IX

Thumelicatz draaide zijn schouders los en liet zijn knokkels kraken en glimlachte naar zijn Romeinse gasten terwijl Aius het perkament oprolde. 'Dat was het moment dat mijn vader de leider werd van het verbond van stammen dat Germania Germaans moest houden. En het was ook het moment dat mijn vader zijn lot bezegelde en zichzelf tot een vroege dood veroordeelde. Anders dan bij jullie Romeinen, zit het niet in onze cultuur om ons te laten domineren door één man.'

'Honderdvijftig jaar geleden gold dat ook voor ons,' zei de jongste broer. 'Toen wij nog een republiek waren, was het onmogelijk dat één man de stad domineerde.'

Thumelicatz krabde in zijn baard. 'Tot Gaius Marius de voorwaarden van de militaire dienstplicht wijzigde en jullie leger professioneel maakte: betaald en met het vooruitzicht van land bij afzwaaien, in plaats van dat het de plicht van alle burgers met onroerend goed was omdat zij een aandeel in de samenleving hadden dat verdedigd moest worden. Ik ken jullie geschiedenis en de gevolgen: zodra soldaten de cliënten werden van hun generaals, die hen na vijfentwintig dienstjaren beloonden met een stuk land, was het slechts een kwestie van tijd voor individuen de macht zouden vergaren waarmee ze hun wil aan alle anderen konden opleggen. Eerst Marius en daarna Sulla, Cinna, Pompeius, Antonius, Caesar, en kijk waar het jullie heeft gebracht: nu hebben jullie een keizer.' Hij plukte een luis uit zijn baard en bestudeerde hem voordat hij hem tussen zijn vingers plette. 'Wij, daarentegen, kunnen nooit een Caesar accepteren omdat we een stam vormen. De koningen en de hoofdmannen zijn te trots om zich te laten domineren en mijn vader wist dat toen hij de leider van het verbond werd. Maar hij wist ook dat hij zijn invloed moest blijven uitoefenen om het verbond bijeen te houden en elke poging van Rome om Germania weer in te nemen neer te slaan. Ik ben ervan overtuigd dat hij toen al wist hoe het zou aflopen, maar toch zette hij door tot... Maar ik loop op de zaken vooruit.'

Hij nam een slok bier terwijl de slaven met de perkamentrollen bezig waren. Toen hij zijn drinkhoorn weer neerzette, gleed zijn blik over zijn gasten die, uitdrukkingsloos, zaten te wachten op het volgende deel van het verhaal. 'Varus kreeg dus weer de leiding over drie legioenen en acht hulpcohorten, waarvan er vijf Germaans waren. In die campagnetijd volgde hij Augustus' bevelen op en testte hij op de oostelijke oever van de Albis hoe welwillend de leiders van de Saksen en de Semnonen waren door geschenken en dreigementen uit te delen en te ontvangen, maar niets te doen wat kon worden opgevat als een reden om oorlog te voeren. Hoofdmannen van nog oostelijker gelegen gebieden stuurden afgezanten die vriendschap wilden sluiten en een punt maakten van hun armlastigheid, in de hoop dat Rome zich niet zo ver zou wagen of, als ze het wel deed, op schappelijke wijze met hen om zou gaan.

En zo ging de zomer voorbij, de herfstnachtevening kwam dichterbij en mijn vader bracht het eerste deel van zijn plan ten uitvoer: vanwege alle contacten met de oostelijke stammen liet hij elk van de koningen van het verbond Varus vragen om garnizoenen op hun land achter te laten als bescherming tegen de mogelijke dreiging van stammen die in de winter zouden proberen de bevroren Albis over te steken voor een aanval. Dit was natuurlijk hoogst onwaarschijnlijk, maar mijn vader had de aandacht van de gouverneur en had meerdere malen zijn zorgen geuit over het feit dat de oostelijke stammen niet te vertrouwen waren en Germania Magna hoogstwaarschijnlijk zouden binnendringen vanwege de rijkdommen; ze hadden immers zelf gezegd dat ze zo arm waren. Dus toen de koningen een voor een hun verzoek indienden, nam Varus hen zeer serieus en liet twaalf garnizoenen van een halve cohort verspreid over de provincie achter, waardoor hij zijn strijdmacht met bijna drieduizend man verkleinde.'

Thumelicatz pakte de rol die Tiburtius had gepakt om te gaan lezen en keek hem vluchtig door voordat hij hem aan de slaaf teruggaf en op een regel wees. 'Vanaf hier.' Hij keek weer naar zijn gasten. 'De tijd was dus gekomen dat Varus terug naar het westen zou gaan. Hij was tevreden over het werk dat hij die zomer had verzet en de garnizoenen die achterbleven versterkten zijn gevoel van welzijn en zekerheid. Hij gaf de legaten van de legioenen, de meesten van zijn tribunen en een flink aantal van zijn oudere centuriones toestemming om terug naar Rome te gaan en daar te overwinteren. Zo kwam het dat bij het feestmaal om de afsluiting van een succesvol seizoen te vieren bijna geen Romeinen aanwezig waren, alleen de koningen en onderhoofdmannen van het verbond. Tiburtius.'

Het was een klein gezelschap, maar het eten was goed. Niet van die pietluttige gerechtjes die de Romeinen normaal gesproken serveerden, maar geroosterd vlees, gezouten kool, karpers, baarzen, brood en kaas – Germaans voedsel. Maar dat was waarschijnlijk zo omdat Varus de enige aanwezige Romein was, want hij had de meesten van zijn officieren terug naar Rome laten gaan of hij had ze gestationeerd in een van de garnizoenen waartoe hij zich had laten overhalen. Hij leek zich echter niet bewust van het gevaar waarin hij zichzelf had gebracht en dronk de hele avond flink van zijn Romeinse wijn terwijl wij Germanen – ik, mijn vader, Segestes, Engilram van de Bructeren en een paar van zijn onderhoofdmannen – bier achteroversloegen tot de voorkanten van onze tunieken doorweekt waren en onze blazen op knappen stonden.

'Op het succes van onze onderneming van volgend jaar,' riep Varus terwijl hij zijn wijnbeker in de lucht hief en het rode vocht over zijn pols klotste. 'Mogen de goden van onze volken hun handen beschermend boven ons houden als wij verder oostwaarts trekken.'

'Op het oosten!' riep mijn vader voordat hij zijn drinkhoorn in één teug leegdronk, waarop bijna alle aanwezigen met gejoel reageerden.

Alleen Segestes trok een ontevreden gezicht en keek fronsend in zijn hoorn, die hij in beide handen geklemd hield. Hij had al de hele tijd zitten peinzen. Hij had er een punt van gemaakt dat hij op zijn bank wilde zitten in plaats van op Romeinse wijze onderuitgezakt te gaan liggen. De rest van het gezelschap was inmiddels gewend geraakt aan de vreemde positie waarin de Romeinen aten en hoewel het onnatuurlijk aanvoelde, hadden we ons aangepast in het kader van onze zogenaamde romanisering.

Varus hield zijn beker op zodat een slaaf hem kon bijvullen. 'Ik ben er zeker van dat de keizer volgend seizoen het bevel geeft voor de volledige annexatie van de oostelijke oever.'

'Tactisch gezien is dat een slimme zet,' merkte Engilram op. Zijn grijze baard was nat van het bier. 'De Marcomannen in Bojohaemum zullen als ze omsingeld zijn eerder instemmen met een onderling overeengekomen schikking dan proberen stand te houden tegen wat onvermijdelijk is.'

Varus knikte instemmend. 'De strafexpedities uit Raetia en Noricum lijken Maroboduus' standvastigheid alleen maar te hebben versterkt; sinds Tiberius drie jaar geleden zijn invasie moest afbreken om de opstand in Pannonia neer te slaan ziet hij de kleinere expedities als een teken van zwakte. Maar als wij de Albis oversteken wordt hij door Rome omringd en rest hem slechts een simpele keuze: toegeven en een vazalstaat worden of zijn heuvelachtige rijk vanuit het noorden, zuiden, oosten en westen laten veroveren. Zo ziet hij wel in wat het beste is.'

Dit werd begroet met enthousiast gemompel, een nieuwe ronde toosten en het leegdrinken van de hoorns.

'En dan,' ging Varus verder, 'als dat laatste deel van Germania Magna bedwongen is en Germania Ultima is gepacificeerd, kan ik terugkeren naar Rome en genieten van de gunsten van Augustus en de privileges die ik zal ontvangen omdat ik heel Germania onder Romeinse heerschappij heb gebracht.' Hij keek om zich heen en glimlachte zelfingenomen toen het instemmende gemompel overging in gelukwensen. Op onze gezichten was niets te zien van de minachting die wij voelden voor deze opschepperige verwerping van Germaanse trots.

Wij allemaal, op één na, moet ik zeggen.

Segestes gooide zijn drinkhoorn op tafel, waardoor die openbarstte en het bier over ons heen spatte. 'U denkt dat het allemaal zo gemakkelijk is; dat wij gewoon op onze rug gaan liggen en onze keel laten zien als onderworpen teven! U loopt hier rond met uw ogen dicht; u bent blind! Iedereen in deze ruimte wil u dood zien, iedereen, behalve ik.' Hij hief zijn vinger en wees recht naar mij.

'En hij is het; hij is degene die het heeft gepland: Erminatz. Erminatz, die doet alsof hij zo loyaal is, die altijd doet wat u wenst en zijn *loyale* hulptroepen brengt waar u ze wilt hebben. Hij zal binnen een maand voor uw dood zorgen!'

Alle Germaanse gasten staarden vol ongeloof naar Segestes, die was opgestaan en heen en weer zwaaide door de alcohol. Monden vielen open en blikken verhardden zich om dit verraad. Ik stond op het punt zijn beschuldiging te ontkennen toen, links van me, de geamuseerde nasale lach klonk die ik kende van de Romeinse elite. Varus lachte. Ik slikte mijn woorden van ontkenning in – die waarschijnlijk zwak hadden geklonken en me schuldig hadden verklaard – en lachte vrolijk met hem mee. Mijn vader deed me snel na, net als, een voor een, de rest van de gasten, tot Segestes van alle kanten openlijk werd beschimpt.

'En waarom,' vroeg Varus tussen twee lachsalvo's door, 'zou de man die me het leven heeft gered me nu willen doden? Hij had zichzelf de moeite kunnen besparen en me drie jaar geleden laten sterven door de zwaarden van de Marcomannen in Bojohaemum.'

'Inderdaad, Segestes,' riep ik boven de toenemende hilariteit uit die de opluchting die we allemaal voelden maskeerde. 'Vertel me eens waarom ik de man zou doden die zo bij me in het krijt staat? De man die, als gouverneur van Germania, mij een gunst kan verlenen.'

Mijn vader probeerde zichzelf opzichtig weer in de hand te krijgen. 'Inderdaad, neef. Vertel ons eens welke winst Erminatz kan behalen met de dood van onze gouverneur?'

'Ja, vertel ons dat eens,' drong Inguiomer aan, met minachting in zijn stem.

Segestes draaide zich om naar mijn vader en oom. 'Jullie weten heel goed dat het niet alleen om Varus' dood gaat, maar ook om de dood van elke legionair in Germania.'

'Elke legionair in Germania!' barstte Varus in lachen uit. 'En hoe wilde je dat voor elkaar krijgen? Door ons frontaal aan te vallen? Hoeveel krijgers je ook in de strijd gooit, we zouden jullie verpletteren.'

'Natuurlijk niet, idioot. Hij is van plan u in een hinderlaag te lokken.'

Varus sprong overeind. 'Idioot? Idioot! Noem je mij een idioot? Jij, een barbaar met een harige kont, durft een lid van de aristocratische Quinctilii een idioot te noemen? In het openbaar? Ik moet je laten ketenen tot je leert om wat...'

'Laat me maar ketenen,' brulde Segestes. 'Idioot! Maar doe dat dan ook met Erminatz. Of nee, arresteer ons allemaal en neem ons mee naar uw winterkwartier. Let op mijn woorden, Varus, dat is de enige manier om uw leven te redden.'

Varus opende zijn mond om nog iets tegen Segestes te schreeuwen, maar stopte toen en dacht even na. 'Waarom vertel je me dit? Als er echt een complot bestaat om Germania te ontdoen van mij en mijn legioenen zou jij er toch achter moeten staan, of het in elk geval niet verklappen en door je eigen landgenoten als verrader worden gezien?'

'Waarom zou ik loyaal naar hen zijn? Ik ben altijd de jongere neef, er wordt altijd op me neergekeken en ik ontvang geen greintje respect.' Hij keek me kwaad aan, met ogen vol haat. 'En nu wil dat onderkruipsel mij de loef afsteken: hij zou de redder van Germania Magna worden en hij is niet eens een koning omdat zijn vader nog leeft, terwijl het beste waarop ik kan hopen is dat mijn dochter met een koning trouwt en mij een koning als kleinzoon kan schenken.' Hij schudde langzaam zijn hoofd terwijl wij allemaal als aan de grond genageld hoorden hoe deze woorden van lang gekoesterde wrok uit zijn mond stroomden. 'Nee, Varus, ik heb geen loyaliteit voor een volk dat mij verlaagt tot een man van weinig tot geen betekenis. Een man zonder respect.' Hij spuugde op de tafel. 'Nee, ik heb mijn besluit genomen. Ik zal Rome steunen, want via haar kan ik mijn lot veranderen; via haar kan ik me opwerken tot de status die ik verdien. Maar Rome zal niet in Germania bestaan als u hem blijft vertrouwen.'

De vinger die hij op mij richtte was onbeweeglijk, ondanks zijn dronken gezwaai van even daarvoor; hij was stellig en beschuldigend. Alle ogen werden op Varus gericht om te zien of hij zich erdoor liet overtuigen.

'Ga... uit... mijn ogen!'

Het duurde even voor iedereen doorhad dat Varus tegen Segestes praatte, niet tegen mij. De verrassing op het gezicht van mijn bloedverwant veranderde snel in ongeloof, maar toen draaide hij zich om en liep hij de kamer uit, iedereen verbluft achterlatend.

Mijn vader herstelde zich het eerst. 'Mijn neef is niet meer dezelfde sinds mijn oudste zoon thuis is gekomen,' verklaarde hij aan Varus. 'Ik denk dat hij de hoop koesterde dat geen van beiden zou terugkomen en mijn jongere broer vroeg zou sterven; dan zou hij mijn opvolger zijn geworden.'

Varus schudde zijn hoofd en tuitte zijn lippen alsof hij het maar al te goed begreep. 'Dus probeert hij hem in diskrediet te brengen met valse beschuldigingen?'

'Exact.'

'Geef me een kans om mijn loyaliteit te bewijzen,' zei ik op ernstige toon, in Latijn dat even correct en elegant was als dat van Varus zelf. Ik hield mijn beker op om hem door een slaaf met wijn te laten vullen en mijn band met Rome te benadrukken.

Varus glimlachte en liet zich weer op zijn bank zakken. 'Je krijgt die kans nog wel, Arminius. Daar zorg ik wel voor. En dan laat ik dat familielid van je executeren voor zijn onbeschoftheid.'

'Ik smeek u om dat niet te doen.' Mijn maag draaide zich bijna om toen ik me realiseerde dat ik bijna jammerde. 'Hij werd enkel gedreven door jaloezie. Ik ben niet alleen de erfgenaam van de Cheruskische kroon, maar heb ook de rang van prefect en een ridderlijke status; dat kan hij niet verkroppen.'

'Misschien moet ik de keizer in mijn volgende verslag vragen Segestes in de ridderorde te verheffen in de hoop dat hij zich dan beter gaat gedragen?' Hij lachte om zijn eigen humor en goot de rest van de wijn in zijn beker naar binnen.

Wij deden met hem mee, overdreven vrolijk op onze dijen slaand en grappend dat Segestes misschien pas tevreden zou zijn als hij consul was en zijn familie in de adelstand was verheven.

'Maar dan,' deed ik een duit in het zakje, 'moet zijn Latijn wel een heel stuk beter worden!'

Daarop barstte Varus opnieuw in lachen uit en terwijl wij met hem meededen, bekeek ik de gezichten van de anderen en zag ik dat ze alleen met hun monden lachten; hun ogen verrieden hun verbijstering over Varus' goedgelovigheid.

De lucht was kil en hing vol met mistflarden die oranje oplichtten in het licht van honderden fakkels die het kamp in de vroege ochtend voor zonsopkomst verlichtten. Het kamp was enorm, gebouwd als onderkomen voor drie legioenen en hun hulptroepen, bijna twintigduizend man, en dan heb ik het ondersteunend personeel niet eens meegerekend. Het was de voornaamste basis geweest voor de zomercampagne en zodoende hadden alle drie de legioenen er alleen helemaal aan het begin tegelijkertijd gezeten en nu op het eind, om zich voor te bereiden op de lange mars terug naar het westen.

Ik stond samen met de andere prefecten van de hulptroepen naast Varus op de trappen van het praetorium, een van de weinige permanente bouwwerken in een zee van tenten, toe te kijken hoe de legioenen zich opstelden in de *contubernia* van acht mannen die dan onder leiding van de harde stemmen van centuriones en hun optiones met tien werden samengevoegd om te marcheren als een centurie. In het hele kamp stampten laarzen met ijzeren nagels, kletterden en rinkelden uitrustingen, dampten ademhalingen, glinsterde opgepoetst metaal, klonken commando's en *bucinae*, en werden standaarden omhooggehouden terwijl de krijgsmacht van Rome in Germania Magna zich verzamelde, met slaperige ogen en kauwend op de laatste resten van hun ontbijt, in de marsorde die hun generaal had uitgevaardigd. Op de achtergrond begonnen honderden slaven de verlaten tenten af te breken en kookvuren te blussen in wolken van stoom, terwijl anderen muilezels vastmaakten aan karren en andere dieren oplaadden met rantsoenen.

Het Zeventiende was het eerste legioen achter de voorhoede van hulptroepen, en de legioensoldaten, met hun bepakking over hun rechterschouder en hun schilden op hun rug, stelden zich nu voor me op op de *principia*, het plein in het midden van het kamp, en de Via Principalis die van oost naar west door het kamp heen liep. En ik bekeek ze met een kilte in mijn hart; ik mocht geen mededogen voelen want als ik mijn plan zou uitvoeren, zou elk van deze mannen moeten sterven. Op dat moment werd mijn besluit overschaduwd door twijfel. Mijn droom wankelde toen de enorme omvang van de taak bij me binnendrong terwijl ik daar naar dat ene legioen stond te kijken. Ondanks de kilte brak het zweet me uit.

Onder het geluid van hoorns en geschreeuw van de centuriones en hun optiones salueerden de mannen hun generaal, die wachtte tot het lawaai was weggestorven en toen begon te spreken.

'Mannen van het Zeventiende Legioen, jullie hebben jullie keizer dit jaar goed gediend en hebben de rust van de winter verdiend. Voor een groot aantal van jullie was dit het laatste jaar onder de Adelaar van het Zeventiende; jullie zullen bij aankomst bij de Rhenus jullie ontslag krijgen. Ik dank jullie voor jullie loyale dienstbaarheid en wens jullie een lang leven en geluk en veel zonen toe op het land dat jullie zullen ontvangen. Rome groet jullie.'

Varus sloeg zijn rechtervuist tegen zijn borst en ergens vanuit de duisternis klonk een commando. De aquilifer hief zijn Adelaarstandaard in de lucht en die van de cohorten gingen omlaag. Als één man maakte het legioen een bocht naar rechts en begon toen naar het westen te marcheren, door de Linker Poort en de militaire weg op die zoveel bruggen overstak op de tweehonderd mijl lange reis terug naar de Rhenus. De hulptroepen hadden zich al buiten het kamp opgesteld, klaar om hun posities aan te nemen in de voorhoede en aan weerskanten van het legioen terwijl het voorbijtrok.

Toen, bijna een halfuur later, het staartje van het Zeventiende Legioen door de poort verdween, begonnen de legionairs van het Achttiende hun plaats in te nemen op de Via Principalis en niet lang daarna herhaalde Varus zijn praatje voor hen. Het werd steeds lichter en tegen de tijd dat het Negentiende zich voor Varus had opgesteld, waren de gezichten van de mannen duidelijk zichtbaar en was goed af te lezen hoe blij ze waren dat ze terugkeerden naar hun winterkwartier en de relatieve rust en het comfort die ze daar zouden vinden.

Achter hen, in het met rook gevulde kamp, waren slaven nog steeds bezig de lege tenten af te breken, ze op de muilezel van elk contubernium te laden en vervolgens de wagen van elke centurie te vullen met hun molenstenen, de tent van de centurio, zakken graan en kikkererwten en de *carroballista* van de eenheid en andere materialen die de legioensoldaten niet met zich meedroegen en te zwaar waren voor de pakezels.

Het tumult van het vertrek bleef ons omringen toen de bagagekaravaan werd gevormd en de kampvolgelingen – over het algemeen hoeren en handelaren – achter aan de colonne aansloten. De voorhoede was inmiddels in de verte verdwenen op de kaarsrechte weg. De pas opgekomen zon hulde de bepakking op de rug van de mannen en hun helmen in een warm ochtendlicht waardoor de colonne schitterde als een lichtgevende speer die in westelijke richting over het vlakke landschap in het hart van Germania was geworpen.

'Vijftien mijl per dag, heren,' zei Varus tegen de prefecten terwijl hij zijn paard besteeg dat werd vastgehouden door een stalslaaf. 'We zullen rudimentaire kampen opslaan – gewoon een greppel, iets om de mannen bezig te houden aan het einde van elke mars – want er zijn onderweg geen grote dreigingen. Met een beetje geluk zijn we over een dag of veertien terug in Castra Vetera. Maak je niet druk over verkenningsexpedities naar beide kanten; stuur er af en toe wat patrouilles op uit, maar hou de jongens over het algemeen in de colonne. Wat verkenningsexpedities naar voren betreft: we hoeven alleen kleine cavaleriedetachementen vooruit te sturen, gewoon voor de vorm en om te controleren of de bruggen niet beschadigd zijn door overstromingen en dergelijke. Arminius, dat is jouw taak; breng elke dag bij zonsopkomst, op het middaguur en bij zonsondergang verslag bij me uit. Voeg je maar bij jullie cohorten, heren.' Met een beleefd knikje gaf hij zijn paard de sporen om langs de colonne te snellen en zijn plaats in te nemen tussen het Zeventiende en Achttiende Legioen. Toen de andere prefecten zijn voorbeeld volgden, riep ik twee van hen terug; beiden hadden een infanteriecohort onder hun hoede: Egino van de Marsi en Gernot van de Bructeren.

'Hebben jullie iets van je koning gehoord?' vroeg ik terwijl we langzaam langs de colonne reden. De legioenen zongen nu luidkeels marsliederen en ik moest hard praten om mezelf verstaanbaar te maken.

Gernot keek me van opzij aan. 'Waarover, Erminatz?'

'Over de waarde van mijn woorden?'

Ze keken elkaar aan voordat ze knikten.

'We moeten ermee omgaan alsof ze van onze heren zelf komen,' bevestigde Egino.

Ik glimlachte. 'Mooi. Als de colonne over een paar dagen de

weg verlaat en in noordwestelijke richting het Teutoburgerwoud in trekt, moeten jullie Varus waarschuwen voor hinderlagen in het bos en vragen of jullie twee cohorten en de andere Germaanse infanteriecohorten de route aan de linker- en rechterkant in de gaten mogen houden. Hij zal de wijsheid van die voorzorgsmaatregel wel inzien, want hij denkt dat hij op weg is naar een opstand. Als jullie op zijn flanken in positie zijn, moeten jullie je oren gespitst houden voor mijn stem; ik zal voor jullie koningen spreken.'

De prefecten verzekerden me allebei dat ze gehoor zouden geven aan elk aspect van mijn verzoek en ik gaf mijn paard de sporen om met de prefecten van de andere twee Germaanse cohorten te gaan praten. Nadat ik van hen dezelfde bevestiging had gekregen, voegde ik me bij mijn ala en begon het wachten.

En ik wachtte twee dagen. Ik voelde de spanning steeds meer toenemen, omdat ik niet kon controleren of alles in het Teutoburgerwoud in orde was. Waren de krijgers er allemaal? Kregen ze genoeg te eten en te drinken, zodat ze niet in de verleiding kwamen om weer te vertrekken? Hadden de koningen en hoofdmannen hun volgelingen in de hand, zodat er geen spanningen waren tussen de stammen en onderlinge gevechten tot een minimum beperkt konden worden? Die zorgen en nog veel meer gingen door mijn hoofd terwijl ik wachtte op het teken dat een reeks gebeurtenissen in gang zou zetten die tot de dood van duizenden mannen zou leiden; maar of die mannen Germaans of Romeins waren, was afhankelijk van wat er in de volgende paar dagen zou gebeuren. En ik werd nog steeds overvallen door twijfel omdat ik elke dag zag hoe lang de colonne was. Hoe konden al die mannen worden gedood? Hoe was dat mogelijk?

Op de avond van de tweede dag, toen we halverwege tussen de Albis en de Visurgis waren en langs het noorden van het Harzland trokken, zag ik het teken waarop ik had gewacht: Vulferam en een kleine groep Cheruskische hulpcavaleristen galoppeerden vanuit noordelijke richting naar de commandopost tussen de eerste twee legioenen waar Varus reed. Ik maakte direct snelheid om me bij hen te voegen, hoewel ik niet hoefde te horen wat ze te zeggen hadden, want het waren mijn eigen woorden.

'Wat is er, heer?' vroeg ik aan Varus toen ik mijn paard naast hem liet stilhouden.

Vulferam en zijn kameraden hadden zich tot op een respectvolle afstand teruggetrokken nu ze hun boodschap hadden afgeleverd.

Varus kauwde even op zijn onderlip voordat hij antwoord gaf. 'Het lijkt erop dat de Ampsivaren in het noorden de kans hebben aangegrepen om tegen ons in opstand te komen en alle belastingpachters en handelaren op het grondgebied van hun stam te vermoorden.' Hij wees naar Vulferam. 'Ken jij deze man, Arminius?'

Ik zei dat ik hem inderdaad kende en dat hij een oom van me was, mijn moeders broer, maar ook mijn oudste decurion en dat hij te vertrouwen was.

'Ik moet afbuigen naar het noorden en die opstand dan op de terugweg aanpakken. Het kan niet meer dan vier of vijf dagen om zijn en het weer blijft zeker nog zo lang goed.'

En nu had ik hem. 'Laat mij gaan met mijn ala. Wij kunnen er in de helft van de tijd zijn en als het enkel een plaatselijke opstand is, heb ik genoeg mannen om er een einde aan te maken.'

Varus keek me aan en maakte een inschatting. 'Een kans om je loyaliteit te bewijzen, Arminius. Prima, ga maar. Maar als het te veel is voor één ala, moet je me een bericht sturen. Ik wil niet naar het westen marcheren terwijl er achter mijn rug iets broeit. Vuur verspreidt zich snel als je er niets aan doet.'

'Maak u geen zorgen, heer. Ik ben niet bang om om hulp te vragen als het uit de hand loopt. Maar ik weet zeker dat we het aankunnen, u kunt me vertrouwen.'

Varus knikte. 'Dat weet ik.' Toen voegde hij er met een grijns aan toe: 'Ik zou je mijn leven toevertrouwen.'

'Inderdaad, heer, uw leven.' Ik salueerde nog een laatste keer naar hem, draaide mijn paard om en gaf Vulferam en zijn metgezellen een teken dat ze me moesten volgen. Toen haastte ik me terug naar de colonne om mijn ala op te halen. Nadat ik boodschappers had weggestuurd om de patrouille die vooruit was gegaan terug te roepen, leidde ik mijn mannen naar het noorden. Het was nu een kwestie van timing: ik moest wachten tot Varus de Visurgis was overgestoken en de zuidrand van het Teutoburgerwoud had bereikt. Dan zou ik een noodsignaal sturen en wist ik of hij een even grote goedgelovige dwaas was als ik dacht. Dan zou ik weten of hij drie legioenen het ruige landschap in zou leiden om de man die zijn leven had gered te hulp te schieten en een fictieve opstand neer te slaan.

Dan zou ik weten of hij uit eigen beweging naar de executieplaats zou komen.

HOOFDSTUK X

'Zou hij komen?' vroeg mijn vader de volgende dag toen ik met Vulferam het met schedels beklede Bos van Donar in het zuiden van het Teutoburgerwoud binnenreed.

Ik steeg af en gaf mijn vader geen antwoord, want dat zou slechts speculatie zijn. Mijn vader drong ook niet aan, want hij besefte ook dat het een domme vraag was.

'Zijn alle stammen er?'

'De Chatten zijn twee dagen geleden als laatsten erbij gekomen.' Hij wees naar de pas afgehakte hoofden die aan veel van de takken in het heilige bosje hingen. 'De offers zijn gebracht en volgens de priesteressen is dit een gunstig moment voor onze onderneming.'

Ik liet niet merken dat ik opgelucht was door dat nieuws. Het verlichtte mijn toenemende zorg om de omvang van het aantal doden dat zou moeten vallen enigszins. 'Dan zullen we vanavond als de schemering invalt met de koningen en onderhoofdmannen overleggen.' Ik draaide me om naar Vulferam. 'Stuur boodschappers naar elke stam: ik zal als de zon ondergaat hier in dit bosje een oorlogsraad houden.'

In het westen zakte de zon achter de heuvels van het Teutoburgerwoud, waardoor de valleien en kloven in duisternis gehuld werden. In en rond het Bos van Donar waren grote vuren ontstoken die de onderkant van de overhangende takken overspoelden met een flakkerend, gouden licht en spookachtige schaduwen wierpen op de lugubere vruchten die eraan bungelden. Ik had rond een van de vuren tafels in een vierkante opstelling laten plaatsen, opdat geen enkele man, en ik zeker niet, kon zeggen dat hij aan het hoofd zat. Niemand mocht met meer eer worden behandeld, wilden we dit broze verbond in stand houden. Adgandestrius wist toch weer iets te vinden waaruit minachting zou blijken omdat de bank waarop hij en zijn volgelingen zaten iets lager leek te zijn dan de andere, maar nadat ik met hem had geruild was er nergens meer iets op aan te merken en kon het beraad beginnen.

We dronken drie volle hoorns bier als eerbetoon aan onze goden, onze voorvaderen en onze vrouwen en toen stond ik op en keek ik naar de bebaarde gezichten die gloeiden in het licht van het vuur. Iedereen, jong en oud, had een nauwelijks verholen verwachtingsvolle blik op zijn gezicht, als kinderen op de vooravond van de winterzonnestilstand. Zelfs Adgandestrius leek begerig.

Ik heette ze een voor een welkom. 'Ik wil graag weten hoe sterk we zijn. Ik zal de tafel rondgaan en elke stam vragen hoeveel krijgers ze hebben meegenomen naar het woud. Dik de aantallen alsjeblieft niet aan. Het is al goed dat jullie hier zijn; het is niet belangrijk of jullie met meer of minder man zijn dan de anderen.'

Siegimeri nam als eerste het woord en vertelde dat er achtduizend Cherusken waren. Dat leidde tot een ongelovige blik van Adgandestrius, die zei dat hij vijfduizend mannen had meegebracht en vervolgens beweerde dat vijfduizend Chatten een goede partij zouden zijn voor achtduizend Cherusken. Ik pakte mijn vader bij de schouder om te voorkomen dat hij zou opstaan om die bewering tegen te spreken; dat had vast en zeker tot een ruzie geleid.

'We komen nergens als we blijven kibbelen en de anderen proberen op te hitsen en de loef af te steken,' zei ik zo rustig mogelijk. 'Bedankt dat je vijfduizend man hebt meegebracht, Adgandestrius. Mogen ze goed vechten.'

'Ze zullen vechten als oorlogsgoden.'

'Daar ben ik van overtuigd,' zei ik naar waarheid, en daarmee snoerde ik de arrogante koning van de Chatten de mond.

De andere vier koningen noemden hun aantallen en ik kwam op een totaal van iets meer dan dertigduizend krijgers. 'En met mijn vierhonderdtachtig cavaleristen en de drieduizendtweehonderd hulptroepen in de vier Germaanse cohorten zijn we in totaal met iets minder dan vijfendertigduizend mannen. Dat zou genoeg moeten zijn, mijn vrienden, mits we ze allemaal op hetzelfde moment in actie kunnen laten komen.' Ik pauzeerde en keek elke koning afzonderlijk aan. 'Maar om te slagen moeten jullie vertrouwen hebben in onze overwinning. Als de hulptroepen zich samen met mijn vaders achtduizend Cherusken tegen de colonne keren, moeten jullie geloven dat onze opzet slaagt en we de colonne in drie delen uiteen kunnen slaan. Als jullie de stammen op dat moment niet het sein geven dat ze moeten aanvallen, lopen we het risico dat we elk voordeel kwijtraken en geven we Varus de kans om zijn troepen te hergroeperen en ze een defensieve positie te laten innemen waar we niet meer doorheen kunnen breken. Er zal een vergelding komen en Rome zal ons nooit meer vertrouwen. Germania zal verloren zijn en het westen zal tot het einde der dagen Latijns zijn. Dat is iets waarvoor de kinderen van onze kindskinderen ons zullen vervloeken, en geloof me als ik zeg dat ze dat niet in onze taal zullen doen, maar in de taal van onze vijand.'

Het bleef stil rond de tafel toen mijn grimmige woorden bezonken. Misschien had ik het iets overdreven, maar niemand zou me daarvan beschuldigen, omdat hij dan zelf zou worden beticht van het onderschatten van de dreiging die onze cultuur in gevaar bracht. Na verloop van tijd klonk er gepraat toen de verschillende koningen met hun achterban in beraad gingen. De Cherusken wachtten in stilte af, want onze taak stond al vast: wij zouden de aanval leiden.

Uiteindelijk stond Engilram van de Bructeren op en gaf met zijn vuist een klap op de tafel. Alle ogen werden op hem gericht. 'De Bructeren zullen niet toekijken als de Cherusken vechten. Wij zullen aan de eerste aanval deelnemen en ik zal mijn krijgers persoonlijk aanvoeren en de eerste van mijn stam zijn die Romeins bloed laat vloeien.' De oude koning werd door zijn stamhoofden toegejuicht terwijl hij weer ging zitten en de rest van het gezelschap begon te mompelen en elkaar boze blikken toe te werpen, tot Adgandestrius opstond en een vinger op mij richtte. 'Vertrouw jij op het leiderschap van deze welp, Engilram? Wil jij de levens van je mannen op het spel zetten in een...'

'Genoeg!' riep ik zo hard dat ik er zelf van schrok. 'Probeer geen invloed uit te oefenen op de beslissing van de anderen, Adgandestrius. De Bructeren willen naast de Cherusken vechten, dus sta dat toe. Jij hebt aangegeven dat je wilt afwachten hoe de dag verloopt voordat je besluit of de Chatten zich in de strijd mengen of wegglippen om de toorn van Rome te ontlopen als het erop lijkt dat we zullen falen. Ik ben blij dat jullie er zijn, laten we het daarbij houden.' Ik stond langzaam op en liet het volume van mijn stem dalen. 'Laat eenieder doen wat hem het beste lijkt voor de mensen die hij onder zijn hoede heeft, maar laten we ook proberen onze meningen niet aan elkaar op te dringen. Laten we dit op een vreedzame wijze doen.' Er klonk een instemmend gemompel rond de tafel. 'Volgens mijn verkenners bevindt Varus zich nu direct ten zuiden van het Teutoburgerwoud, dus morgen zal ik boodschappers naar hem toe sturen met het verzoek om zijn assistentie in het noorden. Om geen argwaan te wekken vraag ik hem enkel een legioen te sturen, en dan zullen we zien of hij iedereen meeneemt.'

Adgandestrius spuugde minachtend op de grond. 'Hij kan niet eens garanderen dat we ons in de juiste positie bevinden om Varus in een hinderlaag te laten lopen.'

Hrodulf van de Chauken gaf een klap op de tafel. 'Klopt. Dat kan hij niet, Adgandestrius, maar hij biedt ons tenminste wel een kans. Laten we hem daarvoor dankbaar zijn en laten we tot de goden van ons land bidden dat Varus met zijn Romeinse arrogantie dit bos in komt denderen. De Chauken zullen ook met Erminatz meevechten.'

Nu een derde stam had toegezegd aan het begin van de aanval mee te doen, nam mijn hoop op succes toe. 'Dank je, Hrodulf. Moge de Donderaar jou en je volk beschermen.' Ik ging weer zitten en haalde diep adem, want we waren bijna op het punt aanbeland dat er geen weg terug was. 'De boodschapper zal morgen rond het middaguur vertrekken. Dat betekent dat Varus, als hij met alle drie de legioenen komt, drie dagen later ongeveer op deze plek zal zijn. Drie dagen, mijn vrienden, nog maar drie dagen dat we moeten leven als slaven.'

Adgandestrius wilde daar nog iets aan toevoegen, maar mijn blik deed hem van gedachten veranderen en hij hield zijn mond.

Ik kon echter raden wat hij had willen zeggen, en hij zou gelijk hebben gehad: of nog maar drie dagen dat we überhaupt zouden leven.

Egino vertelde me naderhand dat Varus geen moment had geaarzeld toen hij mijn eerste boodschap ontving. Hij had de colonne laten stilhouden en kwam met het nieuwe bevel dat ze het Teutoburgerwoud moesten doorkruisen, ondanks de protesten van de weinige overgebleven Romeinse officieren in zijn gevolg. Hij kon er echter niet vanaf worden gebracht en noemde, tot mijn spijt, mijn vriendschap als belangrijkste reden om met de hele colonne dwars door het bos te trekken. Tot mijn spijt, omdat het niet bepaald waardig is om iemand met een valse vriendschap in de val te lokken, hoe goed de beweegredenen ook zijn. Desalniettemin nam hij een noordelijke koers aan, maar niet alleen met de legioenen en hulpcohorten: de idioot nam de complete bagagekaravaan en alle kampvolgelingen mee. Dit was al een enorme last onder gunstige omstandigheden, op een rechte, goed aangelegde weg, maar op heuvelachtig terrein met veel bomen en struiken zouden de wagens en vrouwen de colonne zozeer vertragen dat ze nog geen tien mijl per dag konden afleggen. En dat was niet het enige: de langzaam voortbewegende karavaan zou de colonne bijna vier mijl lang maken en flink verzwakken, waardoor de kans toenam dat wij hem op twee plaatsen konden doorbreken om de strijdmacht stukje bij beetje te vernietigen.

En dus stuurde ik boodschappers naar de vier prefecten van de hulptroepen, die zich aan hun woord hadden gehouden en Varus hadden overtuigd van het belang om hen als verkenners vooruit te sturen naar het oosten en westen. Ze zouden mij op de hoogte houden van Varus' route terwijl Engilram, Hrodulf en ikzelf onze krijgers in positie brachten aan weerskanten van een zeer bosrijke vallei die midden op de route van de Romeinen leek te liggen. Daar wachtten we, terwijl we elke paar uur op de hoogte werden gebracht van de voortgang van de trage colonne. Varus was zo verstandig geweest om wegbereiders vooruit te sturen om een brede baan tussen de bomen vrij te maken, zodat de colonne in strakke formatie in een rechte lijn door het bos kon marcheren. Dit was echter een tijdrovend proces en hij stond twee van de drie uur stil terwijl de mannen vooraan zich met bijlen en zagen in het zweet werkten om zoveel bomen te vellen dat de colonne met acht man breed zijn route kon vervolgen.

Het kostte hun twee dagen om de plek die ik voor de aanval had uitgekozen te bereiken, en in die tijd stuurde ik steeds dringendere boodschappen waarin ik Varus aanspoorde op te schieten. Maar eindelijk, op een dag vol donder en regen, de op vier na laatste dag van de maand die de Romeinen september noemen, doemden de eerste cavalerieverkenners op in de stromende regen en klonk in de verte achter hen het geluid van de bijlen en zagen van de wegbereiders. Varus had, uit eigen beweging, zijn leger naar de executieplaats gebracht.

'Stop hier even, Tiburtius,' onderbrak Thumelicatz het verhaal. 'Misschien kun jij onze gasten wat meer vertellen over hoe het was in de colonne die traag door het bos trok. Als Adelaardrager van het Negentiende Legioen moet je bijna achteraan hebben gelopen.'

De oude slaaf keek zijn meester aan en knipperde een paar keer snel met zijn nattige ogen voordat hij de perkamentrol neerlegde en ergens in de verte staarde om zich een lang vervlogen en vergeten tijd weer voor de geest te halen.

Iedereen in de tent wachtte in stilte af terwijl de oude man door diep weggestopte herinneringen groef en naar boven haalde wat zijn meester van hem wilde horen.

'We vertrouwden het oordeel van de generaal niet,' begon Tiburtius terwijl zijn stem met elk woord zelfverzekerder klonk. 'Natuurlijk moesten we helpen de opstand neer te slaan, daar kon niemand iets op aanmerken, maar iedereen met enige militaire kennis kon zien dat deze tocht door een glooiend landschap, dat meer bebost dan ontgonnen was, met een complete karavaan op sleeptouw, op zijn minst onbezonnen was. Mijn legioen bevond zich achter in de colonne, net voor de achterhoede.' Hij probeerde de lach die bij de gedachte aan zijn legioen over zijn gezicht trok te verbergen. 'We hadden die ochtend net buiten het kamp van de voorafgaande nacht twee uur in marsorde moeten wachten tot het voorste deel van de colonne zo ver vooruit was gekomen dat wij ook een stap konden verzetten. De jongens waren nerveus, ze wisten genoeg over de Germaanse bossen om bang te zijn voor de geesten die zich er ophouden en niemand wilde langer dan noodzakelijk op die spookachtige plek blijven. Wat het nog erger maakte, was dat veel van de oudere officieren er niet bij waren omdat ze voor de winter naar Rome waren teruggekeerd.' Hij schudde meewarig met zijn hoofd. 'Ik denk dat dat een van de belangrijkste factoren was die bijdroegen aan de ramp.'

'De overwinning,' verbeterde Thumelicatz hem, maar op een niet te strenge toon.

'Inderdaad meester, de overwinning, ja. Het ontbreken van mannen met een hoge rang en ervaring gaf de jongens een ongemakkelijk gevoel terwijl ze die ochtend wachtten tot het achterste deel van de colonne in beweging kwam. Omdat onze legaat en de prefect van het kamp waren teruggekeerd naar Rome werden we aangevoerd door Marcellus Acilius, de krijgstribuun met een brede band. Zoals u wel zult kunnen raden, was hij een jonge man van nog geen twintig, een aristocraat zonder militaire ervaring die zich pas die zomer bij het legioen had aangesloten.'

'Even nuttig als een vestaalse maagd in een pijpwedstrijd,' merkte de straatvechter met verstand van zaken op.

Tiburtius was even stil en uitte toen een rauwe lach alsof hij al heel lang niet meer had gelachen. 'Precies. Nog minder nuttig, zelfs, want hij dacht dat hij alles wist wat er over het leger te weten viel, omdat zijn vader, grootvader en elke andere voorvader die je kunt noemen onder de Adelaars had gediend. Met zijn arrogantie van een in de watten gelegde jongeling was hij waarschijnlijk nog erger dan een compleet afwezige aanvoerder van het legioen.'

'Erger dan een man te weinig.'

'Exact. Zo dachten wij er allemaal over. Maar goed, we bereikten de vallei, die ongeveer twee derde mijl breed was en werd omringd door met beuken en dennen begroeide hellingen. Toen we de vallei betraden, werd de lucht donker en begonnen we de beklemmende kracht van het landschap te voelen. De centuriones en optiones deden hun best om de jongens gerust te stellen, maar jullie weten hoe bijgelovig soldaten zijn. Toen we door de vallei trokken was elke centurie doodsbang. Mannen spuugden op de grond en hielden hun duimen tussen hun vingers om het boze oog af te wenden en ze bleven maar om zich heen kijken. De oudste centurio – de *primus pilus* was in Rome – probeerde een paar liederen in te zetten, maar ze klonken weinig geestdriftig en vielen na een paar coupletten stil. En toen begon het te regenen. Aanvankelijk niet heel erg, maar genoeg om ons klam en ellendig te voelen. Na een uur begon het echter zo hard te plenzen dat het leek alsof alle goden op ons stonden te pissen en toen klonk er een donderklap alsof ze allemaal tegelijk een scheet lieten. Zo sjokten we stuurs verder en kwam de colonne elke halve mijl als een harmonica in elkaar schuivend tot stilstand omdat er meer bomen moesten worden geveld of een stroompje moest worden overbrugd. En dan liepen we weer verder in de schijt en pis van de bagagekaravaan die voor ons uit schoof. Zo nu en dan passeerden we achtergelaten wagens, met assen die waren kapotgetrokken door uit de grond stekende boomwortels, of kreupele lastdieren die zichzelf maar moesten zien te redden. Erop terugkijkend denk ik dat die ezels nog geluk hebben gehad. De hele dag strompelden we voort, worstelend om onze formatie van acht man breed in stand te houden terwijl we weg glibberden in de diepe modder die door de duizenden mannen en lastdieren voor ons was omgeploegd. Zelfs als de colonne zich sneller had voortbewogen, hadden we niet meer kunnen doen, want onze benen begonnen pijn te doen bij elke stap die we in dat moeras zetten, en na zes uur waren we uitgeput. Toen werden we door de eerste werpspiesen getroffen.'

Thumelicatz hief zijn hand op. 'Dat is genoeg, Tiburtius. Je loopt op mijn vaders verhaal vooruit. Lees maar verder.'

De oude slaaf pakte de perkamentrol op en tuurde ernaar in het zwakker wordende licht.

Daar tussen de bomen, beneden in de vallei, verschenen de eerste mannen van Varus, klein door de afstand, en ik wist dat het komende uur de geschiedenis voorgoed zou kunnen veranderen. Ik leidde mijn paard naar rechts, waar de eerste verkenners van de hulpcohorten in plukjes verschenen en trof Egino vlak achter hen, voor zijn eigen groep mannen. 'Laat je mannen hier halt houden, Egino. We laten de colonne doorlopen tot het tweede cohort van het voorste legioen zich op jullie hoogte bevindt, en dan slaan jullie toe. Stuur een boodschapper naar Gernot en laat hem een positie innemen waar hij het tweede cohort van het derde legioen kan overvallen. Hrodulf en Engilram geven dezelfde bevelen aan de twee cohorten op de heuvel aan de overkant.'

'En waar zijn jouw krijgers?' vroeg Egino terwijl hij zijn blik over de heuvel naar de top, vijftig passen verderop, liet gaan.

'Net achter de top houden zich achtduizend Cherusken schuil en aan de andere kant zitten achtduizend Chauken en Bructeren. Mijn cavalerie-ala is een mijl vooruitgegaan om de verkennerscavalerie van het legioen op te wachten. De Marsi en de Chatten wachten achter de Cheruskische krijgers af hoe de strijd zich ontwikkelt en de Sugambren zitten daar, achter de Chauken.' Ik wees naar de heuvel aan de overkant, op iets meer dan een halve mijl afstand, en bad dat wat ik zei klopte en geen van de stammen zich op het laatste moment had bedacht en ervandoor was gegaan. 'De regen is in ons voordeel.'

Egino knikte met een grimmige blik, wat vrij logisch was voor een aanval op drie legioenen. Hij liet zijn cohort stilhouden en stuurde een van zijn jonge officieren terug met een boodschap voor Gernot. Toen de cohort formatie aannam, vier rijen dik, met de gezichten heuvelafwaarts gericht, stuurde ik mijn paard naar de top, waar ik mijn vader vond, in zijn volledige oorlogsuitrusting: een bronzen helm met twee zwijnentanden, een tuniek van maliën, zilveren armbanden, een leren broek en een lang zwaard in een sierlijk gedecoreerde schede naast een grote strijdhoorn aan zijn zij. Hij hield zijn speer en ovale schild, versierd met de Cheruskische wolf, omhoog om me te begroeten. Het water drupte van zijn helm op zijn grijzende baard en hij deed alsof hij de strijdkreet uitte die hij graag had laten horen als we niet onopgemerkt moesten blijven. Mijn hart maakte een sprongetje van de vreugde die ik voelde; na al die jaren zouden we eindelijk wraak nemen. Achter hem was Segestes aan een boom vastgebonden. De regen spoelde het bloed van zijn opgezwollen, kapotte lippen en mijn oom stond er als bewaker bij.

'Laten jullie hem gaan als het voorbij is?' vroeg ik terwijl ik naast mijn vader afsteeg.

'Uiteraard. Ik wil niet de moordenaar van mijn neef zijn.'

'Hij zou jouw moordenaar zijn als hij Varus nu tegen het lijf liep.'

'Maar dat kan hij niet en ik laat hem leven. Is Varus al in zicht?'

Ik knikte en omhelsde mijn vader zodat onze maliën langs elkaar streken. 'Dit is voor de tijd die ze ons hebben afgenomen, vader, en voor het verdriet van mijn moeder omdat ze haar zoons niet kon zien opgroeien en voor wat mijn zus moet hebben gevoeld toen ze haar haar broers afnamen.'

Hij klopte me op mijn rug en hield me toen op een armlengte bij de schouders vast terwijl hij me aankeek alsof het de laatste keer was. 'We zien elkaar weer bij Varus' lijk.'

'Reken maar, vader.'

Hij draaide zich om en zwaaide naar Vulferam, die honderd passen verderop tussen de bomen zat. Hij stak zijn getrokken zwaard in de lucht en plotseling sprongen er achter hem duizenden krijgers uit de begroeiing op. Ze strekten zich uit naar rechts, in de richting van de achterzijde van de Romeinse colonne, zo ver als het oog reikte. In stilte bewogen ze zich voorwaarts; de rijkere waren uitgerust met zwaarden en speren en droegen helmen, pantsers en schilden; de armere droegen niets op hun boven op hun hoofden samengebonden haren en hadden niet meer bescherming dan een leren wambuis en een grof, gevlochten schild en enkel een speer en enkele ruwe werpspiesen als bewapening. Maar hoe ongelijk hun wapenrusting ook was, ze hadden allemaal een even groot verlangen om de nederlaag die Drusus hun al die jaren geleden had toegebracht te wreken. De nederlaag die ertoe had geleid dat mijn vader zijn zoons als gijzelaars aan Rome moest afstaan en de trots van de Cherusken werd begraven onder het Romeinse belastingstelsel.

Mijn vader en ik leidden onze krijgers samen naar de top van de heuvel. Mijn hartslag nam met elke stap toe en ik bad dat Engilram en Hrodulf aan de andere kant van de vallei hun krijgers naar voren begeleidden om de hulptroepen te ondersteunen en dat ze zich vervolgens aan mijn bevelen zouden houden.

De zorgen verdwenen echter uit mijn gedachten toen ik de top bereikte en naar de vallei beneden me keek. Tussen de regen en de bomen door was het eerste cohort van het Zeventiende Legioen zichtbaar. Dat was de elite-eenheid van het legioen en daarom het cohort dat ik als eerste wilde isoleren en uitschakelen.

Het moment was daar. Ik wist met zekerheid dat we nu moesten toeslaan, nu het gat tussen het eerste en tweede cohort zichtbaar werd. Ik trok mijn gezichtsmasker omlaag en gebaarde naar mijn vader, die de krijgshoorn aan zijn lippen zette en een machtig geluid voortbracht dat tussen de bomen weergalmde.

En de Cherusken joelden terwijl ze zich naar voren drongen, zwaaiend met de werpsperen die ze loslieten toen ze op gelijke hoogte kwamen met de twee cohorten van de hulptroepen die hun eerste salvo van zestienhonderd werpspiesen op de Romeinen afvuurden. In de eerste momenten van de hinderlaag kletterden er bijna tienduizend dodelijke projectielen neer op de onbeschermde legioensoldaten. Hoewel veel ervan hard afketsten op de bomen, vloog een groot deel recht op hun doel af, een paar tellen later gevolgd door een tweede, bijna even groot salvo dat dood en paniek zaaide in de snel uiteenvallende colonne. Ik wierp een spies weg, uitte de strijdkreet van mijn voorvaderen en denderde de heuvel af terwijl ik mijn zwaard met een flits uit de schede trok. Overal langs de Romeinse marsroute lagen mannen op de grond te kronkelen, getroffen door de dodelijke stortvloed die zich vermengde met de natuurlijke regen die het pad, samen met het bloed dat uit de verse wonden stroomde, in een moeras veranderde.

Maar er bleven meer legioensoldaten overeind dan dat er vielen, en deze troepen van de hoogste orde hadden maar weinig tijd nodig om hun schilden van hun rug te trekken en een verenigd front te vormen. De acht man brede colonne draaide zich naar ons toe als een acht rijen diepe linie; en dat was het moment waarop Hrodulf en Engilram van mij moesten wachten.

En dat deden ze.

Terwijl wij omlaag holden met ontblote tanden, vol haat, onze baarden achter ons aan wapperend en onze ogen groot van angst en strijdlust, kwam het salvo waarvan ik hoopte dat het de Romeinse samenhang zou breken achter in hun linie terecht, waar het onbeschermde halzen en ledematen doorboorde en angst zaaide in de achterste rijen toen ze doorkregen dat ze van beide kanten werden aangevallen. Maar ze bleven gedisciplineerd, ondanks de schok van een tweede hinderlaag. Een nieuwe dodelijke stortbui daalde op hen neer terwijl de achterste rijen hun schilden naar de nieuwe dreiging probeerden te draaien. Tientallen Romeinen werden neergemaaid en er ontstonden gaten die ze met moeite gedicht kregen terwijl wij hen insloten.

Nu kregen ze hun tegenstanders in het oog en de schrik tekende zich op veel gezichten af toen ze ontdekten dat het niet alleen Germaanse krijgers waren, maar ze ook de uniformen en schildpatronen van hun hulptroepen herkenden. De hulptroepen dienden om de legioenen te beschermen en hun waardeloze levens te geven in plaats van die van de waardevollere burgers in de legioenen, maar nu deden ze iets ondenkbaars: ze hadden zich tegen hun beteren gekeerd. Met een doordringend geluid van ijzer tegen ijzer dat de woeste strijdkreten en het wanhopige geschreeuw van de gewonden bijna overstemde stortten Egino's mannen zich op het Zeventiende Legioen, midden in de kloof tussen het eerste en tweede cohort. Even later stortten mijn Cheruskische krijgers zich op de rest van dat legioen en het Achttiende erachter terwijl een derde salvo van de mannen van Hrodulf en Engilram op de net gevormde muur van schilden neerkletterde. Ik ramde de uitstulping op mijn schild tegen het rechthoekige schild van de legionair voor me en stootte de punt van mijn zwaard eroverheen richting zijn wegduikende hoofd, waardoor er een deuk in zijn helm ontstond. Er trok een huivering door de Romeinse gelederen op het moment dat ze van achteren werden aangevallen en de acht rijen ineen werden gedrukt waardoor de mannen zo dicht op elkaar kwamen te staan dat ze met hun zwaarden niets meer konden uitrichten.

Mijn Cherusken voelden aan dat hun tegenstander het zwaar had en joelend ramden ze hun zwaarden tegen schilden en staken ze met hun speren in de openingen ertussen. Ze doorkliefden vlees, braken botten en brachten ernstig letsel toe met het plezier van mannen die lange tijd door de bezetter aan banden waren gelegd, maar nu waren vrijgelaten om de opgekropte woede die vernedering met zich meebrengt te ventileren.

En ze hakten en verminkten in zo'n razend tempo dat de regen het bloed niet kon verdunnen voor het de grond raakte. De zachte modder werd zo plakkerig dat voeten erin vast kwamen te zitten en zowel legioensoldaten als krijgers zich steeds trager konden voortbewegen. Het zou een moeizame strijd zijn geworden, ware het niet dat er één cruciale factor was: de legioensoldaten vochten als een samenhangend geheel, maar mijn krijgers vochten als een verzameling individuen. De man-tegen-mangevechten namen dus af toen de legionairs, die wisten dat ze anders weggevaagd zouden worden, schouder aan schouder oprukten, hun rijen sloten en een muur van met leder versterkt hout vormden. De lemmeten van de Romeinse vechtmachine, die we allemaal kenden uit onze ergste nachtmerries, begonnen aan hun dodelijke werk en flitsten snel op en neer in de nu nog maar smalle openingen tussen de schilden. Ze troffen ons als de steken van een zwerm hoornaars. Mijn krijgers, razend om dit verzet, trokken zich terug en wierpen zich vervolgens tegen de muur. De een ramde zijn bij de schouder versterkte schild ertegenaan terwijl de ander een goed gerichte trap uitdeelde, niet als één man, maar stuk voor stuk als ze weer waren opgekrabbeld en nieuwe moed hadden verzameld om weer een poging te wagen de Romeinse eenheid uiteen te slaan. Maar ondanks dat ze van alle kanten werden aangevallen, bleef het legioen een geheel.

Ik trok me terug uit de strijd, tot achter onze angstigere mannen die liever moed toonden door beledigingen te roepen en valse uitvallen richting de vijand te doen, en rende weer een stuk de heuvel op. Mijn vader kwam bij me staan. Hiervandaan kon ik zien dat het Zeventiende Legioen, ondanks de grote overmacht, stand hield. Alleen Egino's hulptroepen, rechts van me, hadden vorderingen gemaakt: samen met het hulpcohort dat van de heuvel aan de overkant was gekomen hadden ze het eerste cohort van het legioen afgesneden. Maar de voorhoede van het legioen had desondanks nog genoeg strijdlust en vocht als een wolf.

Op dat moment wist ik dat het ons niet zou lukken hen te breken – niet op dat moment – maar misschien konden we die afgesneden voorhoede bedwingen.

'Genoeg, Tiburtius,' zei Thumelicatz, waarmee hij zijn gasten weer naar het heden haalde. Hij richtte zich tot de andere slaaf. 'Aius, jij zat in die voorhoede. Vertel ons wat jij je ervan herinnert.'

De blik van de eens trotse Adelaardrager van het Zeventiende Legioen werd wazig toen hij terugging naar de laatste herinneringen aan zijn vorige leven. 'Het kwam plotseling en uit het oosten. Het kwam zonder waarschuwing, maar hoe kon dat ook anders als juist de eenheden die ons moesten waarschuwen ons nu aanvielen? Werpspiesen van de hulptroepen suisden overal rond; een aantal kwam tegen het handvat van de Adelaar die ik hooghield, waardoor hij heen en weer zwaaide en ik wankelde in mijn poging om hem overeind te houden – een Adelaar die op de grond viel was het slechtste voorteken. Er klonk hoorngeschal en centuriones brulden bevelen. Ik zakte op een knie neer om mijn evenwicht te hervinden en dat bleek mijn redding toen Pompilius, de *cornicen*, naast me een gesmoord geluid uit zijn hoorn liet komen en opzij omviel met een werpspies in zijn slaap en een verraste blik in zijn ogen. Voor ons kwamen de wegbereiders die het pad vrij hadden gemaakt terug gerend terwijl een nieuw salvo rond mijn hoofd kletterde. En toen zag ik dat het onze hulptroepen waren, het cohort van de Marsi, als ik het me goed herinner, toen hun gedaanten tussen de bomen uit kwamen, omhuld door regen, als onze ergste nachtmerrie: bondgenoten die verraad pleegden. Ik voelde hoe mijn kameraden mij tussen hen in trokken om onze vogel, zoals we de Adelaar noemden, te beschermen en toen trok de schok van de inslag door onze gelederen. Ze hadden de achterste helft van het cohort getroffen, maar we konden het in de voorste rijen voelen, en terwijl we ons probeerden om te draaien om onze kameraden achter ons te beschermen, daalde er een nieuwe stortvloed van projectielen op ons neer, ditmaal uit het westen. Fabius, de primus pilus, was met verlof naar Rome gegaan, dus de op een na oudste had zijn taak overgenomen. Zwaaiend met zijn zwaard draaide hij zijn centurie naar het westen om de nieuwe dreiging het hoofd te bieden, maar toen werden we door weer een salvo getroffen. De wegbereiders voegden zich nu bij ons, schreeuwend dat een vijandige cavalerie voor ons de honderdtwintig legioensruiters in de voorhoede had gedood. Het moest een geweldige val zijn geweest als niemand had kunnen ontkomen.

Toen kwam de tweede aanval vanuit het westen. Nog meer hulptroepen, maar dit keer troffen ze de voorzijde van ons cohort, waardoor wij met kracht werden omgedraaid en ik vanaf waar ik stond de hele colonne kon overzien, en wat ik zag benam me de adem: duizenden barbar... duizenden Germaanse krijgers waren de heuvel af gekomen, in een rij die ons legioen – dat volgens de standaard twaalfhonderd passen lang was – bestreek en ongetwijfeld ook het Achttiende achter ons en misschien zelfs de karavaan en het Negentiende. Mijn maten vielen bloedend neer, ik hoorde overal schelden en vloeken terwijl ik daar onbeweeglijk stond met onze vogel in de lucht en de standaarddrager van het eerste cohort naast me, in een poging onze jongens iets te geven waaromheen ze zich konden formeren. En dat deden ze, langzaam. Terwijl ze de schok en angst van de verrassing te boven kwamen, vielen ze terug op de discipline die in elke legionair wordt gestampt en die een tweede natuur is voor de veteranen van het eerste cohort. De schilden kwamen omhoog en de schouders werden tegen elkaar aan gedrukt. De mannen in de tweede, derde en vierde rij in beide richtingen vormden een dak, ondanks dat er geen projectielen meer op ons neervielen nu er man tegen man werd gevochten. En daar hadden wij een voordeel op de hulptroepen, die meer verspreid vochten zodat ze hun lange spathae konden rondzwaaien en op ruig terrein uit de voeten konden. Maar wij sloten de gelederen, zodat er drie legioensoldaten op elke twee hulptroepen waren. Ondanks dat ze ons van de colonne hadden afgesneden, wisten we ons af te sluiten en alle aanvallen af te weren, zodat ze niet tussen de gelederen konden komen.'

Aius glimlachte bij de herinnering. 'Ze hadden evengoed het badhuis in het kamp kunnen aanvallen. En toen klonk er een stem, nauwelijks hoorbaar boven het lawaai van de strijd en de regen: "Voorwaarts! Voorwaarts! Vooruit, mannen van het Zeventiende! Vooruit! Als jullie blijven staan, gaan jullie allemaal dood." Het bevel werd overgenomen door onze centuriones en optiones en we begonnen voorwaarts te bewegen, stapje voor stapje, terwijl de buitenste rijen de krachtige klappen van de vijand met hun schilden opvingen en met hun zwaarden in de richting van tegenstanders staken, meer met de hoop iets te raken dan met een verwachting. Hoe lang we op deze manier vooruit schuifelden weet ik niet meer, maar na een tijdje klonk er achter me gejuich, Romeins gejuich, en al snel trok het nieuws door het cohort dat we niet meer waren afgesneden: het tweede cohort had zich bij ons aangesloten, de colonne was weer compleet en de generaal had de voorhoede bereikt. Varus was bij ons en bracht ons naar een plek waar we ons kamp konden opzetten. Het idee alleen al vervulde ons van hoop en ik liet de Adelaar zakken als teken van onze opmars, alsof we gewoon onze marsroute volgden en niet door een bebost dal met aan weerskanten vijanden ploeterden.'

'En dat is het prachtige van de befaamde discipline van de Romeinse legioensoldaat,' onderbrak Thumelicatz Aius' monoloog. 'Door als één man op te treden konden ze een groot aantal vijanden afweren. Welke generaal dacht ook alweer dat een inzet van zeven tegen één niet ondenkbaar was? Dat maakt ook niet uit. Aius, de volgende perkamentrol, en begin op het punt waar je bent opgehouden, als Varus de voorhoede van de colonne bereikt.'

HOOFDSTUK XI

Ik kon wel janken van frustratie: het beeld van de vijand, omgeven met een schijnbaar ondoordringbare muur van leer en hout, die zich langzaam voortbewoog en onderwijl de ongecontroleerde aanvallen van mijn mannen afweerde, en er was niets wat ik kon doen. Wat wenste ik op dat moment dat ik artillerie had, maar daar schoot ik natuurlijk niets mee op.

Ik moest een manier bedenken om de verdediging van de colonne te ontrafelen, om er vat op te krijgen en hem vanbinnen en vanbuiten af te breken. Eén ding was zeker – de levens van mijn krijgers op het spel zetten door hen maar op die muur af te laten gaan, alleen maar om te laten zien dat ze meer moed hadden dan de anderen, zou niet helpen. Mijn vader was het met me eens toen hij en Vulferam me aantroffen terwijl ik machteloos stond toe te kijken hoe de drie legioenen voortploeterden in de stromende regen. Hij zoog zijn longen vol lucht en blies drie tonen op zijn hoorn die door de vallei echoden en werden overgenomen door de andere stamhoofden, en geleidelijk staakten de krijgers en hulptroepen de strijd om zich aan beide kanten van de vallei terug te trekken op de heuvel. De colonne sjokte verder in noordwestelijke richting, waar volgens mijn boodschappers de opstand was uitgebroken.

En dat was het; ik kreeg ineens een ingeving. 'Vader, we laten ze verder trekken. Onze mannen moeten ze blijven bestoken met kleine aanvallen om ze nerveus te houden. Ze zullen halt houden zodra ze een geschikte plek hebben gevonden om hun kamp op te slaan.'

Mijn vader keek me sceptisch aan. 'En hoe wil je ze daar dan uit krijgen? Je hebt zelf gezegd dat onze mannen niet de discipline of de mentaliteit hebben om een belegering uit te voeren.'

'Dat hoeft ook niet. Ik zal ervoor zorgen dat hij morgen in noordwestelijke richting blijft trekken. We zullen hem uitputten en hem dan naar een plek van onze keuze dwingen. Ik moet met Engilram praten.'

'Je hebt gefaald, dus nu offer je de levens van de Cherusken op,' zei een onaangename stem op spottende toon achter me.

Ik hoefde me niet om te draaien om te weten dat Adgandestrius de heuvel af kwam. 'We hebben niet gefaald, Adgandestrius; we hebben alleen nog niet gezegevierd.'

'Je zei dat je ze bij de eerste aanval moest verslaan, hun formatie moest doorbreken en tussen de soldaten moest komen.' Hij wees omlaag naar de colonne die als een log geheel voorbijtrok terwijl onze mannen vanaf een veilige afstand schimpende opmerkingen riepen. 'Wat is dat, Erminatz? Dat is een intacte Romeinse formatie.'

Ik draaide me naar hem om en greep hem bij de kraag van zijn tuniek. 'Defaitisme is het toevluchtsoord van de angsthazen, Adgandestrius, en daar wil ik niet naar luisteren. Je hebt gelijk: de levens van de Cherusken staan op het spel als Varus overleeft en iemand hem vertelt wie hiervoor verantwoordelijk was; en ik ben er zeker van dat *iemand* hem dat zal vertellen. Daarom hebben we geen andere keus dan vol te houden en ervoor te zorgen dat Varus niet levend wegkomt. Dus we blijven ze bestoken. In dit weer komen ze maar langzaam vooruit en wij zullen ze blijven opjagen en uitputten. Vertrek maar, als je wilt, en breng je krijgers terug naar de hoon van hun vrouwen. De Cherusken blijven hier, en de Chauken en Bructeren hopelijk ook.'

'En de Marsi voegen zich bij hen.'

Achter Adgandestrius zag ik Mallovendatz, de jonge koning van de Marsi. Hij had een paar passen verderop, druipend van de regen, naar ons gesprek staan luisteren.

'Misschien hadden vijfduizend extra krijgers het verschil kunnen maken.' Mallovendatz pauzeerde en keek me aan. Hij leek zich ongemakkelijk te voelen terwijl hij naar woorden zocht. Uiteindelijk vond hij ze: 'Ik ben niet zo eervol geweest als Engilram of Hrodulf, en ik heb mijn stamhoofden horen mopperen toen we naar de aanval stonden te kijken; ze hadden er deel van willen uitmaken. Ik weet dat als ik ze nu het bevel geef te vertrekken, dat het laatste bevel zal zijn dat ik uitdeel. Ik heb dit afgelopen uur veel geleerd. De Marsi blijven en ik zal in de voorste gelederen vechten en het respect van mijn volk terugwinnen.'

Ik liet Adgandestrius los, zette mijn helm en vilten muts af en liet de regen het zweet wegspoelen. 'Je zult er geen spijt van krijgen, Mallovendatz. Ongeacht of je blijft leven of sterft, je naam zal worden geëerd door jouw stam en alle hier aanwezige stammen.' Ik keek Adgandestrius veelbetekenend aan.

'Ik hebt nooit gezegd dat we weggingen,' siste de koning van de Chatten.

'Je hebt ook niet gezegd dat je zult vechten.' Ik wendde me tot Vulferam. 'Stuur boodschappen naar onze hulptroepen: ze moeten aan weerskanten van de colonne net binnen hun zicht in positie blijven. Dan blijven die klootzakken wel op de toppen van hun tenen lopen.' Ik draaide me om naar Mallovendatz terwijl Vulferam in de hoosbui verdween. 'De stammen zullen om beurten aanvallen uitvoeren op verschillende punten in de colonne en proberen hem in tweeën te splitsen, dus...' Ik liet de rest in de lucht hangen, zodat hij weer wat respect kon verdienen bij zijn stamhoofden.

Mallovendatz begreep welk aanbod ik hem deed. 'Het zal de Marsi een eer zijn om de eerste aanval in te zetten.'

'En het zal mij een genoegen zijn om jullie in actie te zien.'

En zo voltrok de eerste dag zich terwijl de zon in het westen onderging, onzichtbaar achter dichte regenwolken en geteisterd door de wind, en elke stam een deel van de colonne aanviel en weer werd teruggedreven. De slachtoffers strompelden achter de marslinie aan, bedekt met plakkaten modder, de gewonde krijgers werden naar een veilige plaats gebracht, en de legioensoldaten werden met wisselende maten van genade bestookt, afhankelijk van het aantal kameraden dat de krijger met het mes in zijn handen die dag had verloren. En zo trokken ze verder. Varus liet de twee Gallische cavalerie-alae die hem trouw waren gebleven uitvallen doen in een poging onze infanterie te grazen te nemen. Er vielen hier en daar wat slachtoffers, maar nooit genoeg om me zorgen te gaan maken.

De nacht viel in en de regen nam maar niet af, en ook Varus gunde zijn mannen geen rust. Ze bleven in de colonne, niet in staat een kamp op te slaan in het bosrijke gebied, en trokken blindelings verder omdat het weinig zin had om stil te blijven staan. In de duisternis van de nacht konden we niet genoeg zien om aanvallen van betekenis uit te voeren, dus we stelden onszelf tevreden met het werpen van projectielen en afschieten van pijlen in de richting van waar hun formatie moest zijn. De uitroepen van pijn die af en toe klonken gaven ons moed, maar het was niet zozeer de bedoeling om soldaten te doden als wel ze op hun hoede te houden. Ze moesten hun schilden omhooghouden terwijl de vermoeidheid zijn tol begon te eisen en het moreel wegnam.

Onze krijgers mochten om beurten rusten, maar ik betwijfel of ze veel rust kregen in de doorweekte omstandigheden. Tegen de tijd dat de zon de nachtelijke lucht donkergrijs begon te kleuren, stonden onze mannen echter te popelen om weer een aanval op de colonne in te zetten.

En zo renden ze achter een salvo van werpspiesen aan dat zo was getimed dat het de colonne vlak voor de aanval zou raken. De legionairs hadden moeite zich staande te houden in de modderige aarde die al was omgewoeld door de duizenden militaire sandalen die hun waren voorgegaan. Pijn en dood vonden de mannen die waren gevat in ijzeren pantsers en zich verscholen achter hun halfronde schilden, maar ze gaven telkens weer evenveel terug als ze ontvingen, en waar we hen ook troffen, we slaagden er niet in de colonne in tweeën te splijten. Ze hadden de bagagekaravaan volledig in de colonne opgenomen en de legioensoldaten marcheerden aan beide kanten vier rijen dik, zodat er geen gaten ontstonden. Het ene cohort ging in het andere over en de legioenen versmolten met elkaar zodat de formatie een lange, ondoordringbare muur van zwaarbewapende mannen was geworden. En niet zomaar mannen, maar de beste soldaten van de wereld. We moesten ze uit elkaar krijgen, maar hoe?

Toen de tweede dag ten einde liep en de Romeinen eindelijk onder de overhangende bomen uit in een wat opener landschap binnen het bos kwamen, dat tot op zekere hoogte was ontgonnen en uit weidegrond bestond, wist ik dat ze ondanks de voortdurende regen een soort kamp zouden kunnen opslaan. Ik besloot de koningen en hun stamhoofden bij elkaar te roepen, want het was tijd voor een beraadslaging.

'Ze zijn begonnen hun kamp op te slaan op een stuk land voor begrazing, een paar mijl van hier,' vertelde mijn vader de bijeengekomen koningen en stamhoofden die op houtblokken rond een vuur zaten waarboven twee everzwijnen werden geroosterd. Boven ons hing een leren overkapping met een gat waardoor de rook kon ontsnappen. Iedereen behalve de Chatten had gevochten en was toegewijd. Onder ons werd de route van de legioenen verlicht door het vuur van de vele brandstapels waarop onze doden werden verbrand. Hun licht danste over de uitgeklede, bloedende lijken van een paar duizend legioensoldaten op de plaats waar de legioenen waren gepasseerd, een getuigenis van de toch wel wezenlijke schade die we die dag en de vorige hadden toegebracht. 'Het Negentiende Legioen heeft samen met de twee loyale cavalerie-alae een naar ons toe gerichte formatie ingenomen terwijl de andere twee legioenen alles opbouwen. We proberen het werk zo veel mogelijk te verstoren, maar de corveeploegen worden goed beschermd. Tegen de tijd dat de nacht invalt, hebben ze de buitenrand genoeg versterkt.'

Er klonk teleurgesteld gemompel, maar niemand wierp mij een verwijtende blik toe. De geur van het geroosterde vlees vulde de kring en herinnerde ons aan onze honger.

Ik haalde mijn schouders op. 'We kunnen niet voorkomen dat ze zich verstoppen in hun kamp, maar we kunnen er wel voor zorgen dat ze er niet al te veel slaap krijgen. We voeren in het vierde uur van de nacht een vuuraanval uit.'

'Waarom niet meteen als het donker is?' vroeg Engilram. 'Dan krijgen ze helemaal geen rust meer.'

'Omdat ik een pauze nodig heb om een boodschapper door de gelederen bij Varus te krijgen.' Deze opmerking werd door alle aanwezigen met verbijstering ontvangen, maar ik gaf geen opheldering. 'Engilram, jij kent het woud het beste van ons allemaal; als Varus verder trekt naar de zogenaamde opstand in het gebied van de Ampsivaren, komt hij dan langs een plek waar we hem kunnen insluiten en doden?'

De oude koning streek over zijn baard, met zijn ogen glinsterend in het licht van het vuur, terwijl hij in gedachten het enorme woud dat hij al zijn hele leven kende afspeurde. 'Er is een plek aan de rand van het Teutoburgerwoud,' zei hij ten slotte. 'Het is een bergpas die heel geschikt zou zijn. Op slechts een dag marcheren naar het noordwesten kom je bij een groot moerasgebied. Er loopt een weg tussen de westkant en een bergketen door. Veel van het land tussen het moeras en de heuvels is ontgonnen voor de landbouw en vormt een halve mijl brede strook die steeds smaller wordt. Als Varus in die richting marcheert, zou het een voor de hand liggende route zijn omdat hij naar een opener gebied buiten het bos leidt. Op een bepaald punt liggen de heuvels erg dicht tegen het moeras aan, waardoor er niet meer dan honderd passen open terrein is.'

Ik begreep precies waar hij op doelde. 'Gemakkelijk af te sluiten, bedoel je?'

'Inderdaad. Het hele gebied is ongeveer een mijl lang. Het wordt de Teutoburgerpas genoemd en het grenst aan een heuvel die wij in ons dialect de Kalkreus noemen.'

'Kalk Riese?'

'Precies. Het is er bebost, maar er is nauwelijks lage begroeiing, dus je kunt je er gemakkelijk voortbewegen terwijl je tegelijkertijd goed beschut bent. Op de top zijn de bomen weggehaald voor weidegrond. We kunnen elke krijger die we hebben met gemak op die heuvel verborgen houden terwijl we wachten op Varus. Maar hoe kunnen we ervoor zorgen dat hij die richting op trekt terwijl het veel verstandiger zou zijn om veilig binnen de omheining van het kamp te blijven, boodschappers op weg te sturen en te wachten op versterking?'

'Niet als hij denkt dat het complete noorden van Germania in opstand is gekomen en de aanval van vandaag een gecoördineerde poging was om te voorkomen dat hij mij te hulp kan schieten bij het herstellen van de orde.'

Er trok een trage glimlach over mijn vaders gezicht en hij keek me vol trots aan. 'Natuurlijk, Erminatz. Dat is goed denkwerk, zoals ik van mijn zoon verwacht. Als hij gelooft dat de leiders van de opstand willen dat hij in het kamp blijft en op hulp wacht, zal hij juist precies het tegenovergestelde willen doen. Maar hoe wil je hem op dat idee brengen?'

Ik keek naar Vulferam, die naast hem zat. 'Zou jij de rol van valse boodschapper op je willen nemen en na zonsondergang het Romeinse kamp binnen willen sluipen?'

'Zonder jou zou ik nog in de arena vechten, Erminatz; of, wat waarschijnlijker is, dood zijn. Ik kan je niets weigeren.'

Er werd instemmend geknikt, gebromd en gegromd.

'Dank je,' zei ik, hopend dat ik de man niet een zeer onaangename dood in joeg. 'Sluip in het tweede uur van de nacht het Romeinse kamp binnen. Eis dat je Varus moet spreken, omdat je een boodschap van mij voor hem hebt. Hij zal je herkennen en, met een beetje geluk, geloven als je hem vertelt dat ik geen kant op kan omdat ik tegen een overweldigende overmacht moet vechten en echt zijn hulp nodig heb om te voorkomen dat de opstand zich verder uitbreidt. Vertel hem dat de aanval van vandaag een poging was om te voorkomen dat hij mij zou komen helpen en dat de rebellen van plan zijn hem te verwoesten of zo lang mogelijk opgesloten in zijn kamp te houden terwijl ze het hele noorden opzetten tegen Rome.'

'Waarom zou hij mij geloven?'

'Omdat je hem ook zult waarschuwen dat de rebellen van plan zijn het kamp in het vierde uur van de nacht aan te vallen.'

Vulferam lachte zijn kapotte tanden bloot. 'Jij voert die aanval uit en hij zal ervan overtuigd zijn dat ik trouw ben aan Rome.'

'Precies.' Mijn gedachten gingen terug naar de avond van de brand waarop Lucius en ik hem hadden bevrijd. 'Hij zal niet in de gaten hebben dat je een vijand bent, omdat hij denkt dat je tegen dezelfde dreiging vecht.'

'Maar hij zal ook voorbereid zijn op onze aanval,' zei Adgandestrius, duidelijk vol afkeer. 'En dan verliezen we meer mannen dan wanneer het een verrassingsaanval was geweest.'

'Ik denk niet dat jij mannen zult verliezen, want je hebt nog steeds niet toegezegd mee te zullen vechten. Maar je hebt gelijk: degenen die hun krijgers hebben toegezegd zullen waarschijnlijk meer mannen verliezen dan anders het geval was geweest. Maar ik vind dat een eerlijke deal als Varus Vulferam gelooft en besluit om morgen verder te trekken, het open terrein in en naar de Kalk Riese. Stemmen jullie hiermee in, mijn vrienden?'

'De Marsi zullen doen wat nodig is,' stelde Mallovendatz. Zijn stamhoofden, die aan weerskanten van hem zaten, gromden hun goedkeuring in hun baarden en hielden niet verborgen hoeveel deugd het hun deed dat hun koning had besloten mee te vechten. Alle andere koningen stemden stuk voor stuk in, en Adgandestrius bleef als eenling achter toen Vulferam op pad werd gestuurd.

Het enige wat ik kon doen terwijl we de krijgers op de nachtelijke aanval voorbereidden, was bidden tot Loki, de god van list en bedrog, dat Varus Vulferam zou geloven. Later vertelde een van de slaven aan wie ik dit allemaal dicteer dat hij...

'Wacht,' onderbrak Thumelicatz het verhaal weer. 'Was jij dat niet, Aius?'

'Inderdaad, meester. Ik was in het praetorium toen Vulferam bij Varus werd gebracht.'

'En? Vertel.'

Aius boog zijn hoofd als erkenning van zijn meesters wil. 'Vulferam begroette Varus alsof hij ontzettend opgelucht was dat hij hem eindelijk had gevonden. "Generaal," zei Vulferam, moeizaam ademhalend, alsof hij net een zware inspanning had geleverd, "ik dank de goden van onze twee landen dat ik u heb gevonden. Arminius heeft me gestuurd om u dringend te verzoeken hem te komen helpen. De Ampsivaren zijn in opstand gekomen en de Frisii zullen met hen mee gaan doen als dit niet snel de kop wordt ingedrukt."

Ik weet nog dat Varus hem bevreemd aankeek, alsof hij niet helemaal kon begrijpen wat hij zag en hoorde. "Hoe ben je hier binnengekomen? We worden omsingeld door Germanen." "Dat weet ik, ze proberen te voorkomen dat u verder trekt. Maar ik ben een Germaan, niemand heeft me tegengehouden toen ik de vijandelijke linie overstak. Bovendien hebben ze het druk met de voorbereidingen voor een aanval. Het ziet ernaar uit dat ze in het komende uur of zo een vuuraanval willen uitvoeren."

Daarop gaf de generaal een aantal bevelen om cohorten de wallen te laten bemannen en andere paraat te laten staan voor als er een doorbraak zou zijn. Daarna nam hij Vulferam apart en ondervroeg hij hem uitgebreid over de situatie in het noorden en waar hij Arminius precies zou kunnen vinden. Op dat moment werd zijn lot bezegeld.

Vulferam zei: "Toen ik vertrok werd hij teruggedreven door een enorme groep krijgers die hem dreigde te overmeesteren. Gelukkig waren het vooral infanteristen en was Arminius ze te snel af. Hij bevindt zich ten noordwesten van hier, aan de rand van het Teutoburgerwoud ten noorden van een groot moerasgebied. Hij zei dat hij daar vier dagen op u zou wachten, en als u er dan nog niet was zou hij proberen de rebellen neer te slaan met de middelen die hij heeft."

Varus maakte zich grote zorgen. "Hoe lang geleden was dat?"

Vulferam antwoordde: "Dat was vanmorgen bij zonsopkomst. Ik heb hard gereden om hier te komen. U zou er in twee dagen kunnen zijn, generaal; het is niet te laat als u morgen vertrekt."

"En ik kan de opstand aan het eind van de maand onder controle hebben." Varus dacht even na en gaf toen het antwoord dat het einde van drie legioenen zou betekenen. "Goed, rij maar naar hem terug en zeg dat ik er over twee dagen zal zijn, ondanks alle pogingen van de rebellen om me tegen te houden."

Vulferam maakte een buiging en vertrok terwijl ik mijn aandacht weer richtte op de corveeploeg die de vogels en de andere standaarden poetste in hun gewijde plaats in het praetorium.'

Thumelicatz wendde zich tot zijn gasten. 'Varus werd dus niet gedreven door dommigheid, maar door loyaliteit en eer. Loyaliteit aan zijn zogenaamde vriend, mijn vader, en de eer van Rome die hij als de gouverneur van Germania Magna in zijn handen had. Aius, lees maar verder vanaf de nachtelijke aanval.'

De Adelaardrager had even nodig om los te komen van de herinneringen die hij van zijn meester had moeten delen, en hij kreeg tranen in zijn ogen toen hij zich losrukte van het beeld van de heilige standaard die hij was kwijtgeraakt.

Vuur is een tweeledig wapen: de vernietigende kracht is immens en het heeft een onmiskenbaar vermogen om zelfs de moedigste tegenstander te vervullen met een grote angst voor een zeer pijnlijke dood, maar tegelijkertijd is een groot nadeel dat het altijd de positie van de mannen die het bij zich hebben verraadt. Door deze voortijdige waarschuwing zou een vijand met een vernietigende kracht op een vuuraanval kunnen reageren. Toch zetten we door. We moesten wel. Om twee redenen: allereerst moest Varus geloven dat Vulferam waarachtig en betrouwbaar was, en ten tweede was het voor ons de enige manier waarop we een versterkt kamp konden aanvallen; we hadden niet de middelen of het vermogen om een belegering uit te voeren.

En zodoende kwamen onze mannen met tientallen om toen we over open terrein naar de greppel en borstwering rond het Romeinse kamp renden, met brandende fakkels, in pek gedoopte takkenbossen en huiden met olie. Nu er toch geen verrassingseffect meer was, schreeuwden we de strijdkreten van onze voorvaderen en riepen we de bescherming van onze goden en de liefde van onze vrouwen aan terwijl de vuurpijlen sporen trokken boven onze hoofden en met een klap tegen de houten omheining van het kamp vlogen. Ballistapijlen suisden onzichtbaar in het donker over ons heen, vermorzelden hoofden en sloegen, hol en nat, in vermoeid zwoegende borstkassen, tilden schreeuwende krijgers op en wierpen hen tegen de mannen erachter, hen aan elkaar rijgend met bebloed ijzer en kronkelend op de grond achterlatend.

Wij kwamen van alle kanten en zij verdedigden aan alle kanten. Onze boogschutters schoten het ene na het andere salvo vuurpijlen af, die door de nachtelijke lucht vlogen als massa's vallende sterren, maar dat hield de verdedigers achter de verschansing niet tegen. Toen wij binnen schootsafstand kwamen, kletterden de verzwaarde pila op ons neer. Ze verminkten eens onverschrokken gezichten, prikten schilden vast aan borsten, bogen om door de inslag, waardoor de schachten in de aarde staken en de gespietste krijgers lieten struikelen en schreeuwend, tuimelend op de grond lieten belanden, waar ze pijnlijk naar lucht happend doodbloedden. Maar wij bleven toestromen en onze huiden met olie tegen de verdedigingswerken aan werpen, zodat ze openbarstten. We gooiden de fakkels erachteraan om het doordrenkte hout in brand te zetten. Vervolgens sprongen we, met de moed van mannen die geen verschil zagen tussen feestvieren met onze voorvaderen in het Walhalla of met vrienden en verwanten in dit leven, de greppel in, trachtend de door vuur verharde staken te vermijden, en probeerden we de brandende takkenbossen onder in de muren te steken om de vuurzee nog groter te maken terwijl de projectielen op ons neer bleven kletteren. Drie keer zetten we een aanval in en drie keer trokken we ons terug, onze doden en gewonden achterlatend. De vestingwerken stonden in vuur en vlam en de verdedigers probeerden ze wanhopig te blussen met elke niet-ontvlambare vloeistof die ze konden vinden. Tegen de tijd dat we ons voor de derde keer terugtrokken, rond het achtste uur van de nacht, was de lucht dik van scherpe rook en naar urine stinkende stoom. Het vuur greep ongehinderd om zich heen in het kamp, ook al hadden ze het op de omheining onder controle.

'Breng alle krijgers terug naar de zuidkant van het kamp,' riep ik toen we ons na de derde en laatste aanval hergroepeerden onder de bomen die het boerenland omzoomden. 'Varus zal snel willen vertrekken, en dat willen we hem niet onmogelijk maken.'

'Nooit je vijand storen als hij een fout begaat,' zei mijn vader, een stelregel citerend die door generaties van Cheruskische koningen was gebruikt. 'Dat is onbeleefd.'

Ik grijnsde en knipperde het regenwater uit mijn ogen, en terwijl ik dat deed zwaaiden de poorten aan de noordkant van het kamp open en galoppeerde een voorhoede van twee Gallische cavalerie-alae naar buiten. Ze hielden stil, hun schimmige gedaanten verlicht door het geflakker van het vuur dat in het kamp woedde, en vormden een beschermende muur voor de legioenen die onder het geluid van hun hoorns het kamp uit begonnen te stromen. Rij na rij kwam naar buiten, als silhouetten in het licht van vlak voor de dageraad, om de man te hulp te schieten die ze zag gaan; de man die zich niet vóór hen bevond, maar achter hen. En ik werd getroffen door Varus' loyaliteit en vertrouwen, maar niet zozeer dat ik wroeging kreeg; ik had gewoon respect voor zijn eergevoel, al zou hij er weinig mee opschieten.

HOOFDSTUK XII

'Dat is voor nu genoeg, Aius,' zei Thumelicatz terwijl hij een hand opstak en glimlachend zijn blik over zijn vier gasten liet gaan. 'Dus, Romeinen, we hebben hier iets fraais: Varus' loyaliteit zou uitmonden in de dood van bijna al zijn mannen. Hij verliet de relatieve veiligheid van zijn versterkte kamp om een man te gaan helpen die hij als een vriend beschouwde, ook al had Segestes hem ervan proberen te overtuigen hoe verkeerd die opvatting was. Hij ging toch, blind voor de realiteit door het geloof, ingegeven door de vreselijke arrogantie van Rome, dat het ondenkbaar was dat een man die het burgerschap had verkregen zich tegen de enige beschaving zou keren die van enige waarde was in deze Midden-Aarde. Met een bewonderenswaardige gemotiveerdheid ging Varus op weg om de man te hulp te schieten die hem juist in groot gevaar had gebracht door een opstand in het noorden voor te wenden; een opstand waar hij gemakkelijk in kon geloven, omdat hij maar al te bekend was met de mate van vijandigheid die onder het oppervlak van deze nieuw verworven provincie broeide.'

'Het was niet alleen zijn misplaatste loyaliteit aan Arminius die ertoe leidde dat hij ging,' zei de jongste broer met iets van humeurigheid in zijn toon. 'Ik zou zelfs durven zeggen dat dat slechts de onderliggende reden was: wat hem betrof stond de eer van hemzelf en Rome op het spel. Volgens de valse boodschap die Vulferam had afgeleverd, zou Arminius vier dagen wachten bij het moeras; dat kan op Varus niet zijn overgekomen alsof hij in direct gevaar verkeerde. Dit zou jij moeten kunnen begrijpen, Thumelicus, met jouw kennis van Rome: je hebt inderdaad gelijk als je stelt dat we zo overtuigd zijn van het Idee van Rome dat we moeilijk kunnen begrijpen waarom een man zo'n ideaal de rug zou willen toekeren, maar wat dat concept voor ons zo sterk maakt, is de versmelting van onze persoonlijke eer en familie-eer met de eer van het keizerrijk zelf. Die zijn onlosmakelijk met elkaar verbonden. De mogelijkheid van een opstand die zich zou uitbreiden naar de Frisii in het uiterste noorden, ook al was hij in werkelijkheid nep, zou voor Varus reden zijn aan te nemen dat de eer van Rome werd bedreigd, en dus ook de eer van hemzelf en zijn familie. Niets aan die opstand doen en zich achter zijn omheining schuilhouden in afwachting van een andere edelgeboren man die een expeditie zou aanvoeren om hem en zijn legioenen te ontzetten terwijl de provincie om hem heen uit elkaar viel, zou een ondraaglijke schande zijn. Hij zou dan geen andere mogelijkheid hebben gehad dan zich op zijn zwaard te laten vallen. Hij moest gaan, of hij Arminius nou als vriend beschouwde of niet. Elk van zijn officieren en soldaten zou hebben begrepen waarom daar blijven geen optie was.'

Thumelicatz nam een slok van zijn bier terwijl hij over deze bewering nadacht. Toen richtte hij zijn aandacht weer op Aius. 'Wat vind jij, slaaf? Zou je jouw eer, toen hij nog intact was, samen met de eer van Rome hebben verdedigd, ook al moest je er een gevaarlijke reis naar een vermeende opstand voor maken terwijl je voortdurend werd aangevallen door krijgers en enkele van je eigen hulptroepen die, voor zover jij wist, probeerden te voorkomen dat je het rebellengebied zou bereiken?'

Voor het eerst keek Aius zijn meester recht in de ogen, en zijn blik verhardde iets, alsof de jaren van slavernij begonnen weg te vallen en zijn waardigheid terugkwam. 'Dat was de enige optie die wij kenden. Elke man in die legioenen zou hetzelfde besluit hebben genomen als onze generaal en zou het kamp ook onder dezelfde omstandigheden hebben verlaten als hij. Ze kenden de hebzucht van ongeciviliseerde stamleden maar al te goed.' Zijn blik zakte terug naar de perkamentrol in zijn handen.

Thumelicatz verstarde en balde zijn vuist, alsof hij zijn slaaf een klap wilde geven vanwege zijn openhartige antwoord. Na een aantal hartslagen ontspande hij en lachte hij nors. 'Dus na al die jaren zitten je ballen nog op hun plek, slaaf. Maar let op je woorden, anders worden ze misschien aan deze pot toegevoegd. Maar je hebt gelijk, ik kan het niet ontkennen; de manier waarop Varus zijn kamp verliet maakte een verschil: het gaf hem een extra dag, dat dacht hij tenminste, maar het had uiteindelijk geen invloed op de afloop. Desondanks maakte het mijn vaders bondgenootschap te schande en zette het het Germaanse karakter in een kwaad daglicht. Lees verder, Aius. Ik weet zeker dat dit een passage is waarvan jij heimelijk geniet.'

Van het gezicht van de oude slaaf was niet af te lezen of zijn meesters aanname juist was. Met een blik van dienstbaarheid bekeek hij de tekst en begon hij te lezen.

De zon was opgekomen boven de zware, loodgrijze wolken, en de branden die nog in het kamp hadden gewoed waren gedoofd tegen de tijd dat de achterhoede de poort uit was en de hulptroepen die de flanken van de colonne hadden beschermd zich terugtrokken. Al die tijd hadden wij onszelf niet laten zien. Onze mannen zaten verscholen in het bos, onzichtbaar vanaf de open ruimte en het Romeinse kamp, waar ze konden uitrusten en eten en hun krachten weer opbouwen voor wat er nog zou komen. Toen de laatste voetstappen van de ruim tienduizend overlevende mannen in de verte waren uitgestorven, liet ik de mannen bijeenroepen om de Romeinse voorhoede te gaan bestoken: de Chauken en de Marsi aan de rechterkant, de Cherusken en de Bructeren aan de linkerkant terwijl de Sugambren achterbleven om achterblijvers aan te pakken.

'Het staat de Chatten vrij ons te volgen, als jullie het aandurven,' zei ik tegen Adgandestrius tijdens het gesprek met de koningen en hun stamhoofden en de prefecten van de hulptroepen die zich bij ons hadden gevoegd om de posities van de stammen duidelijk te maken. Terwijl we Varus naar het noordwesten leidden, was het van het allergrootste belang dat hij tussen het moeras en de Kalk Riese door trok.

De koning van de Chatten spuugde op mijn voeten. Zijn volgelingen, achter hem, mompelden wat en legden hun hand op hun zwaardgevest voor het geval de belediging slecht werd opgevat en ze hun koning te hulp moesten schieten. 'De Chatten zullen niet tekortschieten. Wij zullen vechten wanneer je Varus naar de executieplaats hebt gebracht. Daar zullen we laten zien wat de Chatten allemaal aandurven. En als we daarna de balans opmaken, zullen we zien dat jij degene bent die is tekortgeschoten, Erminatz: tekortgeschoten in manieren.'

Ik hief mijn handen in een verzoenend gebaar. 'Als jij belooft dat jullie zullen vechten, Adgandestrius, dan bied ik mijn verontschuldigingen aan voor mijn manieren, of mijn tekortschieten daarin. Vergeef me, en laten we samen onze zwaarden trekken in het algemeen belang.'

We keken elkaar aan en de spanning was om te snijden. Iedereen keek in stilte toe, wachtend op de uitbarsting. Maar die kwam niet, want Adgandestrius wist dat hij mijn verontschuldigingen in het bijzijn van zoveel hooggeplaatste mannen die zich hadden verbonden in de strijd tegen Rome niet in de wind kon slaan – wat hij persoonlijk ook van me vond. Hij ontspande zich langzaam en knikte instemmend terwijl zijn lippen onder zijn baard een lach vormden die zijn ogen niet bereikte. 'We zullen samen vechten, Erminatz, en laten we het daarbij houden.'

'Dan voegen de Chatten zich bij de Sugambren en drijven ze de colonne van achteren op.'

'Dat doen we omdat we ervoor kiezen, niet omdat het ons wordt opgedragen.'

'Dan maak je een goede keuze.' Nu dit met hem afgehandeld was, wendde ik me tot de rest van de koningen. 'Wij zorgen ervoor dat we de achterste eenheden over ongeveer een uur inhalen, en zullen er de rest van de dag alles aan doen om het beetje moreel dat ze nog hebben uit hen te krijgen. Blijf ze voortdurend bestoken: met salvo's van projectielen en bliksemaanvallen. Ze mogen zich geen moment veilig voelen, zodat de angst in het hart van de gewone legioensoldaat toeneemt. Als het dan donker is zal Engilram ons naar de Kalk Riese brengen. De Bructeren, Cherusken, Chatten en Sugambren nemen hun posities in op de heuvel zelf terwijl de Marsi en de Chauken alle mogelijke vluchtroutes naar achteren afsnijden. Dan zijn ze volledig aan onze genade overgeleverd.'

'Moeten we niet voorkomen dat ze voorwaarts kunnen vluchten?' vroeg Engilram.

'Dat is jouw taak, mijn vriend. Stuur alle krijgers die je kunt missen via de kortste route naar de Teutoburgerpas om voorbereidingen te treffen. De pas moet worden afgesloten. Kap zo veel mogelijk bomen tussen die Kalkreus van jullie en het moeras om de weg onbegaanbaar te maken. Laat een andere groep onze voorraad werpspiesen en pijlen meenemen, zodat er daar genoeg wapentuig op ons ligt te wachten. Wij zullen de colonne vlak voordat ze de eerste barrière bereiken aanvallen. Dan zullen ze snel vooruit willen trekken om aan ons te ontkomen, en stuiten ze op een blokkade. Op dat punt zullen ze beseffen dat ze in een zorgvuldig geplande val zijn gelopen en zal de angst in hun hart een hoogtepunt bereiken als ze zien dat ze geen kant meer op kunnen en ze op die plek zullen sterven. In hun wanhoop zullen wij ze afmaken. Niemand zal ontkomen – niemand.' Ik keek de groep rond en zag geen tekenen van afkeuring; zelfs Adgandestrius streek over zijn baard en bromde net als de rest zijn instemming. Ik wist dat ik al deze trotse mannen voor me had gewonnen, en samen met hen kon ik een grote slag winnen voor ons Vaderland, het land van Alle Mannen. Ons onvermogen om er al op de eerste dag een einde aan te maken lag nu achter ons, want we zagen allemaal hoe Varus in de val zou lopen in de schaduw van de Kalkreus en zonder vluchtweg en gemotiveerde troepen geen schijn van kans had. 'Ga nu, mijn vrienden, en leid jullie mannen vol overgave. Mogen de goden van ons land ons helpen om van deze indringer af te komen.'

Maar een van de goden van ons land is Loki. Hij liegt en bedriegt voor zijn eigen plezier en die dag haalde hij een streek uit die ons bijna ons land en onze vrijheid kostte. Het verlaten kamp, een enorm bouwwerk – bijna een halve vierkante mijl – lag op onze route toen we achter de Romeinse colonne aan gingen. Ik had er niet over nagedacht. Waarom ook, want het was slechts een leeg kamp zonder inwoners, met alleen nog de smeulende resten van de vuren die wij met onze aanval van de avond ervoor hadden veroorzaakt. Ik gaf geen orders om het kamp te mijden en toen de stammen het aan weerskanten passeerden, zagen ze dat de poorten openstonden. En wat erbinnen lag was te veel om te weerstaan, zoals Varus moest hebben geweten toen Loki hem inspireerde om deze streek uit te halen: hij had zijn bagage achtergelaten en had deze actie verborgen kunnen houden door onze vuuraanval als dekmantel te gebruiken en zijn eigen wagens in brand te steken.

Binnen de vier muren was het kamp nog intact: de rijen leren tenten stonden er nog alsof de acht mannen die elke tent deelden er nog in lagen te slapen. Onze mannen, mijn mannen, dromden ertussendoor en stortten zich onbeheerst op de buit die drie legioenen hadden achtergelaten. En ik vervloekte zowel Varus als Loki, want ik realiseerde me dat de twee cavalerie-alae die aan weerskanten van het kamp hadden gestaan toen Varus zijn mannen naar buiten leidde daar om twee redenen waren gepositioneerd: ze hadden niet alleen de taak om eventuele aanvallen van onze kant af te weren, ze moesten ook ons zicht blokkeren zodat we niet konden zien dat de bagagekaravaan geen deel meer uitmaakte van de colonne maar in het kamp was achtergebleven als de smeulende resten van wagens. Met één handeling had Varus zijn eigen opmars versneld door zich te ontdoen van de trage bagagekaravaan die ons juist zou ophouden tot alles was doorzocht en elk artikel van waarde was toegeëigend. Hij had alleen meegenomen wat de muilezels konden dragen; alles waarvoor rijdend vervoer nodig was, was achtergelaten.

Varus had me erin laten lopen.

Wat kon ik doen? Ik was niet opgewassen tegen de hebzucht van mannen die weinig hebben en op elke mogelijke manier van de situatie willen profiteren. En er viel heel wat te halen, want het was niet de bagage van een leger op veldtocht, dat licht bepakt reisde; nee, dit was de bagage van een leger dat van het zomerverblijf op weg was naar het winterkamp, een leger dat alles wat het bezat had meegenomen. Het gaf aan hoe wanhopig Varus moet zijn geweest als hij en zijn mannen bereid waren om alles achter te laten. Allemaal om tijd te winnen en zich sneller bij mij – dat dachten ze tenminste – in het noordwesten te voegen zodat we samen die niet-bestaande opstand konden neerslaan. Hij moet hebben bedacht dat hij na een overwinning veel van de verloren goederen weer had kunnen opeisen bij de verslagen stammen; de oorspronkelijke goederen of soortgelijke dingen. Wat er ook door zijn hoofd was gegaan, zijn list had gewerkt en ik keek met toenemende woede naar de onbeschaamde strooptocht van mijn zes stammen, die helemaal losgingen met de schatten van een leger.

Ze dromden door het kamp, pakten alles wat ze tegenkwamen en behingen hun lichamen met de buit. Het waren niet alleen de zware leren tenten of de amforen met wijn of zakken met granen, het waren de molenstenen om die granen te malen; het waren de wapenrustingen, sandalen, tunieken, mantels, dekens en wapentuig uit de voorraden van de kwartiermeesters, waarvan een deel het vuur had overleefd, maar ook de resten van de afgeslachte karkassen van de trekossen.

En dan lag er nog een kist met soldij begraven onder het praetorium.

Dit ene offer was genoeg om mij ervan te verzekeren dat het me niet zou lukken mijn leger vooruit te krijgen voordat elk stukje grond was doorzocht. Varus had het listig aangepakt: de kist was zo begraven dat hij wel gevonden moest worden, en hij zat niet eens vol. De meeste stamleden zagen echter niet in dat hij was achtergelaten als lokaas, om hen ervan te overtuigen dat er meer zou kunnen zijn – wat natuurlijk niet zo was. Maar niemand kan een man in de ban van hebzucht tot rede brengen.

'Ik heb een paar krijgers het praetorium laten beveiligen,' onderbrak Vulferam mijn ellende op het moment dat de Donderaar boven ons, als teken van walging om het gedrag van zijn kinderen, de hemel met een donderende klap liet openscheuren en door de opening regen over ons uitstortte. Er waren bijna drie uren verstreken sinds het plunderen begon en het ging nog onverminderd door.

Ik was even in de war en kon me niet concentreren. 'En de inhoud van de tent?'

'Allemaal weg. Het lijkt erop dat Varus er geen problemen mee had dat alle anderen hun bezittingen achterlieten, maar die van hemzelf heeft hij laten inpakken en meenemen.'

Thumelicatz stak zijn hand op. 'En zo was het, Aius, of niet?' Hij gebaarde naar de fraaie meubels en het weelderige zilverwerk die Varus' oude commandotent opsierden.

Aius liet zijn hoofd zakken. 'Inderdaad, meester. Hij heeft het allemaal op muilezels laten laden.'

'En wat mochten alle anderen meenemen?'

'We hadden voor vier dagen rantsoenen gekregen en mochten meenemen wat we op de ezel van ons contubernium kwijt konden, en daarom had elke acht man tellende groep zijn tent en graanmolen achtergelaten om zo veel mogelijk persoonlijke bezittingen op het dier te laden – ook al hadden we er uiteindelijk niets aan.'

Thumelicatz glimlachte tevreden. 'Ja, we hebben sindsdien veel munten langs de strijdroute gevonden en dat zal ongetwijfeld nog jaren zo blijven.'

'Maar op dat moment dachten we dat de generaal deed wat goed was. Dat we zonder de trage goederenkaravaan zouden ontkomen aan de rebellen die achter ons aan zaten en we ons snel bij Arminius... het spijt me, meester, Erminatz zouden voegen en dan, eenmaal uit het woud, het gevecht konden aangaan op open terrein.'

'En dan zouden jullie hebben gezegevierd,' zei Thumelicatz op spottende toon.

'Natuurlijk, meester. Daar geloofden we allemaal in, want zo was het altijd gegaan: barbaren konden drie Romeinse legioenen onmogelijk in een frontaal gevecht verslaan, en uw vader begreep dat want hij had besloten om de colonne in een hinderlaag te lokken in plaats van hem rechtstreeks aan te vallen.'

Thumelicatz' hand sloeg in het gezicht van de oude slaaf, waardoor zijn hoofd met een verraste kreet naar achteren klapte. 'Maak geen aannames over wat mijn vader wel of niet begreep, slaaf. Jouw rol bestaat uit het voorlezen van zijn woorden en het beantwoorden van mijn vragen, niet uit het maken van veronderstellingen die je op geen enkele manier kunt staven.'

De straatvechter kwam overeind om tussenbeide te komen, maar werd door de twee broers tegengehouden.

Aius liet zijn hoofd hangen. Zijn handen hielden zijn gezicht vast en tussen zijn vingers door drupte bloed uit zijn misvormde neus. 'Mijn excuses, meester,' fluisterde hij, met een trillende stem van de pijn. 'Ik sprak voor mijn beurt.'

Tiburtius keek passief toe, zonder blijk te geven van zijn gevoelens over de behandeling van de andere slaaf.

'Lees maar verder,' zei Thumelicatz voordat hij zich weer tot zijn gasten richtte. 'Zoals jullie kunnen zien, heeft hij zelfs na drieëndertig jaar als slaaf nog wat pit over.'

Geen van de Romeinen zei iets over de toestand van de man die ooit een van de belangrijkste figuren in zijn legioen was geweest.

Aius veegde met de achterkant van zijn hand het bloed weg en droogde hem af aan zijn tuniek voordat hij de perkamentrol weer oppakte.

Ik had weinig aan een lege praetoriaanse tent, maar ik bedankte Vulferam toch omdat al mijn krijgers van me verwachtten dat ik hem als een trofee zou aannemen. Als een van de koningen Varus' eigendom zou opeisen, zou ik gezichtsverlies lijden. Nu ik het leger eindelijk onder controle had, kon ik niet riskeren dat vanwege een principe weer kwijt te raken.

Toen zag ik in de chaos van de plunderingen de man die ik dringend moest spreken om de situatie niet helemaal uit de hand te laten lopen. 'Engilram!' schreeuwde ik boven de kakofonie van hebzucht uit. 'Engilram!'

De oude koning hoorde me en kwam mijn kant op.

'Engilram, vertel me alsjeblieft dat jij nog wel wat controle over je mannen hebt.'

Engilram keek ernstig, maar zijn antwoord was een opluchting. 'Ik heb tweehonderd mannen vooruit gestuurd met de belofte van meer zilver dan ze in de resten van het kamp bij elkaar hadden kunnen zoeken. Ze zijn een paar uur geleden vertrokken. Het gaat me flink wat kosten, maar het was de enige manier om ze los te rukken van de plunderingen.'

Ik kneep in zijn schouder, mijn hart ging opgelucht tekeer en ik keek hem met een dankbare blik aan. 'Ik zal je belonen met het dubbele van wat je moet betalen, mijn vriend. Dankzij jou hebben we een kans om dit tot een goed einde te brengen.'

'Dat weet ik, Erminatz, maar we moeten opschieten. Als Varus het tempo hoog houdt, zal hij morgenmiddag bij de Kalk Riese aankomen. We moeten hier snel weg om nog om hem heen te kunnen trekken en hem bij aankomst op te wachten.'

En dat was de realiteit die ik in mijn hoofd al helder had, maar waarvoor ik nog geen oplossing had: we lagen inmiddels ver achter op de Romeinen, maar moesten ook nog eens een flinke buit meeslepen. Ik zag geen manier om snel of stil genoeg verder te trekken en onze positie in te nemen zonder dat de colonne zich bewust zou worden van onze aanwezigheid. Er zat niets anders op dan te wachten tot de waanzin voorbij was en dan het leger als een geheel aan te spreken en te vragen hun buit tijdelijk achter te laten voor het behalen van een nog grotere overwinning.

Misschien kon ik toch iets met Varus' praetorium. Ik draaide me om naar Vulferam. 'Laat Varus' tent afbreken en hier brengen.'

Vulferam knikte en liep weg om mijn verzoek te laten uitvoeren en ik wachtte, met een oog op de plunderingen, ongeduldig af.

Ik moest nog een kostbaar uur wachten tot de krijgers, eensgezind, besloten dat er niets meer in het kamp te halen viel en er geen schatkisten meer binnen de muren begraven lagen. Ik liet de koningen hun stammen op het terrein aan de noordkant bij elkaar roepen en probeerde de leiding weer terug te krijgen door zelf het goede voorbeeld te geven.

'Broeders, zonen van Alle Mannen,' riep ik vanaf de geïmproviseerde verhoging naar de verzamelde stamleden die in de gestaag vallende regen stonden. 'We hebben geluk gehad dat we onszelf zonder al te veel moeite konden verrijken. Elk van ons heeft wel een trofee bemachtigd, sommige van grote waarde, andere van iets minder waarde.' Ik stootte een vuist de lucht in. 'Laat ons juichen om ons geluk!'

Dit was een heel normaal verzoek dat leidde tot luid gebrul van de mannen. Vele hartslagen lang liet ik hen juichen, tot ik dacht dat ze klaar waren voor wat ik te zeggen had. Ik stak mijn armen wijd voor me uit, met de handpalmen omlaag en kreeg zo de bijna dertigduizend mannen zover dat ze naar me wilden luisteren.

'Het geluk stond aan onze zijde, maar daarvoor hebben we wel een prijs betaald.'

Ik pauzeerde zodat ze konden nadenken over wat die prijs kon zijn, en afgaande op de gezichten om me heen was het hun niet duidelijk.

'De prijs is dat we zijn afgeleid van onze werkelijke taak, de reden waarom we aan deze onderneming zijn begonnen. En het was gepland dat het zo zou verlopen, gepland door onze vijand; Rome heeft ons erin geluisd.'

Opnieuw pauzeerde ik om mijn woorden te laten bezinken en om ervoor te zorgen dat elke man woede voelde opkomen vanwege dit bedrog, al begrepen ze nog niet precies hoe en wat.

'De buit die we nu hebben, was hoe dan ook voor ons. Maar omdat we hem nu al hebben, omdat we hem eerder hebben gekregen, ontbreekt er iets essentieels: hij is niet bezegeld met het bloed van de voormalige eigenaren. Nee, mijn broeders, we zijn bedrogen. Dit alles had ons moeten toekomen boven de dode lichamen van Varus en zijn legioenen. En waar is Varus? Waar zijn zijn legioenen? Zien jullie hun lichamen slap op de grond liggen? Nee, mijn broeders! Nee, jullie zien ze niet! Jullie zien ze niet omdat ze mijlen hiervandaan zijn en omdat hun harten nog kloppen en hun ledematen nog intact zijn. Ze lopen nog steeds levend rond op Germaanse bodem. De bodem van ons Vaderland waar Alle Mannen in vrijheid zouden moeten leven!'

Er klonken verontwaardigde kreten toen ze beseften dat wat ik zei de waarheid was en dat ze verblind waren geweest door een hebzucht die was uitgelokt door hun vijand. Nu de schaamte begon door te dringen, veranderde hun verontwaardiging in woede.

'Maar het is niet te laat, mijn broeders. Er is nog maar een halve dag verstreken sinds ze deze plek hebben verlaten; we kunnen ze nog inhalen. We kunnen ze nog afmaken, allemaal!'

Het gejoel dat de stammen samen voortbrachten overstemde alle eerdere geluiden. Het was een gejoel om bloed, om wraak en om eer.

Nu had ik ze. 'We moeten haast maken, broeders, als we ze nog willen inhalen. We moeten direct vertrekken en we moeten snel en licht reizen.' Ik richtte me tot Vulferam, die onder me naast de verhoging stond. 'Vulferam, breng me mijn deel van de buit.'

Terwijl een stuk of tien van mijn Cherusken met de ingepakte praetoriaanse tent kwamen aanzeulen, keek ik vanaf de verhoging toe, opzichtig op mijn hoofd krabbend en over mijn kin wrijvend alsof ik me grote zorgen maakte.

Toen het pakket eindelijk op zijn plaats was, keek ik naar mijn toehoorders. Ze werden stil om te horen wat ik te zeggen had. 'Maar hoe kan ik snel en licht reizen, broeders, als ik mijn deel van de buit met me mee moet nemen? Zal ik het aan anderen geven, zodat zij mijn last kunnen dragen terwijl ik mijn trots wreek? Maar hoe zit het dan met de trots van die anderen? Nee, mijn broeders, ik zal anderen niet om zo'n offer vragen. Ik zal mijn buit hier achterlaten en ik zal de gewonden, die het tempo dat we moeten aanhouden niet zullen kunnen bijhouden, vragen om erop te passen tot het moment daar is dat ik hem op kan halen. Op die manier kan ik Varus en zijn legioenen nog inhalen. Wie volgt mij en doet hetzelfde?'

Niemand met enig eergevoel kon nu achterblijven. Het veld lag al snel vol met achtergelaten goederen en de gewonden van elke stam werden als hoeders van het deel van hun kameraden aangesteld.

Nu waren we er klaar voor. Nu kon de achtervolging beginnen.

Ik snelde aan het hoofd van de Cherusken over het vertrapte pad, met mijn vader en oom op mijn hielen. Regen en laaghangende takken zwiepten in mijn gezicht en mijn laarzen gleden weg in de omgewoelde modder, maar toch wist ik het tempo hoog te houden. Achter me volgden de zes stammen, elke man verbolgen over de manier waarop Varus gebruik had gemaakt van hun innerlijke hebzucht en elk vastbesloten om de Romeinse colonne in te halen en deze schande betaald te zetten.

We lieten de snelheid nooit verder afnemen tot minder dan een sukkeldrafje en renden soms zelfs hele stukken om onze prooi in te halen. Het duurde minder dan drie uur voor we de eerste achterblijvers tegenkwamen, sommige alleen en andere in kleine groepjes. Het maakte niet uit, want ze stierven op dezelfde manier: met een zwaai van ijzer terwijl wij langs snelden. We hielden niet eens in als we hun het leven ontnamen terwijl ze met een laatste blik van ontsteltenis staarden naar de vloed van krijgers die in de regen op hen afkwam. Hoe dichter we de achterhoede van het Negentiende Legioen naderden, hoe meer we er tegenkwamen, en geen van hen ontkwam aan onze toorn. Wie probeerde te vluchten, kon nergens heen, want onze voorhoede was zo ver uitgewaaierd dat ze er niet omheen konden, en ze waren te uitgeput om voor ons uit te rennen. Op genade hoefden ze niet te rekenen en dat wisten ze, dus niemand smeekte om zijn leven. Ze hadden ook liever deze snelle dood dan te worden overgeleverd aan onze vuren. Sommigen vochten nog wat en anderen gaven zich gewoon over aan onze zwaarden om onder onze snel bewegende voeten te worden vertrapt.

We trokken verder door het halfopen heuvellandschap, een combinatie van boerenland en bos die werd gebruikt voor landbouw en houtkap, maar het lag er op deze dag verlaten bij na de doorkomst van drie legioenen. Al snel werd het heuvelachtiger en nam de hoeveelheid bewerkt land af terwijl het bos weer de overhand kreeg. Ons tempo nam af, maar dat vond ik geen probleem omdat ik wist dat wat ons hier ophield nog veel zwaarder moest zijn voor duizenden infanteristen die in een nauw aaneengesloten colonne marcheerden.

En toen, op het moment dat de zon de westelijke horizon begon te naderen, zagen we ze. We zagen de achterste gelederen van het Negentiende Legioen op, zo schatte ik in, ten minste anderhalve mijl van de voorhoede van de afgeslankte colonne. Onze vreugde was zo groot dat we juichten en luidkeels de goden van ons Vaderland prezen. De legioensoldaten hoorden ons en schreeuwden van angst en waarschuwden de rijen voor hen dat ze nog niet aan de terreur die hen achtervolgde waren ontkomen. En zodoende was het verrassingseffect verloren gegaan toen we onze zwaarden in het achterste cohort van het Negentiende Legioen staken.

We zwermden uit langs hun linkerzijde, hakkend en stekend met zwaarden en speren, maar ondanks ons aantal en de intensiteit van onze haat hield hun superieure discipline hen intact. Ze lieten hun schilden op elkaar aansluiten en bewogen zich voort terwijl ze hun zwaarden tussen de openingen door lieten schieten. De achterste rijen stapten naar achteren om ons af te weren. Wij trokken langs de colonne, maar de verdediging was overal even solide. Hier en daar stuitten we op een minder ervaren legionair die zich liet verrassen en na een aantal klappen neerviel, maar degene naast hem nam dan zijn plaats in, zodat er altijd een ondoordringbare muur van hout en leer overeind bleef.

De achterop komende stammen hadden ons nu ingehaald en begaven zich aan weerskanten van de colonne, de Chauken en Marsi aan de rechterkant en de Bructeren voegden zich bij ons aan de linkerkant. Ik gaf mijn Cherusken het bevel zich terug te trekken en we verdwenen samen met de Bructeren in het bos om daar, ongezien, langs de colonne naar voren te trekken zodat de angst omsingeld te zijn door een onzichtbare vijand elke man onder de drie Adelaars die onze prooien vormden zou verteren. In de uren tot het donker werd, en vervolgens de rest van de nacht was het ons doel het leger volkomen te demoraliseren. Daarover sprak ik ook met

Engilram van de Bructeren toen we ons ter hoogte van de voorzijde van de colonne bevonden.

'Hoe ver is het nog tot de Kalk Riese?' vroeg ik de oude koning.

Engilram kamde met zijn vingers door zijn baard. 'Ervan uitgaande dat ze over een paar uur stoppen om te overnachten, denk ik dat ze er morgen vroeg in de middag zullen zijn.'

'We zullen ze blijven bestoken. Salvo's van projectielen om hen uit elkaar te drijven, gevolgd door korte aanvallen terwijl hun verdediging een warboel is. En probeer wat gevangenen mee te nemen.'

En zo gebeurde het. Terwijl Varus' mannen voortploeterden over de route, tot hun enkels in de modder, in rijen van acht man breed, met hun schilden in de hand om zich te kunnen verdedigen, stortten wij ons vanuit het kletsnatte bos op beide kanten van de colonne. We voerden bliksemaanvallen uit, dodelijk en ontmoedigend, steeds op een ander doelwit en een spoor van lijken achterlatend zodat de cohorten die volgden steeds met de lege ogen van de doden werden geconfronteerd. Als het kon, trokken we schreeuwende mannen uit hun formatie en duwden we ze de heuvel op. We gunden ze geen moment rust, net als de Chauken en Marsi aan de andere kant, zodat de lucht voortdurend gevuld was met het geschreeuw van gewonde en stervende mannen en elke man in de colonne verwachtte dat het snel zijn beurt was om te sterven en voortdurend angstig over zijn schouder keek, turend in de schaduwen onder het druipende bladerdak en opgejaagd door de Chatten en Sugambren die achter de colonne aan kwamen. Het was onmogelijk om tot rust te komen en er was geen tijd om wonden te verzorgen. Het beste medicijn dat een gewonde man zich kon wensen was het zwaard, want niemand wilde levend in onze handen vallen. Ze waren allemaal bekend met onze vuren en ons talent om iemand langzaam te laten sterven, en ze hadden gezien hoe we gevangenen uit hun gelederen hadden geplukt. En ik had orders gegeven dat er geen snelle dood mocht volgen voor wie levend gevangen was genomen. Ik hoopte dat we veel gevangenen hadden, want ik had voor die avond plannen met hen. Plannen die Lucius zeker zou hebben goedgekeurd als hij in mijn schoenen had gestaan.

Toen de duisternis inviel, bereikte de voorhoede van de colonne een ronde heuvel op een plek die volgens Engilram Felsenfelt werd genoemd vanwege de rotsachtige samenstelling van de grond. Het was daar dat de legioenen optimaal konden profiteren van hun training. De hulpcavalerie vormde een beschermend schild en sloeg elke poging om de bewegingen van het Zeventiende Legioen te verstoren neer. Het legioen splitste zich in het midden op en marcheerde met vier rijen links en vier rijen rechts om de heuvel heen. Voordat wij tijd hadden om te reageren werd de complete heuvel omringd door een vier rijen dik kordon van legioensoldaten. Twee soldaten hielden de wacht op elke twee mannen die aan het graven waren, en in minder dan een uur tijd lag er rond de heuvel een vier voet diepe greppel met een tot aan het middel reikende borstwering. Het gehavende Achttiende en het inmiddels ook flink toegetakelde Negentiende Legioen marcheerden deze defensieve positie binnen. Verspreid tussen de legioenen bevonden zich de overgebleven kampvolgelingen, die in aantal nog meer waren afgenomen dan de legioenen omdat wij geen verschil hadden gemaakt tussen soldaten en burgers; ze moesten allemaal dood en een onbewapende vrouw of een kind is eenvoudiger te doden dan een bewapende legionair.

En zo lukte het Varus zijn mannen te laten rusten voor de nacht, nadat hij me die dag bijna door de vingers was geglipt. Hoewel hij die dag veel minder mannen had verloren dan in de voorafgaande dagen, was het toch een aanzienlijk aantal geweest en die avond sloegen minder dan negenduizend mannen hun kamp op in het natgeregende landschap, minder dan de helft van het aantal waarmee hij oorspronkelijk op weg was gegaan.

'En hoe voelden de mannen zich die avond, Aius, toen ze op de rotsachtige grond een koude, vreugdeloze maaltijd deelden?' onderbrak Thumelicatz de oude slaaf.

'De meesten van ons hadden de hoop opgegeven,' antwoordde Aius zonder er eerst over te hoeven nadenken. 'We hadden tot alle goden gebeden dat het achterlaten van de bagage ons genoeg tijd zou geven om te ontsnappen, maar toen de stammen ons weer hadden ingehaald wisten we dat ze het nooit zouden opgeven. Toen begonnen veel van de oudere officieren, de legaten en de prefecten van de hulptroepen vraagtekens te plaatsen bij Varus' strategie. Boven op de heuvel, waar wij de vogels hadden geplaatst, werd een vergadering belegd en het duurde niet lang voordat de stemmen zo luid klonken dat wij konden meeluisteren.

"Hij zal daar aan de rand van het bos wachten. Samen trekken we het open terrein in en maken we een einde aan de opstand!" riep Varus tegen de groep met rode mantels uitgedoste officieren om hem heen.

"Hou jezelf niet langer voor de gek, Varus!" brulde Vala Numonius, de prefect van de Gallische hulpcavalerie, terug. "Hij is daar niet, want hij is al hier." Hij wees in de donkere nacht. "Hij is hier de hele tijd al; hij is degene die dit allemaal doet. Arminius heeft ons verraden en laat ons allemaal afmaken als we in een colonne verder naar het noordwesten trekken. Hij zal ons uur na uur uitputten en levens nemen tot er niemand meer over is. We moeten het volgende stuk open land bereiken en een formatie voor de strijd aannemen. Dan zullen we zien of die barbaren het gevecht aandurven of terug sluipen naar hun hutten."

Varus antwoordde: "Ze zullen geen van beide doen. Ze trekken om ons heen, vegen Arminius aan de kant en voegen zich bij de opstand, en voordat we het weten zijn we het hele noorden kwijt."

"Er is geen opstand! In elk geval niet in het noorden. De opstand is hier en wij zitten er middenin. Als we niet optreden zullen wij de slachtoffers worden. Arminius is een bedrieger."

"Arminius heeft mijn leven gered!" zei Varus. "Waarom zou hij dat doen en me vervolgens verraden?"

"Precies om die reden: om je te verraden. Wie kan je beter in de val lokken dan de man die je blind vertrouwt? Kijk naar jezelf: je sluit je ogen voor zijn dubbelhartigheid omdat je bij hem in het krijt staat, en daar maakt hij al die tijd al misbruik van. We moeten het allemaal bekopen met de dood en dat moet jij inmiddels toch ook wel doorhebben."

Het leek tot Varus door te dringen en hij draaide zich om en staarde de nacht in met de blik van een man die net heeft geaccepteerd wat hij, diep vanbinnen, eigenlijk al wist maar niet onder ogen wilde zien. Hij zag eindelijk zijn dwaasheid in en op dat moment klonk er weer geschreeuw in de nacht, maar nu kwam het steeds dichterbij. We wisten dat we geen rust zouden krijgen. We moesten een plek vinden om de strijd aan te gaan, of we zouden allemaal ver van huis sterven. We begonnen wanhopig te worden.'

'En jij, Tiburtius?' vroeg Thumelicatz. 'Was jij ook wanhopig? Zag jij jezelf ooit nog in de straten van Rome lopen?'

'Rome?' De voormalige Adelaardrager van het Negentiende Legioen staarde voor zich uit alsof hij zich een beeld probeerde te vormen van de stad die hij meer dan zijn halve leven niet meer had gezien. 'Rome? Inderdaad, meester, ik denk dat het beeld van Rome tegen die tijd uit mijn hoofd begon te verdwijnen. En toen het geschreeuw dichterbij kwam, groeide de angst in ons allemaal, want we wisten dat we iets vreselijks konden verwachten. Maar het was nog veel vreselijker dan we konden vermoeden. Uit het donker rond ons geïmproviseerde kamp op de heuvel klonken van alle kanten doordringende kreten. Ze kwamen steeds dichterbij en de jongens verstarden en zetten zich schrap voor een nachtelijke aanval. Hoewel het geen aanval in de conventionele zin van het woord was, had het hetzelfde effect op ons moreel als wanneer de vijand met succes door onze gelederen was gebroken.

Ze doemden op uit de duisternis, spookachtige schaduwen die lasten tussen zich in meedroegen; schreeuwende, kronkelende lasten die ze naar ons toe sleepten voordat ze weer de nacht in vluchtten. Sommigen van de jongens – de weinigen die nog een pilum overhadden – gooiden hun wapens achter hen aan, maar ik denk dat ze alleen schade toebrachten aan onze eigen voorraad projectielen. De schaduwen verdwenen, maar het schreeuwen hield niet op. We renden naar voren en trokken de lasten de heuvel op, maar dat was moeilijker dan we hadden verwacht. Het was lastig om ze goed beet te pakken, omdat ze waren bedekt met geronnen bloed en kronkelden als gestrande alen. En al die tijd krijsten ze scheller dan een harpij. En dat was ook geen wonder, want het waren niets meer dan met bloed besmeurde vleesklompen, alleen rompen en hoofden, zonder ledematen. Hun armen en benen waren afgehakt en de stompjes die overbleven waren in pek gedoopt om het bloeden te stoppen, net als de jaap op de plek waar hun genitaliën hadden gehangen. Het was onverstaanbaar geschreeuw, want ze hadden niets meer in hun monden om woorden mee te vormen, en als dat wel zo was geweest hadden ze toch niet kunnen zien tot wie ze hun leed richtten, want hun oogkassen waren een bloederige massa.

Er steeg een collectieve kreun van wanhoop op uit het kamp die het geweeklaag van de verminkte mannen bijna overstemde. Wat moesten we doen met onze makkers die zo kapot en incompleet waren? Elke schreeuw, elke beweging van een afzichtelijke stomp, elke kronkeling van een gekwelde romp vervulde ons met angst en ontzetting, en we wisten allemaal dat als wij een van die blinde misvormde drommels op de grond waren geweest, we hadden gesmeekt om er een einde aan te maken. Korte tijd later was het geschreeuw opgehouden doordat zwaarden de rompen hadden doorboord en hun harten kapot hadden gemaakt. Toen richtten we onze woede op de onzichtbare vijand in de nacht en we schreeuwden onze haat, even nutteloos als diepgaand, uit naar de verborgen beulen die onze kameraden zoiets wreeds hadden aangedaan. Maar er kwam geen reactie uit het donker en bij veel van onze mannen stroomden tranen van frustratie over het gezicht. Ze waren door het slaapgebrek en voortdurende ploeteren door de modder zo uitgeput dat ze hun emoties niet meer de baas waren. Ze hadden de moed verloren, zakten op hun knieën en trokken aan hun haren.

Varus zag de toestand waarin het restant van zijn leger verkeerde en het effect dat het verminken van de gevangenen op hen had gehad, en hij moet zich hebben gerealiseerd dat het allemaal kwam doordat hij zich had laten beetnemen door Erminatz. De verantwoordelijkheid lag bij hem en bij niemand anders, want hij was gewaarschuwd maar had de waarschuwingen in de wind geslagen. Om zich heen zag hij niet drie machtige legioenen en hun hulptroepen, maar een verzameling ontmoedigde, doodsbange, uitgeputte mannen die toevallig het uniform van Rome droegen. Hij had hen aangevoerd en hij had hen hier gebracht. Nu de belofte om zich aan te sluiten bij Erminatz hem was afgenomen, nu hij begreep hoe de situatie ervoor stond, zag hij geen haalbaar doel meer, geen weg vooruit of achteruit. Hij zag niets dan de dood, want het was de dood die ons had belegerd op die rotsachtige heuvel, en hij wist welk lot de dood voor hem in petto had door de hand van zijn voormalige vriend Erminatz. Het zou erger zijn dan de nu bewegingloze rompen die langs de rand van het kamp verspreid lagen.'

HOOFDSTUK XIII

'Hun enige optie was nu om in dezelfde richting te blijven vluchten, ook al wist hij dat Erminatz daar niet op hem wachtte; het was de snelste manier om het bos uit te komen,' mijmerde Thumelicatz terwijl Aius de lampen in de tent aanstak omdat de dag bijna ten einde was. 'Wat hij niet wist, was dat hij om het Teutoburgerwoud uit te komen door de Teutoburgerpas heen moest. Tiburtius, ga verder bij de zonsopkomst op de vierde dag.'

De oude slaaf knipperde met zijn ogen om te wennen aan het licht van de lampen en nam de tijd om de juiste plek te vinden.

'Ze gaan op weg,' zei mijn vader, Siegimeri, toen we met de koningen van alle stammen vanuit het bos naar het kamp stonden te kijken. De eerste zonnestralen raakten de loodgrijze lucht van onderaf en doorsneden de rimpelingen met donkerrood.

Ik herinner het me nog omdat een rode ochtendlucht volgens de Cheruskische overlevering een waarschuwing is dat de Donderaar van plan is die dag met zijn hamer te zwaaien; de aanblik verwarmde mijn hart, omdat ik wist dat we met zijn hulp de Romeinen over een paar uur uit zijn land zouden verdrijven.

Ik zag de verfomfaaide cohorten hun posities innemen in hun geïmproviseerde fort op de heuvel in het rotsachtige veld en vervolgens in noordwestelijke richting marcheren in een colonne die nog niet half zo lang was als vier dagen eerder: niet meer dan vijftienhonderd passen, nog geen Romeinse mijl. 'Hou alle stammen in beweging,' zei ik tegen de koningen om me heen, 'zodat de colonne niet van de route afwijkt. Als we in de buurt van de Kalkreus komen, moeten we hen inhalen zodat we ze kunnen opwachten. De grond zal daar dezelfde kleur krijgen als de lucht, en die plek zal voor altijd gewijd blijven, bezaaid met de botten van de onbegraven vijand.' Zelfs Adgandestrius mompelde zijn goedkeuring in zijn baard voordat we uit elkaar gingen en terugkeerden naar onze wachtende mannen die allemaal goed hadden geslapen en gegeten.

We waren klaar voor de laatste dag.

En dat was de Donderaar ook. Nog voordat de zon een handbreedte boven de horizon uit was gekomen, viel Donars hamer donderend neer en scheurde de hemel open om een stortvloed van water neer te laten. Maar de zonen van Alle Mannen droegen geen zware bepakking die doorweekt raakte; als een mantel en een broek nat werden, had je het wel gehad. De Romeinen, daarentegen, hadden met leer beklede schilden en leren zakken als bepakking, en die waren zo zwaar geworden van vier dagen regen dat de uitgeputte troepen die ze droegen het almaar moeilijker kregen. De achterblijvers, en dat waren er veel, werden al afgeslacht of meegenomen voor onze vuren toen het laatste deel van de colonne nog maar een halve mijl bij de heuvel vandaan was. De ketens gevangenen, met de nekken aan elkaar gebonden, werden weggeleid voor de feestelijkheden die op onze overwinning zouden volgen. En aan die overwinning twijfelde ik niet meer, want als zij naar open terrein trokken en zich daar omdraaiden om het gevecht met ons aan te gaan, dan moesten ze door de Teutoburgerpas, en die pas was dankzij Engilram afgesloten.

De ochtend vorderde en het bleef onophoudelijk regenen. Het terrein werd ruiger en het bos dichter, dus de Romeinse colonne kwam nog maar tergend langzaam vooruit. De wegbereiders, die werden beschermd door Gallische hulptroepen die voor de gelegenheid van hun paard waren afgestapt, hadden grote moeite om de weg vrij te maken voor de colonne. Ze velden bomen en overbrugden rivieren waarin het water hoog stond en snel stroomde. Onze mannen bleven ze bestoken met werpsperen en pijlen en veel daarvan kwamen voorbij de schilden van de beschermers, waardoor hun aantallen afnamen en de voortgang nog meer werd vertraagd. Nu het belangrijkste deel van de colonne praktisch tot stilstand was gekomen, konden de overgebleven soldaten van het Zeventiende, Achttiende en Negentiende Legioen hun schilden beter voor zich houden en zichzelf effectiever beschermen. Voor ons was het natuurlijk helemaal niet goed dat onze beoogde slachtoffers weer een beetje hoop kregen.

'Staak de aanvallen op de wegbereiders en de voorhoede, Vulferam,' beval ik toen me duidelijk werd wat we nodig hadden.

Vulferam keek me niet-begrijpend aan.

'We moeten ze snelheid laten maken,' legde ik uit, 'zodat ze meer ontregeld zijn; we kunnen niet door hun verdediging dringen als ze stilstaan.'

'Hoe moeten we ze dan aanpakken als ze op de executieplaats komen? Daar komen ze ook tot staan.'

Ik glimlachte naar hem. 'Dat zul je nog wel zien; vertrouw me maar. Het is nog maar minder dan vier mijl naar de plaats van de hinderlaag. Ik ga met de helft van onze mannen vooruit. Blijven jullie hier om ze te bestoken als ze verder trekken. Ik zie je in de schaduw van de Kalkreus.'

En zo liet ik hem achter. Ik trok met de helft van de Cherusken uit het zicht van de Romeinse colonne tussen de bomen door, naar Engilram en zijn Bructeren die ons opwachtten bij de plek die we hadden uitgekozen om al die Romeinen te doden: de Teutoburgerpas, waar het bos aan het moeras grenst. Ik wilde zo graag naar die plek toe dat ik vooruitging en mijn mannen achterliet onder de hoede van mijn vader.

'Zoals je kunt zien, zorgt de Kalkreus er als een soort trechter voor dat de pas nog dichter langs het moeras loopt,' zei Engilram toen we in de stromende regen achter een ruwe, aarden wal stonden en neerkeken op het open terrein, hoofdzakelijk weidegrond, onder aan de Kalkreus. Aan de zuidoostelijke kant, waar de colonne zou verschijnen, was het vierhonderd passen breed, maar het werd steeds smaller en het einde van de pas, waarachter het open terrein lag waar de legioenen zich konden omdraaien en tot ons richten, was minder dan honderd passen breed. Engilram wees naar iets wat eruitzag als een enorm heidegebied dat zich zo ver het oog kon zien naar het noorden uitstrekte. 'Dat is het moeras, en het is een verraderlijk moeras, helemaal na al deze regen. Er is geen doorkomen aan, tenzij je het geluk en de geslepenheid van Loki hebt. Een enkeling komt misschien aan de overkant, maar de meesten worden erdoor opgezogen.' Hij wees toen in noordwestelijke richting naar het smalste uiteinde van de pas en de bomen erachter. 'Mijn mannen hebben veel van de bomen daar omgehakt, zodat de stammen een belemmering vormen voor de mannen die in die richting wegvluchten. Ik heb daar ook vijfhonderd van mijn mannen neergezet om de barricade te verdedigen als er een gecoördineerde vluchtpoging komt.'

Ik knikte goedkeurend. 'Goed gedaan, mijn vriend. En hoe zit het met die andere kwestie?'

'Dat is allemaal onder controle. Kom mee.'

Engilram leidde me schuin de heuvel op, zodat we de weidegrond al snel niet meer tussen de bomen door konden zien. Na een paar honderd passen zag ik iets wat me met vreugde vervulde: tientallen karren, elk afgedekt met een ossenhuid om de inhoud te beschermen tegen de niet-aflatende regen. Hij trok een van de doeken terug en ik zag honderden werpsperen. 'Ze zijn haastig gemaakt, maar voldoen prima. Ik schat dat er in elke wagen nog zeker vijfhonderd liggen.'

Ik probeerde de wagens te tellen.

'Meer dan zestig,' zei Engilram, alsof hij mijn gedachten kon lezen. 'We hebben tussen de vijfendertig- en veertigduizend projectielen die we hun richting op kunnen sturen.'

Ik grijnsde naar de oude koning van de Bructeren. 'Dat lijkt me wel genoeg.'

'Ik hoop het. Ik heb mijn neef opdracht gegeven ze over de krijgers te verdelen als die hier zijn. Elke man krijgt er vier tot ze op zijn, en dan verschuilen ze zich achter die aarden wal waar we net stonden, zodat ze niet zichtbaar zijn. Het eerste salvo zal als een verrassing komen.'

Dat was wat ik wilde horen. Engilram had me niet teleurgesteld: dit was de manier om de Romeinse muur van schilden uit te schakelen nog voordat hij kon worden gevormd, en alles was gereed. Als mijn mannen hier aankwamen, kregen ze hun werpspiesen en voegden ze zich bij de krijgers van de Bructeren achter de wal tussen de bomen, op ongeveer tien passen van de onderkant van de heuvel. Als ze daar met zijn honderden ineengedoken zaten, waren ze vanaf het open terrein niet te zien. De rest bleef hoger op de heuvel tussen de bomen, klaar om naar beneden te stormen als de Romeinen in de val zaten. Ik rekende uit dat we ongeveer vijfduizend krijgers op de Kalkreus hadden, en er kwamen er steeds meer bij terwijl de colonne dichterbij kwam. Al snel kwamen de Chatten en Sugambren, die hun positie achter de colonne hadden overgedragen aan de Marsi en de Chauken, die een mogelijke terugkeer vanaf de executieplaats onmogelijk zouden maken. De executieplaats lag er nu door de regen weelderig groen bij, maar zou snel rood kleuren van het bloed van mannen die er niet hoorden te zijn.

En zo wachtten we terwijl het geroep en geschreeuw vanuit het bos dichterbij kwam; er waren nog steeds krijgers die de colonne bestookten en de angst voedden door mannen te doden en verminken, maar ook door een groot aantal gevangen te nemen.

Het geluid van bloedvergieten kwam steeds dichterbij en we wachtten in stilte; elke krijger wist dat een verrassingsaanval veel meer doden zou opleveren dan wanneer de legioenen een storm van werpsperen verwachtten. Het werd steeds luider tot uiteindelijk de voorhoede van de colonne tussen de bomen aan de andere kant van de open weide verscheen. Ze maakten direct snelheid, en renden bijna over het lange, niet-begraasde gras. Achter hen verschenen meer soldaten, de resten van het eerste cohort van het Zeventiende, die allemaal direct sneller gingen marcheren. Ineens was de hele weide gevuld met legioensoldaten die het open terrein dolgraag wilden benutten om aan hun kwelgeesten te ontkomen en, al was het maar voor even, wat respijt te krijgen. Ze kwamen steeds dichterbij en toen het voorste deel van het Zeventiende zich ter hoogte van mij bevond, op mijn positie halverwege het open terrein, kwam de Adelaar van het Achttiende de bossen uit. De cavaleristen, die van hun paarden waren gestapt omdat die nutteloos waren in de beperkte ruimte in het bos, stegen nu weer op en begonnen in handgalop naar voren te gaan, langs beide kanten van de colonne. Ik keek, bang om adem te halen, hoe de gedoemde legioenen dichterbij kwamen. Al snel werd de Adelaar van het Negentiende zichtbaar en was de ruimte die de colonne innam flink toegenomen, wat erop wees dat hun formatie niet erg compact was; de gelederen begonnen steeds verder uit elkaar te vallen. Ondanks dat de centuriones en optiones bleven schreeuwen dat ze een strakke formatie moesten aanhouden, leidde de angst voor wat hen op de hielen zat ertoe dat de legioensoldaten de bevelen en klappen van rietstengels negeerden.

Toen het middelste cohort van het Achttiende Legioen op mijn hoogte kwam, trok ik het masker van mijn helm omlaag, prevelde ik een kort gebed aan de Donderaar en trok ik, terwijl ik overeind sprong, mijn arm naar achteren om een werpspies de lucht in te slingeren. Tegen de tijd dat hij het hoogste punt van zijn vlucht had bereikt, was het een van de duizenden projectielen die op de Romeinse formatie af vlogen, en toen hij door de bovenkant van een helm heen sloeg en een legionair als een natte zak op de grond wierp, was het tweede salvo ook al onderweg en kwamen de krijgers die hoger op de helling hadden gewacht onze kant op. En toen sprong ik over de wal. Ik wierp nog een spies weg en leidde mijn volk, onder het uitschreeuwen van de strijdkreet van onze Cheruskische vaders, voorwaarts.

Ik werd overspoeld door vreugde omdat we eindelijk de kans hadden om ons Vaderland te ontdoen van de mannen uit het zuiden. Daar waren ze, slechts vijftig passen van ons verwijderd, in paniek en stervend onder een stortvloed van werpspiesen die de al donkergrijze lucht nog duisterder maakte. In de eerste tien hartslagen van de hinderlaag kletterden tienduizend projectielen op hen neer, en in de volgende tien hartslagen volgden er nog eens tienduizend. Er werden in die korte tijd drieduizend levens genomen, waardoor hun aantal met bijna een derde afnam.

De verrassing van onze aanval was groot. Net toen ze dachten dat ze konden uitlopen, net toen ze zich begonnen te richten op wat er voor hen lag, kwamen wij schreeuwend uit het bos links van hen, met ontblote tanden en haat en dood in onze ogen: de mannen van het noorden, het onderwerp van hun ergste nachtmerries, sprongen tevoorschijn uit het donkere, noordelijke bos pal naast hen. De stortvloed van werpspiesen bleef vallen en velde mannen die probeerden hun doorweekte schilden boven hun hoofden te tillen. De onophoudelijke regen had zijn tol geëist en de lijm die de lagen hout bij elkaar had gehouden begon het te begeven, waardoor de schilden onder de vele klappen uit elkaar vielen. Wij renden vanaf de wal op hen af en gooiden onze projectielen direct naar de colonne, zodat de flankstellingen, die qua formatie weinig meer voorstelden nadat ze het open terrein op waren gerend, werden neergeslagen en doorboord omdat ze te ver uit elkaar stonden om een muur van schilden te vormen. Mijn laatste werpspies schoot door het oog van een centurio en kwam aan de achterkant van zijn gepluimde helm naar buiten, waardoor hij krijsend achterover boog en zijn zwaard door de lucht vloog. Zijn mannen weifelden toen hun officier op de grond viel en kreunend zijn laatste adem uitblies. Voordat hun optio zijn mannen tot de orde kon roepen, wierpen wij ons op hen, zwaaiend met onze zwaarden boven hun hoofden, onze ruggen naar achteren gebogen, klaar voor de neerwaartse slag. De slagen kwamen bijna gelijktijdig, toen onze lemmeten omlaag zwiepten en door vlees en botten sneden of vonkenregens veroorzaakten als ze langs pantsers schraapten. Ik stootte de uitstulping op mijn schild naar voren en sloeg de lucht uit een hysterische jongeling, waarna ik de arm met zijn zwaard in een fontein van bloed afsneed en hij krijsend op de grond viel waar de krijgers achter mij het af konden maken.

We vielen over de gehele lengte van de colonne aan terwijl de werpspiesen over onze hoofden suisden om in de achterste rijen neer te komen. Hier en daar wankelde de linie, als een kronkelende slang, maar over het algemeen hield hij stand. De zesduizend legionairs die nog overeind stonden vielen niet zomaar om door de kracht van onze haat. Hoe bang ze ook waren, hoe verrast en ontregeld, ze slaagden erin enkele passen naar achteren te wankelen en daarna, puur op wilskracht en overlevingsinstinct, hun voeten stevig op de grond te planten en hun schilden op elkaar te laten aansluiten. Maar er bleven krijgers van de heuvel af stromen die zich achter ons schaarden en hun gewicht toevoegden aan de schermutseling. Toen zag ik, tot mijn ontsteltenis, wat voor ramp het zou worden als de hinderlaag uitliep op een duw-en-trekwedstrijd met een Romeinse vechtmachine. 'Terug! Terug!' schreeuwde ik terwijl ik de man achter me wegduwde. 'Terug voor een nieuwe aanval!' Ik drong me terug naar achteren en trok de mannen om me heen fysiek met me mee. We stapten bij de colonne vandaan, als een golf die aan beide kanten wegstroomde toen het nieuws dat er moest worden teruggetrokken zich verspreidde. De Romeinen zagen het gebeuren, zwaar ademend, onder het bloed, maar met hun formatie intact – nog net. Wij trokken ons bijna tot aan onze wal terug en bereidden ons voor op een nieuwe aanval, maar dit keer in de wetenschap dat ze ons verwachtten.

Maar toen gebeurde er iets wat de situatie veranderde. Van achter de Romeinse linie klonk een *lituus*, hoog en schel, en ik kende het geluid, het was het teken dat de cavalerie zich moest terugtrekken. Elk van de legioensoldaten kende dat signaal en wie kon draaide zich om en zag het overblijfsel van de cavalerie onder leiding van Vala Numonius in noordwestelijke richting wegvluchten, richting de barrière van omgehakte bomen. Ze gingen ervandoor en er klonk luid gekreun onder hun voormalige kameraden te voet. Toen de wanhoop zich van de vijand meester maakte, leidde ik mijn krijgers weer naar voren.

Thumelicatz leunde in zijn stoel naar zijn Romeinse gasten. 'Vala Numonius een lafaard? Tja, dat is wel de mening van jullie geschiedschrijver Velleius Paterculus.'

De oudste broer maakte met zijn hand een afwijzend gebaar. 'Hij had een paar van de weinige mensen die naar het keizerrijk waren teruggekeerd gesproken, en die zeiden allemaal hetzelfde: Vala was gedeserteerd.'

'Is dat zo?' Thumelicatz draaide zich om naar zijn slaven. 'Wat denken jullie?'

Met een korte blik werd uitgemaakt dat Tiburtius degene was die zou spreken. 'Varus had zijn commando achter het Achttiende Legioen geplaatst; wij, de drie aquilifers, liepen daar ook, om de vogels zo goed mogelijk te beschermen. Hij riep al zijn hoge officieren bij elkaar toen de Germaanse krijgers zich na de eerste aanval terugtrokken. Hij wist dat het afgelopen was. Hij richtte zich tot Vala: "Ga," zei hij, "en neem de cavalerie met je mee. Ga naar de Amisia; je hebt een kans om vandaaruit thuis te komen."

"Het is mijn eer te na om u in de steek te laten," antwoordde Vala.

"Je moet gaan," beval Varus. "Wat heb je eraan om hier te sterven, want dat gaat nu zeker met ons gebeuren. Maak dat je wegkomt, ga terug naar Rome en vertel de keizer wat er is gebeurd, zodat hij mij en mijn mannen kan wreken. Ga, mijn vriend, en vertel iedereen dat ik erin ben geluisd." Hij legde zijn hand op de schouder van zijn cavaleriecommandant en gaf er een kneepje in. De twee mannen bleven elkaar een moment aankijken, en toen knikte Vala eenmaal en draaide hij zich om. Varus keek toen naar de overgebleven officieren en sprak. "Heren, voor ons achterblijvers resten er drie keuzes: ons overgeven aan barbaren, en we weten wat dat voor ons inhoudt, of sterven in het gevecht en het risico nemen gevangen te worden genomen en dezelfde kwelling te ondergaan als wanneer we ons overgeven. Of we nemen de zaak zelf in handen." Hij pauzeerde en keek de mannen stuk voor stuk aan. Slechts een van hen leek het er niet mee eens te zijn.

"Ik ben voor overgeven," zei Ennius, de kampprefect van het Achttiende. "Als we nu onze wapens neerleggen en meer bloedvergieten voorkomen, zal Arminius ons vast een onbelemmerde doorgang naar de Rhenus verlenen."

Varus lachte de man in zijn gezicht uit op het moment dat een cavalerie-lituus klonk en hoeven weg stampten. "Hoe kan een lafaard zo hoog zijn opgeklommen? Natuurlijk zal Arminius jou of ieder van ons hier niet sparen. Ik weet dat, en daarom kies ik voor een zelf toegebrachte dood."

Dat was op dat moment de enige optie voor hem en in die gemoedsgesteldheid liep hij naar de drie Adelaars die wij nog steeds hooghielden. Met een uitdrukking waarin de trots die normaal op zijn gezicht stond af te lezen afwezig was, maakte hij zijn borstschild los en legde het op de grond. De meesten van zijn hoge officieren steunden hem in zijn laatste momenten en maakten zich ook op om te ontsnappen aan de vuren en zwaarden van de rebellerende stammen. De twee andere Adelaardragers en ik stonden onder onze vogels toen het commando van de drie legioenen voor hen knielde, met hun zwaard in de hand en het lemmet net onder hun onderste ribben aan de linkerzijde van hun borstkas gericht. Zonder een woord te zeggen liet Varus zich voorover vallen, zodat het gevest van zijn zwaard tegen de grond werd geramd, waar het bleef steken toen de vaart van zijn lichaam de punt onder zijn ribben langs dreef en in zijn hart, dat niet langer de wil had om te leven. De lucht werd uit zijn longen gestoten, maar er kwam geen uitroep van pijn over zijn lippen toen de bebloede punt door zijn schouderblad naar buiten kwam, en zijn lichaam trilde in de siddering van de dood voordat het stil bleef liggen. Enkele tellen na zijn heengaan waren zijn officieren hem gevolgd op de weg naar de Veerman; het Zeventiende, Achttiende en Negentiende Legioen waren hun hoogste commando kwijt terwijl ze het op dat moment zo hard nodig hadden. De strijdkreten van de stammen klonken weer en we wisten dat als we ze al een tweede keer konden weerstaan, we dat zeker geen derde keer konden doen.'

Thumelicatz glimlachte. 'En zo, Romeinen, weten jullie nu dat Vala geen lafaard was en dat Ennius juist het slechtst voor de dag komt in de herinnering van mijn slaaf. Varus komt er echter ook niet goed vanaf. Er bestaat geen goed moment om te sterven, maar er is zeker wel een verkeerd moment; en Varus koos absoluut voor het verkeerde. Hij had zijn staf al uitgedund door een groot aantal officieren op verlof naar Rome te sturen en nu was hij wat er nog restte voorgegaan in een nutteloze zelfmoord. Hij had zichzelf gedood uit angst voor wat er met hem zou gebeuren als hij gevangen werd genomen, niet om zijn eer te redden; dit was de zelfmoord van een lafaard. Tot dat moment was het voor de Romeinen nog mogelijk geweest om de situatie weer in de hand te krijgen. Mijn vaders oorspronkelijke doel was geweest om de colonne in één dag uit te schakelen, omdat hij wist dat de colonne, als hij gehavend maar nog intact was, naar open terrein kon vluchten, zich daar kon omdraaien en de strijd met de stammen kon aangaan. Mijn vader hield zichzelf niet voor de gek; hij wist wie er in een dergelijke strijd de beste kansen had.

En daar waren ze, in de pas op open terrein. Een besloten terrein, dat geef ik toe, anders dan wat voorbij de pas lag, maar toch redelijk open. En hij had het restant van zijn mannen bij zich, dat een aanval had overleefd en nog in redelijk goede orde was. Zoals Tiburtius al zei: het was wat zijn hogere officieren hem de nacht ervoor hadden aangeraden, het was de enige verstandige keuze, maar in plaats van het gevecht daar aan te gaan en een kans te hebben om de helft van zijn mannen uit Germania weg te krijgen, slaat hij de hand aan zichzelf en jaagt hij drie legioenen de dood in, want er was geen enkele ervaren officier over die het vertrouwen kon wekken van al die doodsbange mannen. De schijnbare desertie van de cavalerie, de zelfmoord van hun commandant en een groot aantal van hun officieren sloeg het laatste beetje hoop en moreel van de legioensoldaten weg; en toen er een nieuwe strijdmacht verscheen in het bos waardoor Vala en zijn mannen probeerden te vluchten, en hij en zijn mannen werden neergeslagen, was de ontmoediging compleet. Ze werden aan drie kanten omringd door krijgers en hadden achter zich een ondoordringbaar moeras, dat nog onbegaanbaarder was geworden door alle regen. Lees verder, Tiburtius.'

Tiburtius keek omlaag naar waar zijn vinger nog op het manuscript lag.

Toen we hen de tweede keer aanvielen, voelden we minder weerstand. De vlucht van de cavalerie had de legioensoldaten diep geraakt. Hun wanhoop was voelbaar en ze vielen neer onder het gewicht van onze lemmeten en de kracht van onze speerpunten. Wij hakten erop los terwijl een laatste salvo van werpspiesen over ons heen suisde en neerkletterde in de achterste gelederen, waar een groot aantal mannen wanhopig probeerde iets van een muur op te trekken in de absurde hoop dat die hen kon beschermen tegen onze woede. We maaiden ze neer, dunden ze uit en matten hen af. Rechts van me gaven de Chatten het Negentiende Legioen ervan langs terwijl de Marsi en Chauken van achteren aanvielen; dit was het zwakste legioen omdat het het als achterhoede zwaar te verduren had gehad. Links van me hamerden de Bructeren in op het Zeventiende Legioen terwijl de Sugambren achter ons rondtrokken en aanvielen op plaatsen waar gaten ontstonden. We hadden ze al snel teruggedrongen tot aan hun waardeloze muur. Het bouwwerk eiste veel levens op toen de mannen eroverheen probeerden te klimmen om aan onze meedogenloze zwaarden te ontkomen. Een muilezel, die volkomen in paniek was, rende eropaf en maakte in zijn sprong een draai waardoor hij op zijn nek neerkwam, die brak; hij was dood voordat zijn achterpoten de grond raakten. Andere ezels maakten bokkensprongen en waren helemaal dol, ze bleven maar balken terwijl ze de toch al kwetsbare formatie verwoestten. De soldaten krabbelden over de hindernis heen die hun eigen kameraden achter hen hadden neergezet. Ze tuimelden eroverheen, met hun ruggen naar ons toe gekeerd, en ze ontvingen oneervolle wonden doordat mijn krijgers woest lachend mikten op hun billen. Hoewel de meeste mannen niet over de muur heen kwamen, lukte het een flink aantal wel en zij versterkten de gelederen erachter. En dus pauzeerden wij en trokken we ons terug om ons op te maken voor wat de laatste aanval zou zijn op de resten van de drie legioenen die zich achter hun geïmproviseerde borstwering schuilhielden.

Er daalde een stilte neer op het veld, alsof iedereen probeerde op adem te komen. Heel even was het enige hoorbare geluid het gekreun van de gewonden dat werd gedempt door de onophoudelijke regen.

'Arminius!' schreeuwde een stem vanachter de Romeinse linies. 'Arminius!'

Er ontstond opwinding onder de legionairs en tussen hen door kwam een officier die ik herkende op me af, omringd door een stuk of honderd soldaten. 'Ennius, kom je smeken om een snelle dood?'

'Ik kom je smeken onze levens te sparen, Arminius. We willen onze wapens neerleggen in ruil voor een onbelemmerde doorgang naar de Rhenus.'

Het gebrek aan waardigheid in deze smeekbede maakte me even sprakeloos en het leek veel van de legionairs te krenken, want ik hoorde geschokte kreten.

'Hoe zit het met de Romeinse eer?' vroeg ik. 'Zelfs als ik jullie zou laten gaan, hoe kun je je landgenoten dan ooit weer onder ogen komen?'

'Laat ons daar maar over tobben als we ten westen van de Rhenus zijn.'

Deze opmerking werd begroet met nog meer geschokte uitroepen.

'Het lijkt erop dat je in de minderheid bent, Ennius. Maar als jij je wilt overgeven, vind ik dat prima, hoewel ik je kan verzekeren dat je niet naar het westen zult gaan. Een deel van jullie zal in onze vuren sterven en de rest zal ons voor de rest van jullie miserabele levens moeten dienen. Je kunt de gok wagen, of hier blijven en je opmaken voor een eervolle dood.'

Tot mijn verrassing stapte Ennius met de meesten van de soldaten die hij bij zich had naar voren, onder de hoon van elke andere Romein die nog ademhaalde. Toen hij voor me stond, schoof ik mijn masker omhoog en spuugde ik op zijn voeten. 'Neem hem mee,' beval ik Vulferam. 'En bewaak hem goed; hij zal als eerste branden.'

Ennius viel op zijn knieën. 'Arminius, denk aan de vriendschap die we eens hadden en spaar me.'

Ik weigerde hem recht aan te kijken. 'Er kan geen vriendschap zijn met een lafaard als jij.'

Dit werd, hoe vreemd het ook klinkt, begroet met gejuich uit de Romeinse linie en ik voelde niets dan respect voor degenen die zouden sterven, want ze waren bereid eervol te sterven. Ik hief mijn zwaard en groette hen terwijl Ennius, luid smekend, werd afgevoerd. Tot mijn verrassing hieven veel soldaten hun wapen om mijn groet te beantwoorden.

Het moment was daar om er voor eens en voor altijd een einde aan te maken. Mijn zwaard schoot omlaag en uit het diepst van mijn wezen kwam de strijdkreet van de Cherusken omhoog, die werd overgenomen door mijn volgelingen. De andere stammen brulden hun eigen kreten terwijl de eens zo machtige soldaten van Rome zich, onwrikbaar en stil, verschansten achter hun laatste verdedigingslinie.

Donars hamer viel neer; de vonken verlichtten de zware lucht enkele hartslagen lang voordat de Donderaar zijn oorverdovende geluid liet horen en wij aanvielen.

Onze doorweekte mantels en haren wapperden achter ons aan terwijl we met onze wapens paraat op de vijand af renden, hunkerend naar bloed terwijl boven ons weer een bliksemschicht verscheen. Werpspiesen die van het veld waren opgeraapt kwamen op ons af vliegen, maar we waren met te veel om er echt onder te lijden. Voor elke krijger die werd uitgeschakeld, waren er twee die zijn plaats wilden innemen omdat ze wisten dat onze goden met ons waren.

De legionairs zetten zich schrap toen wij zo hard we konden op hen af renden. Met al mijn kracht zette ik af met mijn linkervoet en wierp ik mezelf, met een extra sprong van mijn rechtervoet op de geïmproviseerde wal, boven op de schilden van de mannen erachter. Ik stortte neer op het met leer beklede hout en trapte uit alle macht in het rond terwijl ik mijn zwaard liet neerkomen op de helm voor me, die openspleet. De doorweekte, verzwakte schilden vielen uiteen onder het gewicht van mijn aanval en de krijgers aan weerskanten van mij sprongen met evenveel overgave als ik over de wal. We hadden de muur tegen hen gebruikt en de hoogte benut om boven op de mannen te landen die erachter in de omgeploegde modder in elkaar gedoken zaten.

Nu zou er geen respijt zijn, en we toonden ook geen mededogen; nu zouden we ze afslachten. Mijn zwaard zwiepte door de lucht, gevolgd door druppels bloed die werden verdund door de stromende regen, om door de hals van een tweede soldaat te gaan, wiens kreet abrupt stopte toen zijn luchtpijp werd doorgesneden. Onze aanval was zo intens en de verrassing over het feit dat wij over de muur heen durfden te springen zo groot dat de wil om de aanval af te slaan vervloog. De soldaten die zo-even nog de mannen die zich overgaven hadden uitgejouwd, toonden nu dezelfde zwakte: ze draaiden zich om en zetten het op een rennen.

Over de gehele linie was de wilskracht van de legioenen geknakt, net als de muur van schilden waar wij ons op hadden geworpen, en de hel brak los toen de zonen van Alle Mannen zonder genade de mannen afslachtten die hadden geprobeerd hun land en hun vrijheid van hen af te nemen.

En terwijl ik levens nam zag ik voor me mijn doelwit: de Adelaars. Ze stonden nog altijd overeind, uitkijkend over het bloedbad. Met een gewelddadigheid die al mijn andere handelingen van de voorbije dagen oversteeg, hakte ik me een weg ernaartoe, omringd door mijn krijgers, terwijl de wolkbreuk het bloed dat over onze armen en gezichten spatte verdunde. We hakten ons door de laatste rij heen en zagen dat de Adelaars werden omringd door een stuk of tweehonderd bewakers. Dat hield ons echter niet tegen, want we wisten dat wij snel de overhand zouden krijgen omdat de legioenen steeds verder uiteenvielen. Ik hield niet in, maar rende op de grimmige mannen af die hun leven zouden geven voor de heilige symbolen die Augustus hun persoonlijk had gegeven. We gingen met zijn allen op hen af terwijl achter ons een enorme slachtpartij plaatsvond. En toen gaf de Donderaar boven ons, als teken van zijn goedkeuring, nog een machtige klap met zijn hamer die de aarde onder onze voeten deed beven. Aangespoord door dit teken van goddelijke instemming voelden we geen angst, maar enkel vreugde toen we ons tegen de muur van schilden wierpen. De dodelijke zwaarden van de Romeinse moordmachine flitsten tussen de schilden op en neer en sneden de levensdraden van veel van de mannen om me heen door. Op de een of andere manier werd ik gespaard; mijn zwaard, dat droop van het waterige bloed, beschermde me en baande zich een weg door het ijzer en vlees tussen mij en mijn trofee heen. En toen zag ik dat er nog maar twee Adelaars overeind stonden en vervloekte ik de man die me voor was geweest en als eerste het ultieme symbool van de Romeinse onderdrukking had veroverd. Toch ging ik verder, met mijn kaken op elkaar geklemd en mijn spieren protesterend bij elke stap en beweging van mijn zwaardarm. Ik kwam steeds dichterbij terwijl de hoeders van de Adelaars systematisch werden afgeslacht.

'Waar was jij gebleven, Aius?' vroeg Thumelicatz. 'Want jij was degene die was verdwenen; niemand bleek mijn vader te hebben afgetroefd.'

De slaaf liet zijn hoofd hangen. 'Ik probeerde de Adelaar van het Zeventiende Legioen te redden, maar ik heb gefaald. Ik had gezien dat uw vader zich een weg baande naar waar de drie Adelaardragers stonden en het was duidelijk wat hij van plan was. Ik wist dat we verloren waren en snel de genadeklap zouden krijgen. Ik kon alleen nog denken aan de veiligheid van mijn vogel; mijn leven was niets waard als ik hem niet uit vijandelijke handen kon houden. Ik kon maar één kant op, wilde ik nog een kans maken, dus ik haalde mijn vogel van zijn stok, wikkelde hem in mijn mantel en rende naar het moeras. Overal om me heen zag ik kameraden die probeerden te vluchten. Alle waardigheid was verdwenen, maar ik had het gevoel dat ik er tenminste nog iets van kon redden als ik mijn vogel terug de Rhenus over kon brengen. En als dat niet mogelijk was, zou ik hem laten zinken in het moeras.'

'Maar je hebt geen van beide gedaan,' zei Thumelicatz met minachting in zijn stem. 'Nietwaar, Aius?'

'Dat is zo, meester. Ik heb geprobeerd het moeras over te steken, maar door alle regen was de grond plakkerig geworden. Mijn voeten werden omlaag gezogen en voordat ik meer dan tien passen had afgelegd, zat ik vast en zonk ik. Toen hoorde ik achter me een schreeuw. Ik verstijfde, want ik kende die stem; ik had hem al vele malen gehoord: het was de stem van Erminatz. Ik draaide me om en daar stond hij, als een verschrikking, helemaal onder het bloed, dat in stroompjes van hem af droop, omringd door krijgers, waarvan twee de vogels van de andere legioenen vast hadden. "Marcus Aius, breng die Adelaar hier, dan zal ik je het vuur besparen," schreeuwde hij naar me. Ik probeerde vooruit te komen, want ik was niet van plan om mijn vogel vrijwillig af te geven aan de vijand. Hij zag dat ik geen poging deed om zijn wens in te willigen en stuurde twee van zijn krijgers achter me aan. Zij wisten hoe ze met het moeras moesten omgaan; in plaats van te lopen, krabbelden ze. Ik raakte in paniek en probeerde de Adelaar in het moeras te laten zinken, maar ze waren snel bij me. Ze pakten hem van me af en sleurden mij het moeras uit als Erminatz' gevangene, en omdat ik niet had toegegeven, wist ik dat ik was voorbestemd voor de vuren van hun goden.'

'En jij, Tiburtius?' vroeg de jongste broer. Zijn blik was er een van interesse, niet van verachting. 'Hoe heb jij de verovering van je Adelaar kunnen overleven?'

Thumelicatz knikte toen zijn slaaf hem aankeek om toestemming te vragen.

'Ze kwamen door de regen op ons af en vlogen door de eerste en tweede centurie van het eerste cohort van het Achttiende dat ons moest beschermen. Niets was veilig voor de razernij die na vier dagen van uitputting volgde. We waren verloren. Aius was verdwenen en toen ik me omdraaide naar Graptus, de aquilifer van het Achttiende, die naast me stond, trok hij zijn zwaard en ramde het zonder pauze in zijn keel. Zijn benen begaven het en zijn vuist, die om de stang van zijn vogel zat geklemd, gleed erlangs omlaag toen het leven uit hem wegstroomde en zijn eer meenam. De Adelaar van het Achttiende viel voorover in de modder op het moment dat er vuur door mijn bovenbeen schoot. Ik keek omlaag en zag een werpspies trillend in het vlees van mijn linkerbeen steken en ik voelde mezelf opzij vallen toen mijn been het begaf. Instinctief greep ik met beide handen naar de wond, maar toen ik me realiseerde wat ik had gedaan, reikte ik weer omhoog en greep ik de stang van de vogel. Ik probeerde wanhopig steun te vinden bij de Adelaar, maar ik had te laat gereageerd en viel neer, languit in de modder, die ook in mijn ogen spatte. Toen ik ze had schoongeveegd, zag ik voor me alleen de broeken en leren laarzen van onze vijand die over de lichamen van mijn makkers heen sprongen en naar mij toe renden. Ik probeerde mijn zwaard te pakken, zodat ik op dezelfde manier kon gaan als Graptus en mijn eer intact kon houden, maar toen ik probeerde op mijn knieën overeind te komen, ontnam een klap tegen de linkerkant van mijn hoofd me het bewustzijn. Toen ik bijkwam...'

'Zo is het genoeg,' onderbrak Thumelicatz hem. 'We zullen wat er gebeurde toen je bijkwam vertellen als de tijd daar is.' Zijn glimlach bereikte zijn ogen niet toen hij zich tot de Romeinen wendde. 'Mijn vader had de drie Adelaars van drie legioenen veroverd en zou in het daaropvolgende uur alle andere standaarden van de legioenen innemen: van alle cohorten, de centuriën, de afbeeldingen van de keizer en de emblemen van de legioenen. Hij nam ook ruim duizend mannen gevangen, inclusief vierentwintig centuriones, negen tribunen, nog een kampprefect en, uiteraard, mijn twee slaven hier. Daarnaast waren er ongeveer driehonderd vrouwen en kinderen en een stuk of vijftig muilezeldrijvers – meer was er niet over van de bagagekaravaan. Het zou me verbazen als meer dan een paar honderd mannen erin zijn geslaagd door onze linies of het moeras heen te komen. Toen de vijandelijke gewonden waren afgemaakt en achtergelaten, verzamelden we de testikels van de gevallenen, samen met hun maliënkolders, zwaarden en andere bruikbare spullen – we lieten alleen de nieuwe, gesegmenteerde harnassen die sommige soldaten hadden liggen, omdat we daar niets aan hadden. Onze doden werden samen met hun wapens opgehaald om vol eerbetoon terug te worden gebracht naar hun vrouwen en moeders, om ze vervolgens te wassen en te begraven. Al snel kwamen er ruiters vanuit alle gemeenschappen die Varus hadden gevraagd een garnizoen achter te laten: die waren ook allemaal afgeslacht, net als elke handelaar of ambtenaar die zich nog op ons grondgebied ophield. De Romeinse bezetting van Germania Magna was in de loop van vier dagen teruggebracht tot enige tientallen vluchtelingen – dat dachten we tenminste. Er was echter één ding dat niet volgens plan verliep, en dat zullen we horen nadat Tiburtius ons heeft verteld wat het eerste was wat hij hoorde en vervolgens zag toen hij weer bij bewustzijn kwam.'

HOOFDSTUK XIV

'"Zo stop je wel met sissen, kleine slang," was wat ik hoorde toen ik wakker werd,' zei Tiburtius op vlakke, emotieloze toon. 'Het werd gevolgd door een smekend gejammer dat overging in een sputterend gegorgel. Ik opende mijn ogen en zag Marcellus Acilius, de militaire tribuun met een brede streep van mijn legioen, naakt op de grond liggen; hij spuugde bloed op terwijl zijn tong voor hem werd opgehouden. De tranen stroomden over zijn gezicht, tranen van pijn, woede en verdriet, maar ook van schaamte om het feit dat hij huilde. Al die emoties moeten door het hoofd van die jonge vent zijn gegaan toen tot hem doordrong dat hij nooit meer zou kunnen praten, mocht hij deze dag overleven. Het was echter duidelijk dat hij niet zou overleven, want hij was een officier en die kregen een speciale behandeling. De knaap staarde ontzet naar de naald en draad die zijn tong, die in de modder voor hem was geworpen, nu vervingen. Zijn hoofd werd achterover gehouden en zijn kaken op elkaar gedrukt, terwijl hij zijn handen, die achter zijn rug bijeen waren gebonden, los probeerde te krijgen. Maar nee, hij zat stevig vast. Hij moest als een hulpeloos, tongloos slachtoffer ondergaan hoe de naald door zijn onderlip werd gestoken en vervolgens in zijn bovenlip. Het garen werd strakgetrokken en er werd een knoop in gelegd voordat de naald weer door zijn lippen ging. Steek na steek, elke heel precies en strak, werd gezet tot de mond van die knaap even stevig als een wijnzak was dichtgenaaid, en hij moest moeite doen om lucht naar binnen te zuigen door zijn met bloed gevulde neusgaten. Toen sneden ze zijn testikels af. In die toestand brachten ze hem naar de vuren.

Een andere jonge tribuun uit mijn legioen, Caldus Caelius, raakte zo in paniek toen hij zijn gecastreerde collega in de vlammen zag kronkelen, dat hij de ketting waarmee zijn handen waren geboeid zo hard op zijn hoofd liet neerkomen dat zijn schedel openbarstte en hij vrijwel direct stierf.

Pas veel later ontdekte ik dat we boven op de heuvel waren die zij de Kalkreus noemen; dezelfde plaats als waar we nu zijn. Deze open plek en de eeuwenoude eik zijn volgens de Germaanse overlevering heilig. Ze hadden alle veroverde standaarden rond de eik geplaatst en rond de open plek op gelijke afstand van elkaar vuren aangestoken; naast elk vuur bevond zich een altaar. Priesteressen met harde, schrille stemmen krijsten bezweringen voor de goden van dit land terwijl priesters slachtoffers op de offerplaat ombrachten en hun hoofden ophingen aan de takken rond de open plek en aan de eik in het midden. Dit waren de gelukkigen; of eigenlijk de op één na gelukkigste groep – de mensen met het meeste geluk waren gevallen in de vier dagen van de strijd. Ik zou zelf voor het mes op het altaar hebben gekozen als ik de keuze had gekregen tussen dat of het vuur. Ik had over het vuur gehoord, maar het nooit met eigen ogen gezien. Het vuur is echt afschuwelijk. Ze maken een rijshouten kooi in de vorm van een man en dwingen hun slachtoffer erin te gaan zitten. Dan wordt hij schreeuwend omhoog gehesen tot de kooi een groot aantal voet boven de vlammen hangt. Die vlammen worden dan zo opgestookt dat de hitte toeneemt, niet genoeg om het hout, dat goed in water is geweekt, te laten ontbranden, maar genoeg om de huid te schroeien. Het slachtoffer wordt langzaam geroosterd, krijsend van de pijn, smekend om genade. Maar er wordt geen genade geschonken, want waarom zouden ze zich de kans laten afnemen de goden te bedanken voor zo'n grote overwinning? Ik zag hoe de knaap in zijn rijshouten pop omhoog werd gehesen. Er kwam geen geluid over zijn dichtgenaaide lippen, behalve een diep gegrom in zijn keel terwijl er bloederig snot uit zijn neusgaten borrelde. Hij werd steeds hoger gehesen en boven het vuur geplaatst en ik keek hoe zijn voeten langzaam smolten en de huid van zijn benen naar boven toe verschrompelde en zwart blakerde. Zijn, nou ja, zijn...' Tiburtius pauzeerde en schudde zijn hoofd bij de herinnering. 'Zijn... verschrompelde gewoon. Op dat punt werd de kwelling zo groot dat de drang om te schreeuwen zijn lippen uiteen scheurde, en met een gerafelde mond smeekte hij Jupiter om hem te verlossen.

Maar Jupiter was die dag niet daar in dat donkere woud; en hij zal hier ook nooit komen. Jupiter is de god van Rome, de god van de stad. Hier in het noorden, in de bossen van Germania, heersen andere goden en die hebben geen genade met de Man uit het Zuiden die houdt van geordende wijngaarden, boomgaarden en velden rond stedelijke gemeenschappen met regelmatig gevormde markten, tempels en paleizen met ambtenaren die de macht hebben om belastingen te heffen en recht te spreken. De goden van Germania hebben geen begrip voor die manier van leven, maar houden van hun zonen, de zonen van Alle Mannen, die in vrijheid in de donkere wouden leven, in heilige bossen aanbidden en verhalen vertellen over het bos, waarin ze verheerlijken wat voor de Man uit het Zuiden voor angst staat.'

'En het is niet alleen het volk van Germania,' stelde Thumelicatz. 'Het zijn alle volken van het noorden, inclusief Britannia, zoals jullie zullen ontdekken als ik jullie help te vinden waarnaar jullie op zoek zijn.' De aanblik van de Romeinen die elkaar ongemakkelijk aankeken amuseerde hem, hoewel hij dat niet liet blijken. Hij wist dat hij de waarheid had gesproken. 'Maar laten we ophouden over de angst van de Man uit het Zuiden voor het bos waar wij noorderlingen zo van houden. Aius, lees verder over zijn angst voor de vuren.'

Aius schraapte zijn keel alsof hij het lezen van de volgende passage zo lang mogelijk wilde uitstellen. Maar uiteindelijk moest hij toch verdergaan.

> De vreugde die in me opborrelde groeide met elk nieuw offer dat schreeuwde in de vlammen en elk nieuw hoofd dat aan een tak werd opgehangen. De heilige eik, midden op de open plek, was versierd met offers aan onze goden en de vuren sisten van het vet. Geen van de officieren nam zijn dood boven het vuur goed op; ze smeekten en gilden zonder enig eergevoel. Maar dat kwam mij goed uit, want ik was van plan twee van de gevangenen te sparen voor deze memoires en ik had een manier nodig om hen voor altijd aan mij te verbinden. Ik liet de twee gevangengenomen Adelaardragers bij me brengen en genoot van de aanblik van deze eens zo trotse mannen die nu geknield in de modder zaten.
>
> 'Jullie hebben onze vuren gezien en weten wat jullie te wachten staat?' vroeg ik.

Ze hielden hun ogen op de grond gericht en gaven geen antwoord.

'Weten jullie dat?' schreeuwde ik.

'Ik weet het,' antwoordde de Adelaardrager van het Zeventiende, Marcus Aius. Zijn stem klonk kalm en hij hield zijn blik afgewend.

'En ik ook,' bevestigde zijn kameraad van het Negentiende, Gaius Tiburtius.

'En wat zouden jullie ervoor overhebben om dat lot te ontlopen?'

Ze keken elkaar kort aan.

'Alles, meester,' zei Aius, en ik maakte een spottende opmerking over hoe onderdanig hij in slechts een paar uur was geworden. 'We zijn samen met de Adelaars onze eer kwijtgeraakt. We hadden moeten sterven toen we ze beschermden.'

'Jullie motieven interesseren me niet; die zijn niets waard. Vertel me alleen dit: als ik jullie de keuze zou bieden tussen de vuren en in leven blijven en mij en mijn familie voor de rest van jullie leven dienen, met de belofte nooit een poging te doen om te ontsnappen, nooit de hand aan jezelf te slaan, wat zouden jullie dan kiezen?'

Opnieuw keken ze elkaar vluchtig aan. Dit keer sprak Tiburtius. 'We zullen u dienen, meester.'

Ik keek vol walging op hen neer en gaf ze toen allebei een trap tegen hun borst, waardoor ze op hun rug in de modder belandden. 'Ik zal jullie te zijner tijd van mijn besluit op de hoogte brengen,' zei ik terwijl ik wegliep. Ik wist allang dat ik hen zou laten leven om het verhaal van mijn leven en mijn haat voor hun soort op te tekenen.

'Dat is altijd mijn favoriete deel,' verklaarde Thusnelda vanuit de schaduwen van de tent. 'Toekijken hoe een Romein hardop voorleest hoe hij door mijn man werd vernederd, verwarmt mijn hart en verzacht de pijn die Rome me heeft aangedaan. Hun motieven zijn niets waard, hoe waar. Toch heb ik nooit iemand gewillig het vuur in zien gaan en weet ik ook niet wat ik zelf in die positie zou doen. Maar, hoe het ook zij, ik weet nog dat ik op dit punt mijn intrede deed in Erminatz' verhaal. Hij had me, zoals gezegd, al eerder gezien toen ik met mijn vader, de verrader Segestes, bij zijn vaders huis aankwam.' Ze stopte even om op de grond te spugen. 'Ik had hem echter niet gezien, of ik had hem niet opgemerkt. Maar victorie en macht zijn de grootste afrodisiaca, en toen ik na de veldslag met mijn moeder op deze plek kwam om te smeken voor mijn vaders leven, zag ik hem voor de eerste keer en maakte mijn hart een sprongetje, zoveel autoriteit straalde hij uit na zijn overwinning. Hij liep weg van twee Romeinen die hij net tegen de grond had getrapt en onze blikken ontmoetten elkaar. Hoewel ik met iemand anders was verloofd, wist ik op dat moment dat ik hem moest hebben en niemand anders.

Ik zei tegen mijn moeder: "Ik zal Erminatz smeken om mijn vaders leven te sparen; ik denk dat ik hem op een andere manier kan aanspreken."

"Daar kun je best gelijk in hebben, kind," antwoordde ze. "Erminatz voelt voor mij even weinig liefde als voor Segestes."

Ik liet mijn moeder aan de rand van de open plek achter en liep met bonzend hart op Erminatz af. Ik ging met opgeheven hoofd voor hem staan, biddend dat ik niet trilde of andere zichtbare tekenen van verlangen vertoonde waarvan mijn kruis nat werd. Als hij het me had gevraagd, was ik op mijn rug gaan liggen en had ik daar tussen de vuren en offers mijn benen voor hem gespreid. Maar daarover zou ons eerste gesprek niet gaan. "Mijn heer, Erminatz," zei ik terwijl ik zijn blik vasthield en vanbinnen smolt door de schoonheid van zijn ogen. "Ik kom..."

"Voor je vaders leven?" vroeg hij, mijn bedoeling radend. Zijn blik was intens, maar op dat moment wist ik niet, durfde ik niet eens te hopen, dat hij exact hetzelfde voelde als ik.

"Dat klopt, mijn heer," antwoordde ik. "Ik weet dat hij heeft geprobeerd u te verraden en..."

Hij onderbrak me opnieuw en verraste me. "Je mag hem hebben, neem hem maar mee."

Ik staarde hem verbluft aan.

Hij lachte en het geluid verdreef het geschreeuw van de mannen die werden geofferd. Het was geen onaardige lach, eerder een vrolijke: een lach die mijn hart nog verder op hol joeg en die maakte dat ik wilde zingen en dansen, zelfs op die plek van dood en verderf. Hij klonk me als muziek in de oren en ik wist dat hij me gelukkig zou maken als ik hem kon hebben in plaats van Adgandestrius, met wie ik verloofd was. "Maar dan moet jij mij een wederdienst bewijzen, Thusnelda," voegde hij eraan toe.

"Ik doe alles," antwoordde ik, en dat meende ik.

Opnieuw moest hij lachen. "Wees voorzichtig met wat je belooft, Thusnelda."

Ik glimlachte. "Dat ben ik altijd."

"Dan is dit wat ik van je verlang..." Maar nee, het is beter om Erminatz' kant van het verhaal te horen. Lees verder, Aius.'

'Dat ben ik altijd,' zei ze.

Op dat moment wist ik dat ze hetzelfde voelde als ik, en na al die doden voelde ik mijn hele wezen lichter worden. 'Beloof me dan dit, Thusnelda: hou je aan je plannen tot ik je vraag ze te wijzigen.' Ik staarde in de blauwe poelen die zo betoverend waren en heel even deelden we een samenzweerderig lachje: ze had het begrepen en maakte van mij de gelukkigste man op aarde. Ik draaide me om en zei tegen Vulferam, toen ik hem had gevonden: 'Laat de verrader, Segestes, vrij en draag hem over aan zijn dochter.'

Ik liep weg, langs de eik in het midden van de open plek en de heuvel af naar het slagveld. Ik had daar nog één laatste ding te doen terwijl ik op nieuws van Aldhard wachtte. Ik pakte mijn helm, maakte het masker los en groef een gat in de met bloed doordrenkte aarde. Ik zou mijn barbaarse trekken nooit meer verbergen, zoals Lucius had gegrapt toen hij me het masker gaf. Ik had nu geen banden meer met Rome en hoefde mijn ware gevoelens voor haar niet langer te verbergen. Ik begroef Lucius' geschenk in het veld waarop Rome was verslagen om zo, eindelijk, alle banden met de gehate indringer te verbreken. Ik had mijn vermoorde vriend niet gewroken, en ik wist dat ik dat nooit zou kunnen doen. Ik bad tot zijn geschenk dat hij me dat zou vergeven en bedekte het masker toen met zand. Een warmte, die binnen in me aanzwol, vertelde me dat hij het begreep en ik wist dat hoewel hij mijn daad niet zou goedkeuren, hij wel bewondering moest hebben voor de grootsheid van het gebaar.

Ik glimlachte om de herinnering aan Lucius en zag toen Aldhard aan komen lopen met vier krijgers die een lichaam tussen hen in droegen. Mijn geluksgevoel nam toe, want ik wist dat hij de taak die ik hem had gegeven succesvol had uitgevoerd. 'Waar heb je hem gevonden?'

Aldhard keek op het lichaam neer, rochelde en spuugde erop. 'Ze hadden geprobeerd het onder het karkas van een ezel te begraven.'

'Zet het op de knieën en trek de armen naar achteren,' beval ik de krijgers die het lijk droegen terwijl ik mijn zwaard trok. Ze lieten de benen op de grond zakken en trokken de armen toen aan de polsen naar achteren zodat het lijk knielde met de borst op de knieën en het hoofd naar voren hangend.

Met de diepgewortelde woede van jaren van gedwongen ballingschap zwaaide ik met mijn zwaard. Het suisde door de lucht en hakte het hoofd af van Publius Quinctilius Varus, de eerste en laatste Romeinse gouverneur van Germania Magna, de man wiens leven ik had gered. 'Laat het op cedersap zetten, Aldhard, en breng het dan persoonlijk naar Maroboduus van de Marcomannen. Vertel hem dat ik dit stuur als teken van goede trouw. Als hij de grens langs de Danuvius bewaakt terwijl ik hetzelfde doe met de grens langs de Rhenus, kunnen we samen Germania vrij houden. Maar om vrij te blijven moeten we ons verenigen. Als wij onderling tegen elkaar vechten, zal Rome profiteren van onze verdeeldheid en hier weer binnendringen. Vertel hem dat ik verlang naar een verenigd Groot-Germanië.'

'Met jou als koning,' zei een smalende stem achter me voordat Aldhard kon reageren.

'Nee, Adgandestrius,' zei ik terwijl ik me omdraaide om de koning van de Chatten aan te kijken. 'Met de persoon die we gezamenlijk kiezen als koning.'

'Daar was eerder helemaal geen sprake van. Je hebt uitdrukkelijk gezegd dat je niet zou proberen ons allemaal te onderwerpen.'

'Dat probeer ik ook niet, Adgandestrius. Wat ik probeer te bereiken is dat Germania intact blijft, de cultuur, de taal, de wetten, de goden, dat allemaal, zodat er een Germaanse toekomst kan zijn naast een Latijnse.'

'Maar als je werd gevraagd om de koning van een verenigd Germania te zijn, zou je daarmee instemmen, niet?'

Dat kon ik niet ontkennen, maar ook niet bekrachtigen. Ik wendde me tot Aldhard. 'Ga nu! En zoek me over twee manen in het Harzland op om me zijn antwoord te vertellen.'

'Ja, mijn heer.'

'Zie je, Erminatz, je hebt het al voor elkaar dat mensen je "mijn heer" noemen,' merkte Adgandestrius op toen Aldhard wegliep, het hoofd van Varus bij een oor vasthoudend. 'En als ze daarmee beginnen is het een kleine stap voor je echt hun heer bent, en dat is iets wat ik niet kan en wil toestaan. Wij hebben onze bijdrage geleverd aan de gevechten, en daarom neem ik nu mijn krijgers mee naar huis voordat ze de indruk krijgen dat jij hun heer bent in plaats van ik.' Hij keek me aan met een vlammende haat die ik op dezelfde manier beantwoordde, want ik verachtte hem om zijn duidelijke drang om zijn persoonlijke ambitie boven het welzijn van ons Vaderland te plaatsen. En toch begreep ik hem ook, want het was hoe ons volk in elkaar zat, en zo was het altijd al geweest.

We keken elkaar zo indringend aan dat ik bijna schrok toen Engilram ongemerkt bij ons kwam staan en zei: 'Erminatz, er is nieuws van mijn volk ten zuiden van het Teutoburgerwoud: het is hun niet gelukt het Romeinse garnizoen in Aliso te vernietigen.'

'Aliso,' mijmerde Thumelicatz terwijl hij omhoog staarde naar het plafond en zijn benen voor zich uit strekte. 'Wat een tweesnijdend zwaard was dat.'

'Hoe bedoel je?' schimpte de oudste broer. 'Aliso was het enige dat ons in die ellende nog enige eer opleverde. Lucius Caedicius, de primus pilus van het Achttiende Legioen die het bevel voerde over het garnizoen van Aliso aan de rivier de Lupia, bood jouw vader het hoofd en wist zijn mensen uiteindelijk Germania uit te krijgen. Dat is absoluut een eensnijdend zwaard, een zwaard dat alleen Arminius snijdt.'

Thumelicatz mompelde iets tegen zijn slaven voordat hij zich weer tot zijn Romeinse gasten richtte. 'Je hebt op het eerste gezicht gelijk, Romein: Caedicius redde inderdaad zijn garnizoen en veel van de Romeinse burgers die er hun toevlucht hadden gezocht. En het kon inderdaad worden gezien als een flinke knauw voor mijn vaders aanzien, maar in feite was hij er dankbaar voor, want hij won er tijd mee en het gaf hem een excuus dat hij in politiek opzicht heel hard nodig had.'

'Een excuus?' riep de jongste broer uit. 'Waarom had hij een excuus nodig voor zijn landgenoten?'

'Dat zullen we in de volgende passage ontdekken. Tiburtius, ga verder op de plek die ik je net aanwees.'

Er was precies één maan verstreken sinds ik Varus' hoofd van zijn schouders had gehakt, en mijn Cherusken en de Bructeren hadden twintig van die dagen rond de houten muren van Aliso gebivakkeerd. Ondanks mijn smeekbedes om te blijven en af te maken waaraan we waren begonnen, waren de andere stammen teruggekeerd naar hun thuisland. Ze hadden de buit die ze hadden verdiend en de trofeeën die we hadden veroverd meegenomen, waaronder de drie Adelaars en de drie legioenemblemen die ik, samen met de cohortstandaarden, in het geheim over de stammen had verdeeld, zodat niemand wist wat de anderen hadden ontvangen.

Het weer was zachter geworden, maar er vielen nog genoeg regenbuien om ons kwartier onbehaaglijk te maken. De totale sterkte van de twee stammen was minder dan vierduizend, want veel van de krijgers waren teruggekeerd naar hun families, tevreden met de overwinning die ze hadden bewerkstelligd en bereidwillig erover op te scheppen rond de vuren die de avonden verlichtten.

Met dat uitgedunde aantal mannen hadden we flink wat aanvallen op de muren uitgevoerd, maar ze hadden allemaal niets uitgehaald. Ik stond net te overpeinzen waarom de laatste aanval ook was mislukt toen er geschreeuw klonk in de vesting. Een paar tellen later zwaaiden de poorten open en werd een groep van een stuk of dertig krijgers naar buiten gejaagd. Ze jammerden en hielden hun armen in de lucht, waardoor ik de in pek gedoopte stompen kon zien op de plaats waar eerst hun handen hadden gezeten. Ze renden langs de rijen op staken gespietste Romeinse hoofden, die de mannen die we belegerden duidelijk moesten maken wat we voor hen in petto hadden, en bereikten ons kamp, geschokt starend naar de verminkingen die hun verdere levens zouden verwoesten.

Nadat hun stompen waren verbonden en de eerste schok van wat ze hadden meegemaakt zoveel was afgenomen dat ze samenhangend konden praten, ondervroegen mijn vader en ik hen over de stand van zaken in het Romeinse garnizoen.

'Ze hebben genoeg voedsel om het vol te kunnen houden tot het ontzettingsleger er is,' vertelde de oudste van de groep me, niet in staat zijn blik los te rukken van de verschrikking aan de uiteinden van zijn armen. 'Caedicius, de commandant, nam ons mee naar de voorraadkamers om te laten zien hoeveel graan, gezouten varkensvlees en kool ze daar hebben liggen. En er is een bron die meer dan genoeg schoon drinkwater levert.'

'Hoe is hun moreel?' vroeg ik.

'Goed. Ze hebben geen honger, er zijn vrouwen en ze zijn nog altijd gedisciplineerd. Ze hebben de mond vol van het ontzettingsleger, dat er volgens hen bijna is. Niemand is wanhopig of van plan zichzelf van kant te maken, en zelfs het twintigtal vluchtelingen dat uit het Teutoburgerwoud is ontkomen verkeert in een redelijke stemming, helemaal nadat Caedicius hen de kapmessen liet hanteren om onze handen af te hakken en hun gevallen kameraden te wreken.'

Mijn vader keek me bezorgd aan. 'Als ze hulp krijgen, hebben ze een goede kans dat ze de Rhenus kunnen bereiken.'

Daar dacht ik even over na. 'Zou dat zo erg zijn?'

'Het zou een kleine overwinning voor hen zijn na de zware nederlaag.'

'Klopt; zou dat zo erg zijn?'

Hij fronste, niet begrijpend waar ik heen wilde.

'Wat ik bedoel is dat wanneer ze voor hun gevoel nog iets van hun aanzien overhebben, hoe weinig ook, ze minder haastig terug zullen keren om Varus te wreken, helemaal als de overlevenden hun verhalen vertellen over de nederlaag die ze in het Teutoburgerwoud hebben geleden. De Romeinen zijn erg bijgelovig en ze hebben het helemaal niet op wouden; de angst zal toenemen doordat de verhalen over onze wreedheid elke keer dat ze worden naverteld verder worden aangedikt. Het kan ons extra tijd geven voordat de onvermijdelijke vergeldingspoging komt. Tijd om ons te verenigen en voor te bereiden.'

'Wil je zeggen dat we ze moeten laten gaan?'

'Ik zeg dat we de komst van het ontzettingsleger om die reden in ons voordeel moeten gebruiken. En er is nog een reden: ze komen waarschijnlijk met genoeg manschappen om ons en de Bructeren af te slaan, dus waarom zouden we goede levens verspillen in een poging iets onafwendbaars tegen te houden? Als het me was gelukt het verbond in stand te houden, was het een ander verhaal geweest: dan hadden we ons teruggetrokken en de aanval ingezet als ze onderweg waren naar de Rhenus, net zoals we met Varus hebben gedaan. Maar nu kan ik deze omgekeerde situatie gebruiken als voorbeeld van wat er gebeurt als elke stam alleen aan zijn eigen belangen denkt. Dit kan gunstig voor ons uitpakken, vader, erg gunstig.'

En dus lieten we een symbolische strijdmacht achter bij het fort en trokken we ons ongeveer een mijl naar het westen terug en wachtten tot de Romeinen in beweging kwamen.

We hoefden niet lang te wachten. Het weer speelde opnieuw een belangrijke rol in mijn verhaal, in de vorm van een nieuwe vertoning van de macht die de Donderaar heeft. De nachtelijke lucht scheurde open op de maat van het slaan van Donars hamer en de regen viel in een dichter gordijn naar beneden dan in de hele voorafgaande maand. Mannen hurkten onder elke schuilgelegenheid die ze maar konden vinden en wachtten tot de toorn van de goden zou afnemen. Het noodweer was zo intens dat de Romeinse ontsnapping pas werd opgemerkt toen de derde voorpost al weg was; ze waren gedekt door het weer weggeslopen. Ik prevelde een gebed om de Donderaar te bedanken en beloofde hem wat Romeins bloed omdat hij me een manier had geboden het garnizoen te laten ontkomen zonder dat ze iets vermoedden. Ik riep mijn krijgers bij elkaar en zij bereidden zich voor op de strijd terwijl de rijen legioensoldaten voorbij marcheerden, met de burgers tussen hen in, gedekt door de vieze nacht. En toen hoorden we in de verte hoorns die het signaal gaven voor een snelle mars, het geluid van het ontzettingsleger dat eraan kwam. Toen het achterste deel van de ontsnappende colonne het fort uit kwam, stond ik mijn mannen toe aan te vallen, maar net genoeg om Caedicius het idee te geven dat hij op het nippertje was ontkomen en hij het zonder de tijdige komst van het ontzettingsleger niet zou hebben gered. Nadat we een stuk of honderd levens hadden opgeëist, liet ik mijn mannen langzaam terugtrekken, zodat we het contact verloren en de Romeinen in de stromende regen in westelijke richting zagen verdwijnen. Dat de hoorns die de komst van het ontzettingsleger aankondigden in werkelijkheid een slimme list met de eigen hoorns van het garnizoen waren geweest, ontdekte ik pas later en maakte mijn voldoening nog groter; Caedicius moet echt het idee hebben gehad dat hij me te slim af was en zal nooit hebben vermoed dat hij juist voor de gek was gehouden.

Met het vertrek van Caedicius en zijn garnizoen had de laatste levende vrije Romein ons land verlaten en moest ik me gaan voorbereiden op wat er zou komen. Ik had niet al die jaren bij de Romeinen doorgebracht zonder hen te leren kennen: ze zouden wraak nemen, dat was net zo zeker als dat de dood op het leven volgt. De vragen waren alleen: hoe lang zouden we moeten wachten en, als het zover was, hoe konden we terugslaan?

Het was tijd om te beslissen wat we met onze vrijheid zouden doen: elkaar bevechten of ons klaarmaken om Rome neer te slaan als ze wraak kwam nemen. Met die vragen in mijn hoofd ontbond ik mijn leger en keerde ik terug naar het Harzland om te wachten op Aldhard en zijn boodschap van Maroboduus. Hij arriveerde twee dagen na mijn terugkeer en zijn nieuws was niet gunstig voor de toekomst van Germania.

'Maroboduus lijkt te denken dat hij Varus' nederlaag kan inzetten voor een betere overeenkomst met Rome,' vertelde Aldhard toen we, kort na zijn terugkeer, aan een tafel in mijn langhuis zaten, naast een knetterend vuur. Hij dronk zijn hoorn bier leeg en vulde hem opnieuw. Hij zat nog onder het vuil van de reis vanuit het land van de Marcomannen omdat hij het aanbod had afgeslagen om zich op te frissen voordat hij me zijn nieuws vertelde.

Ik brak een stuk van een gerookte kaas en gaf het aan hem. 'Door te beloven geen plunderingen aan de andere kant van de Danuvius uit te voeren terwijl Rome de Rhenus over trekt?'

Aldhard nam een hap van de kaas en vroeg met volle mond: 'Hoe wist je dat?'

'Omdat ik hetzelfde had gedaan als ik hem was en enkel aan mijn eigen positie dacht en niet aan Germania als geheel. Rome zal nu maar wat graag een vredesverdrag met hem willen sluiten, met zeer gunstige voorwaarden – hij zal waarschijnlijk helemaal geen belasting hoeven betalen. Dan kunnen ze een aantal van de legioenen uit het garnizoen aan de Danuvius vrijmaken om naar het noorden te marcheren en zich bij de Rhenus-legioenen te voegen als die zich komen wreken.'

'Dat is exact waarover hij op dit moment met Tiberius onderhandelt. Hij heeft Varus' hoofd naar Augustus in Rome gestuurd om zijn goede wil en veroordeling van jouw daden te tonen. Het verbaasde me dat hij mij liet leven, zo graag lijkt hij Rome's beste vriend te willen worden.'

'Voor zolang het duurt. Zodra Rome haar aandacht op ons hier in het noorden richt, mogen zijn mensen aan de overkant van de rivier op strooptocht gaan. Ik had meer van hem verwacht: ik hoopte op een verbond of in elk geval een belofte om de legioenen langs de Danuvius de komende jaren bezig te houden.' Ik sloeg met mijn handpalm op de tafel. 'Die samenzweerderige rotzak!'

'Je zei dat jij in zijn geval hetzelfde zou hebben gedaan.'

'*Zou hebben gedaan*. Het is wat elk van de koningen van elke willekeurige stam *zou hebben gedaan* voordat we zo'n complete overwinning hadden geboekt. Maar nu het Vaderland is bevrijd van de indringers is het beter om ervoor te zorgen dat het vrij blijft, in plaats van het Rome gemakkelijker te maken om weer binnen te komen. Ik erger me aan de kortzichtigheid van Maroboduus' beleid: als Rome de grondgebieden tot aan de Albis opnieuw kan innemen, loopt zijn gebied in Bojohaemum ook gevaar.'

'Wat moeten we dan doen? Gezanten naar hem toe sturen en hopen dat hij van gedachten verandert?'

'Daar zal het te laat voor zijn. Het verdrag is vast al gesloten en zal waarschijnlijk in het voorjaar worden ondertekend.' Ik stopte even om na te denken en schonk mezelf en Aldhard meer bier in. 'Ik denk dat dit betekent dat er volgend jaar geen strafexpeditie zal komen.'

'Waarom denk je dat?'

'Als het verdrag op zijn vroegst pas volgend voorjaar zal worden ondertekend, kunnen ze niet het risico nemen de garnizoenslegioenen voor de zomer te verplaatsen, en dat betekent dat ze niet voor het najaar de Rhenus zullen bereiken; te laat om volgend jaar op campagne te gaan. Misschien heeft Maroboduus ons juist een dienst bewezen door Rome in staat te stellen op krachten te komen voordat ze ons aanvalt. Een leger samenstellen kost tijd en wij kunnen die tijd gebruiken om ons voor te bereiden. Laat naar alle koningen van het noorden een uitnodiging sturen om elkaar volgend jaar op midzomerdag bij de Kalk Riese te ontmoeten.'

Maar voordat ik de koningen zou ontmoeten moest ik...

'Het eeuwige probleem van de Germaanse volken,' kapte Thumelicatz Tiburtius af. 'Het onvermogen om samen te werken. Het feit dat jullie dat wel kunnen is wat Rome zo oppermachtig maakt. Je moet onthouden dat jullie bestaan uit Romeinen, Etrusken, Campani, Samnieten...'

'Sabijnen,' voegde de jongste broer eraan toe.

'Inderdaad. En nog veel meer stammen uit Italië, en toch ziet de wereld alleen Romeinen.'

'We hebben vele oorlogen gevoerd om dat te bewerkstelligen,' stelde de oudste broer.

'Klopt, maar honderddertig jaar geleden streden jullie Latijnse bondgenoten tegen jullie voor het recht op jullie burgerschap, om net als jullie te zijn: vechten tegen je vijand om door hem te worden opgenomen! Ik kan me niet voorstellen dat de Chatten tegen de Cherusken zouden vechten om de eer deel te mogen uitmaken van hun stam. Het was mijn vaders droom om de stammen te verenigen, zodat we onszelf als Alle Mannen zouden zien, en hij is gestorven met de wetenschap dat het een onhaalbaar doel was. En ik heb van hem de trieste waarheid geleerd en deel zijn droom niet.' Hij wendde zich tot Thusnelda. 'Maar nu heb ik het verhaal onderbroken net voordat jouw deel aanbreekt, moeder. Het spijt me. Tiburtius, ga verder waar je bent opgehouden.'

Maar voordat ik de koningen zou ontmoeten moest ik nog iets afhandelen.

Als familieleden van Segestes was het vanzelfsprekend dat mijn vader en ik de huwelijksplechtigheid van zijn dochter zouden bijwonen, wat er ook tussen ons was voorgevallen. Dus toen Adgandestrius het daaropvolgende voorjaar, vlak voor de tijd van de IJsgoden, naar het Harzland kwam om zijn bruid op te eisen, zorgde ik ervoor dat ik erbij was. Wat ik van plan was, was extreem brutaal, nog een groots gebaar waar Lucius trots op zou zijn geweest, en het zou Adgandestrius en Segestes voorgoed tot mijn vijanden maken.

Adgandestrius reed met tweehonderd van zijn krijgers naar het Harzland. Ze waren in een uitbundige stemming en hadden versieringen aan hun speerpunten en helmen bevestigd en de teugels van hun paarden gedecoreerd. Ons volk begroette hen met gejuich toen ze de bergketen in het hart van het Cheruskische thuisland beklommen, en alles leek koek en ei tussen de twee stammen die samen hadden gezegevierd over Rome. De laatste keer dat de Chatten in zulke groten getale hierheen waren gekomen, was toen ze in het jaar voor mijn terugkeer een verrassingsaanval op ons volk hadden uitgevoerd. Nu kwamen ze in vriendschap – dat dachten ze tenminste.

Adgandestrius werd, zoals het hem als koning van de Chatten toekwam, door mijn vader ontvangen en werd samen met zijn gevolg op een feestmaal in het langhuis getrakteerd. Vanwege onze wederzijdse afkeer van elkaar zaten we aan verschillende uiteinden van de hoge tafel en wisselden we gedurende de hele avond enkel een knikje van herkenning met elkaar uit. Na de ochtend met een onvermijdelijke kater in bed te hebben doorgebracht leidde Adgandestrius zijn mannen de middag daarop in zuidwestelijke richting naar Segestes' nederzetting. Mijn vader en ik volgden, samen met onze huishouding, enkele uren later.

Ik had Segestes niet meer gezien sinds Thusnelda op de open plek boven op de Kalk Riese om zijn vrijlating had gesmeekt. Hij had alle verzoeningsoffers van mijn vader en oom Inguiomer afgewezen en hun vrijgevigheid in hun gezichten teruggeworpen, ondanks het feit dat hij had geprobeerd ons te verraden aan Varus en er geen moeite mee zou hebben gehad als wij waren geëxecuteerd. Hij had ons niet eens uitgenodigd voor de trouwerij, een feit dat tot uiting kwam toen hij mijn vader begroette.

'Jullie hebben lef om je op de bruiloft van mijn dochter te vertonen!' schreeuwde Segestes toen hij ons door de poort zijn nederzetting binnen zag rijden.

Mijn vader wachtte tot hij was afgestegen voordat hij zei: 'Als koning van de Cherusken heb ik het recht om in dit land te gaan en staan waar ik wil. En weet je waarom, Segestes?'

Mijn vaders neef keek dreigend, maar kon niet ontkennen dat er waarheid zat in wat mijn vader zei. 'Omdat het nu vrij van Romeinen is?'

'Bravo, neef. Maar als jij je zin had gekregen, zou mijn zoon zijn gekruisigd als verrader van Rome en zouden wij nog altijd een provincie zijn. Maar vandaag zetten we ons daaroverheen en vieren we feest.' Hij ging voor Segestes staan en stak zijn armen wijd voor hem uit.

Het werd helemaal stil in de nederzetting toen de twee mannen elkaar stonden aan te kijken.

Met tegenzin deed Segestes een stap naar voren en gaf hij zich over aan de omhelzing van zijn neef; zijn en onze mannen juichten en sloegen elkaar op de rug. Inguiomer omhelsde de ontrouwe neef ook en toen was het mijn beurt. Ik liet me van mijn paard glijden en stapte op de man af die me nog maar een paar maanden eerder had willen verraden aan Varus.

Segestes deinsde terug toen ik op hem afkwam. 'Dit gaat me te ver.'

Ik glimlachte, kil en met toegeknepen ogen. 'Ben je bang dat je vrienden in Rome te horen krijgen dat je de grondlegger van hun nederlaag hebt omhelsd?'

'Je bent hier niet welkom, Erminatz. Je kunt vast wel genoeg redenen verzinnen waarom je niet welkom bent op de trouwerij van mijn dochter.'

'Maak je daar maar niet druk om, Segestes; ik zal niet bij de trouwerij zijn. Ik eet en drink wat en zal dan vertrekken, aangezien mijn ontvangst allesbehalve hoffelijk is. Je bent toch niet zo ongemanierd dat je een reiziger iets te eten en te drinken wilt onthouden?'

De blik op zijn gezicht wees erop dat hij dat graag had willen doen, maar dat kon hij niet maken met zoveel mensen erbij. 'Neem wat je wilt en vertrek dan.'

'Dank je voor dat vriendelijke aanbod, Segestes. Ik zal er optimaal gebruik van maken, daar kun je zeker van zijn.'

Het feestmaal was buiten Segestes' langhuis uitgestald, op een groot aantal tafels die om de eik midden in de nederzetting heen stonden. De takken waren versierd met linten die tot op de grond hingen en rook van de vuren, waarboven hele stukken wild werden geroosterd, kringelde ertussen omhoog. Er hing een feestelijke stemming: kinderen speelden in de warme zonnestralen terwijl hun ouders zaten te drinken, praten en lachen, wachtend tot het eten klaar was en het feestmaal kon beginnen – de ceremonie zou pas plaatsvinden als iedereen genoeg had gegeten en gedronken, zodat het echtpaar niet met een lege maag het huwelijksbed hoefde op te zoeken. Krijgers deden krachtproeven met elkaar, worstelden en tilden grote stenen boven hun hoofden terwijl slaven af en aan liepen met eten voor hun meerderen. Een groep muzikanten met fluiten en lieren zette een vrolijk deuntje in en de jeugd van het dorp begon aan een reeks ingewikkelde danspassen onder de eikenboom terwijl ze de linten die eraan hingen vasthielden.

Ik liep rond, genietend van de Germaanse idylle, en dacht aan hoe ik op het punt stond die te verpesten en een weg in te slaan waarin er nooit meer sprake kon zijn van vriendschap tussen de Chatten en de Cherusken. Maar aangezien die vriendschap ook onmogelijk was zolang Adgandestrius nog leefde, kwam het me voor dat ik met mijn plan niets te verliezen en alles te winnen had.

En dus liep ik Segestes' langhuis binnen.

Thumelicatz stak zijn hand op. 'Moeder, ik denk dat jij verder moet vertellen, want hier doe jij je intrede.'

Thusnelda stapte vanuit de schaduw naar voren. 'Ik herinner het me nog zo goed. Ik werd achter in mijn vaders langhuis aangekleed door mijn moeder en maagden uit de betere families in de nederzetting. Ik was neerslachtig, want binnen enkele uren zou de ceremonie plaatsvinden en het zag ernaar uit dat Erminatz, ondanks zijn woorden op de Kalk Riese, niets aan mijn plannen zou gaan veranderen. Ik stond te friemelen terwijl mijn hofdames mijn jurk probeerden dicht te maken en bloemen in mijn haren vlochten. En toen verscheen er een schaduw in de deuropening en maakte mijn hart een sprongetje, want Erminatz was er. Mijn moeder schreeuwde dat hij weg moest gaan, omdat er geen mannen in het langhuis mochten komen terwijl de bruid werd klaargemaakt, en dat deed hij zonder een woord te zeggen. Maar zijn aanwezigheid alleen was voor mij genoeg om te weten wat hij van me verwachtte.

Ik wilde nu haast maken en hielp mijn jurk dicht te knopen en stapte in mijn muiltjes; zo graag wilde ik die verachtelijke Adgandestrius achter me laten. Mijn vader had het huwelijk gearrangeerd in de hoop dat hij de Chatten kon overhalen een veel meer pro-Romeinse koers te varen; een koers waarvoor ik me zou schamen en waarvoor ik niet het middel wilde zijn. Hoe kon hij denken dat hij mijn maagdelijkheid kon inzetten om onze onderwerping te kopen? Hij was altijd al een zwakke man die kracht in anderen verafgoodde omdat hij het zelf niet bezat.

Toen ik tevreden was met hoe ik eruitzag, huppelde ik bijna naar buiten, waar het feestmaal klaar was en mijn vader me stond op te wachten.

"Je gaat me vandaag trots maken," zei hij terwijl hij een stap naar achteren deed en mijn kapsel bewonderde.

"Ik hoop het, vader," antwoordde ik, en ik meende het want ik hoopte dat hij op een dag zou begrijpen dat ik de juiste keuze had gemaakt.

Ik nam zijn arm en hij leidde me naar de eretafel aan het hoofd van het banket. Daar liet hij me links van hem plaatsnemen terwijl Adgandestrius rechts van hem ging zitten. Toen we zaten, braken we brood en bracht mijn vader vele toosten uit op ons en ons geluk, maar als hij dat echt zo belangrijk vond had hij mij moeten raadplegen bij het kiezen van een echtgenoot. Nadat er een groot aantal hoorns was leeggedronken keek mijn vader plotseling recht voor zich uit en toen wees hij naar Erminatz, die aan de andere kant van de tafels zat. " Wat doe jij hier nog?" brulde hij terwijl hij opstond en bier over zijn schoot morste. "Ik dacht dat je zou vertrekken als je iets had gegeten en gedronken."

Erminatz leek niet onder de indruk van deze uitbarsting. Alle gesprekken verstomden en alle ogen werden op hem gericht. Hij at omzichtig zijn mond leeg en spoelde het eten toen weg met een grote, langzame teug bier. Terwijl hij met de achterkant van zijn hand zijn mond afveegde stond hij op. Toen stapte hij over de bank naar achteren en zei: "Ik ben nog niet klaar met eten en drinken, Segestes, maar aangezien je me zo graag ziet vertrekken zal ik meer fatsoen tonen dan jij doet door me weg te sturen; ik zal doen wat je wilt. Er is echter nog iets dat ik wil nemen." Hij stak zijn arm omhoog en er verscheen een ruiter met een paard aan de hand. Toen hij dichterbij kwam, sprong Erminatz in het lege zadel en liet hij het paard in stap naar voren lopen om voor de hoge tafel tot stilstand te komen.

Erminatz keek op Adgandestrius neer en zei: "Vertel me eens, hoe zou je het vinden als je vrouw altijd aan een ander denkt als je met haar vrijt?"

Adgandestrius beantwoordde zijn blik met haat in zijn ogen. "Dat zou jij moeten weten, Erminatz."

Hij antwoordde: "Dat is niet zo, maar ik zal jou een gunst verlenen en je die vernedering besparen. Hoewel ik eerlijk gezegd niet goed weet waarom ik jou zou helpen." Met een snelle blik in mijn richting zorgde Erminatz ervoor dat zijn paard naast de tafel kwam te staan.

Ik reageerde direct, duwde mezelf van de bank omhoog en klom op de tafel. “Ik kies voor Erminatz!” riep ik terwijl ik achter hem sprong, met mijn benen aan weerskanten van het paard en mijn armen rond zijn middel. “Laat niemand hier beweren dat ik niet uit vrije wil ben meegegaan.”

Mijn geliefde liet zijn paard omkeren toen het tumult losbarstte. Hij spoorde het aan tot een galop en Aldhard, de tweede ruiter, kwam achter ons aan. Voordat iemand kon reageren reden wij de poorten uit en vlogen we als de wind naar het noordwesten. Ik hield me vast aan de man aan wie ik de rest van mijn leven wilde wijden en lachte om zijn brutaliteit; en hij lachte ook, want we waren voor het eerst samen en hoopten dat het altijd zo zou blijven. We hadden echter geen rekening gehouden met de verdorvenheid van familie.’

HOOFDSTUK XV

'De verdorvenheid van familie,' mijmerde Thumelicatz terwijl hij elke lettergreep uitrekte en benadrukte. 'Onze levens zijn geruïneerd door de verdorvenheid van familie, nietwaar moeder? Door je eigen vader aan Germanicus verraden en weggegeven aan Rome terwijl je zwanger was van Erminatz' kind, als vergelding omdat hij jou had weggehaald op de dag dat je met Adgandestrius zou trouwen. Segestes reisde twee jaar later zelfs naar Rome af om als gast van Tiberius zijn eigen dochter en kleinzoon – ik, in gevangenschap geboren – als trofeeën in Germanicus' Triomf door de straten gevoerd te zien worden. Hoe verdorven is het om genoegen te scheppen in het leed van je eigen dochter, dat je zelf teweeg hebt gebracht met je haat voor de zoon van je neef, je huidige schoonzoon? En om dan... maar nee, dat komt aan het einde van mijn vaders verhaal; we moeten niet zo ver vooruitlopen. Mijn vaders verhaal maakt echter wel een sprong; het springt vier jaar vooruit, naar het jaar waarin mijn moeder werd verraden. Aius zal verder lezen.'

Geluk is niet iets wat je zomaar cadeau krijgt in onze wereld, en hoewel we alleen nog elkaar wilden, zouden we niet lang bij elkaar blijven. Ik bid nog steeds dat we op een dag zullen worden herenigd, en ik de zoon zal ontmoeten die ik nooit heb gezien, een geschenk na onze dochter die in het tweede jaar van ons huwelijk dood werd geboren. Maar dat is misschien iets voor een andere keer.

Mijn verwachting dat het zeker een jaar zou duren voor er een vergeldingsactie kwam, was correct. Tiberius stak twee jaar na Varus' nederlaag de Rhenus over. Maar in plaats van het weer speelde nu een andere factor een grote rol: leeftijd. Augustus werd ouder en zwakker. Hij liet zijn erfgenaam, Tiberius, terugkomen naar Rome en besloot dat het keizerrijk door de Rhenus werd begrensd en zich niet verder zou uitstrekken. Het leek erop dat we hadden gewonnen en verzekerd waren van onze vrijheid, en dat was maar goed ook, want het beraad met de koningen bij de Kalk Riese had niets opgeleverd; niemand wilde mij accepteren als de leider van een verenigd Germania en we konden niet tot een geschikt alternatief komen dat voor iedereen aanvaardbaar was. Augustus' bevel betekende echter niet dat het niet meer nodig was een eenheid te vormen. Rome zou, in theorie, nooit meer binnendringen, dus we konden onze oude gewoontes weer oppakken. En dat was wat we drie jaar lang deden.

De opstand van de Rhenus-legioenen na de troonsbestijging van Tiberius voedde ons gevoel dat we veilig waren nog meer, dus het was een verrassing toen in oktober van datzelfde jaar het nieuws kwam dat het grondgebied van de Marsi was geplunderd door de nieuwe Romeinse generaal in het noorden, mijn oude bekende Germanicus. Duizenden mannen waren over de kling gejaagd en de Adelaar van het Negentiende Legioen was heroverd. De campagne was razendsnel verlopen en had iedereen overrompeld; maar de timing was wel in ons voordeel, mits we ons konden mobiliseren. Oktober kon op de noordelijke vlakte langs de Lupia een barre maand zijn en er was een grote kans dat we Germanicus' leger zouden kunnen aanvallen als het zich terugtrok op de westelijke oever van de Rhenus. We zouden een tweede Teutoburgerwoud kunnen bewerkstelligen.

Ik stuurde naar alle koningen een boodschap met het dringende verzoek naar de Lupia te komen en ging zelf op pad met zoveel krijgers als ik in die korte tijd bij elkaar kon krijgen. Ik bereikte het fort van Aliso op het zuidelijke grondgebied van de Bructeren met minder dan driehonderd man – maar met de belofte dat er meer zouden volgen – en ontdekte daar dat de puinhoop die wij hadden achtergelaten inmiddels was herbouwd. De enige die me daar begroette was Engilram, met vierduizend van zijn mannen. We stonden tegenover vier legioenen op halve kracht en evenveel hulptroepen. Maar Germanicus was niet van plan de strijd aan te gaan; het weer was omgeslagen en de grond was doorweekt, de winter kwam eraan en hij trok weg. Onze onbeduidende strijdmacht was de paar levens die het hem zou kosten om ons te verslaan niet waard, dus hij trok zich over de weg terug en ik wist dat ik niets kon doen om hem tegen te houden.

'Er komt niemand anders,' zei Engilram toen we het laatste cohort uit het zicht zagen verdwijnen. 'De Marsi hebben het te zwaar te verduren gehad en de rest van de noordelijke stammen gunnen je niet nog een overwinning op de Romeinen.'

Ik keek hem ongelovig aan. '*Mij* een overwinning gunnen? Het is toch zo dat *wij* weer een overwinning kunnen boeken?'

'Dat is niet hoe Adgandestrius het ziet. Hij is degene die je tegenwerkt, hij zorgt ervoor dat de anderen jouw ambitie vrezen.'

'Die kortzichtige, bekrompen...'

'Gekrenkte en vernederde trotse man,' onderbrak Engilram me. 'Het was verkeerd van je om Thusnelda zo in het openbaar van hem af te nemen.'

'Of het nu goed was of verkeerd, de kans om Romeins bloed te laten vloeien weegt toch veel zwaarder dan zijn woede jegens mij?'

'Je weet dat dat nooit zo zal zijn. Maar er zullen zich de komende jaren wel andere gelegenheden voordoen. Germanicus komt terug en die realiteit zal de meer pragmatische koningen tot inzicht brengen. De kans bestaat dat er dan een soort eenheid komt. In de tussentijd zullen mijn krijgers hen helemaal tot aan de Rhenus blijven bestoken, zodat ze weten dat we nog steeds strijdlustig zijn.'

Ik bedankte de oude koning van de Bructeren en keerde terug naar het Harzland, de trouweloosheid van Adgandestrius vervloekend.

Maar de goden hebben zo hun manieren om een trots man tot inkeer te brengen, want het jaar daarop vormden de Chatten het doelwit. Ik was toen echter elders.

'Mijn vader, Segestes, kwam na de zomerzonnewende, toen Erminatz er niet was, naar onze nederzetting,' zei Thusnelda, die Aius met een vinnig gebaar de mond snoerde. 'Hij droeg de tak van een wapenstilstand en zei dat hij met me wilde praten. Ik dacht er verder niet bij na; ik had hem niet meer gesproken sinds de dag dat Erminatz me onder zijn neus had weggehaald, vier jaar eerder. Hij en zijn begeleiders werden door de poort naar binnen gelaten. Er waren maar weinig krijgers, omdat de meeste bij mijn man waren, die alle stamhoofden afging die welwillend tegenover mijn vaders pro-Romeinse houding stonden en probeerde ze op andere gedachten te brengen. En daar profiteerde hij van.

"U wilt met me praten, vader?" vroeg ik toen hij met twee van zijn krijgers ons langhuis binnenstapte.

"Nee, teef, ik heb je niets te zeggen," antwoordde hij. Zijn twee mannen grepen me vast, gaven me een klap op mijn achterhoofd en sleurden me, half bewusteloos, mee naar buiten. Daar had de rest van zijn mannen een kordon gevormd. Ik werd over een paard gegooid en voordat ik weer bij mijn positieven was, hadden we de paar krijgers die hadden geprobeerd de poort te blokkeren achter ons gelaten en waren we onderweg naar zijn nederzetting, die aan de omheining te zien onlangs was versterkt.

Ik werd een halve maan gevangen gehouden, opgesloten in een voorraadruimte, en pas toen die maan was verstreken realiseerde ik me dat ik weer zwanger was en huilde ik. Maar de tranen bleven niet lang stromen, want toen ik de volgende ochtend wakker werd, was mijn geliefde er. Ik kon vanuit mijn gevangeniscel niets zien, maar ik hoorde wel van alles: vanuit alle hoeken klonk geschreeuw. We waren omsingeld en werden belegerd.' Thusnelda knikte naar Aius. 'Ga vanaf dat punt verder.'

Aius zocht de juiste plek in de tekst.

> Ik greep de knielende gevangene bij zijn haren, rukte zijn hoofd naar achteren en stak toen de punt van mijn dolk in zijn linkeroog. Ik wachtte tot zijn geschreeuw was afgenomen. 'Ik vraag het je nog één keer: waar wordt ze gevangen gehouden?'
>
> 'In een voorraadkamer achter het centrale langhuis.'
>
> Ik keek in zijn overgebleven oog en zag dat hij de waarheid sprak. Ik gebaarde naar Aldhard dat hij hem zijn zwaard in de hand moest geven, zodat hij met een wapen naar het Walhalla zou gaan. Toen sneed ik zijn keel door en liet ik hem op de grond zakken. 'Aldhard, we graven een greppel om de hele nederzetting heen; niemand gaat erin of eruit voordat ik Thusnelda terug heb.'
>
> Hij keek me niet-begrijpend aan. 'Maar wie moet er dan graven?'
>
> 'Mijn krijgers.'
>
> 'Je kunt hun niet vragen om slavenwerk te doen; dat zullen ze nooit accepteren. Ze zijn hier om te vechten, niet om te graven.'

En dat was het probleem: onze mannen waren te trots om zich in te zetten voor een efficiënte belegering; voor hen bestond een belegering uit buiten de poorten wachten tot de vijand naar buiten komt en hem dan uitdagen tot een man-tegen-mangevecht of, zoals bij Aliso, uit zichzelf tegen de vestingwal werpen in een vergeefse poging eroverheen te komen. Maar dat kon ik mezelf niet veroorloven, niet met Thusnelda daarbinnen.

En dus zaten we in een impasse. Overdag kon er niemand naar binnen of naar buiten, maar 's nachts kwam de bevoorrading er gewoon doorheen. De belegerden vertoonden geen tekenen van zwakte, ook niet toen Germanicus' leger half september vanuit het westen kwam oprukken. Met minder dan tweeduizend man zou ik hem geen weerstand kunnen bieden; huilend van woede en frustratie gaf ik mijn mannen het bevel zich terug te trekken en ik zag vanaf een heuvel hoe in de verte een groep mensen de nederzetting uit kwam en zich bij de Romeinse gelederen voegde. Mijn vrouw was nu een gevangene van Germanicus en ik wist niet hoe ik haar terug moest krijgen. Maar, zoals ik al zei, de goden hebben zo hun manieren om een trots man tot inkeer te brengen, en het verlies van Thusnelda bracht Adgandestrius naar mij.

'Ze hebben mijn land geplunderd, mijn grootste stad Mattium platgebrand, duizenden van mijn mensen vermoord en ik wil wraak,' vertelde hij me meteen nadat hij met amper vijfhonderd krijgers in het Harzland was aangekomen, enkele dagen nadat Germanicus weer was vertrokken – zonder dat hij had hoeven vechten.

'En waarom kom je nu bij mij? Jij hebt er juist alles aan gedaan om te voorkomen dat ik een verenigd leger tegen Rome zou samenstellen.'

'Omdat hetgeen dat ons verdeelde nu in handen van Rome is.'

'Thusnelda?'

'Inderdaad. We hebben haar nu geen van beiden. Jij wilt haar terug en ik ben haar dankbaar; als Segestes niet Germanicus' hulp had ingeroepen om jouw belegering op te heffen en hem te helpen ontsnappen, zou ik nu zeker dood zijn geweest. Segestes moet een hoge prijs hebben geboden dat Germanicus alles uit zijn handen liet vallen om Thusnelda te halen; wij zaten vast in grotten in het zuiden van ons land en hadden nog maar voor een paar dagen eten en water. Doordat zij gevangen is genomen, leven wij nu nog. Laten we wat er gebeurd is voor nu vergeten en onze strijdkrachten verenigen.'

Ik keek mijn vijand aan en hoewel ik geen spoor van vriendschap in zijn ogen zag, wist ik dat zijn bedoelingen oprecht waren. Voor nu konden we bondgenoten zijn. Ik omhelsde hem. 'We laten de stammen weer bijeenkomen bij Aliso. We zullen hetzelfde proberen te doen als in het Teutoburgerwoud, iets wat we vorig jaar al hadden kunnen doen... Nou ja, het maakt ook niet uit wat we vorig jaar hadden kunnen doen, want we gaan het dit jaar doen. We zullen hen laten boeten als ze proberen weg te komen via de...

'De Weg van de Lange Bruggen,' viel de straatvechter Aius in de rede. 'Ik was erbij met het Vijfde Alaudae.'

Thumelicatz leek blij met deze bekentenis. 'Vertel ons er dan over, Romein. Ik zal mijn slaven aantekeningen laten maken, zodat het verhaal kan worden aangevuld; mijn vader heeft geen erg gedetailleerd verslag nagelaten.'

De straatvechter wreef over een van zijn bloemkooloren en was even in gedachten verzonken. 'Nou ja, het jaar ervoor hadden we een moeilijke zomer gehad omdat Tiberius niet had willen ingaan op onze eisen om de militaire dienst van twintig jaar, plus vijf als reservist, terug te brengen naar zestien jaar in de legioenen en dan nog vier jaar als reservist. Geen van de jongens was blij geweest met het nieuws en daarom weigerden we de eed af te leggen voor de nieuwe keizer. Wij wilden Germanicus als keizer; hij was geliefd, terwijl Tiberius onbuigzaam en afstandelijk was. Maar hij weigerde en dwong ons uiteindelijk ons hoofd voor hem te buigen. Toen de militaire discipline hersteld was, liet hij zonder enige waarschuwing een brug bouwen en staken we met de meest opstandige cohorten van de vier legioenen van Germania Inferior de Rhenus over naar het land van de Marsi. Het leek Germanicus het beste als we onze frustraties botvierden op de Germaanse stammen in plaats van op elkaar, en daar had hij waarschijnlijk gelijk in. Dus zo bevonden we ons weer in het land van angst en bossen, en we konden er niet over klagen omdat we nog maar net hadden toegegeven en de gevolgen van een tweede opstand veel ernstiger zouden zijn dan enkel de executie van de leiders.

Het leek er echter op dat het geen herhaling van de ramp van vijf jaar eerder zou worden, want onze komst overviel de bevolking volkomen. We gingen flink tekeer, staken elke boerderij in brand en slachtten alle bewoners die we konden vinden af, ongeacht geslacht of leeftijd. Een paar van de jongens, een enkeling, die na Varus Germania hadden kunnen ontvluchten en nu waren opgenomen in het Alaudae – je kunt je wel voorstellen hoe serieus zij hun taak namen, als je begrijpt wat ik bedoel. Nou ja, nadat we ongeveer twintig dagen lang alles wat we tegenkwamen hadden verwoest, kwam de Adelaar van het Negentiende boven water. Germanicus vond dat we het seizoen daarmee goed konden afsluiten, dus we keerden terug naar het fort van Aliso, dat terwijl wij plezier maakten was herbouwd door de hulptroepen. Daarna zouden we de militaire route terug naar de Rhenus volgen en van een welverdiende rustige winter gaan genieten. Zo ging het en we hadden een prima winter. Het volgende voorjaar trokken we weer naar het oosten, dit keer om de Chatten te laten kennismaken met onze zwaarden, en ze vonden het maar niets, dat is een ding dat zeker is. We brandden Mattium plat en doodden of onderwierpen de meeste inwoners voordat we het restant van het leger van de Chatten naar een aantal grotten, hoog in de rotsen in het zuiden, verdreven. Ze hadden die grotten versterkt, zodat het bijna onmogelijk was om er binnen te komen. Maar net op het moment dat we ze bijna hadden uitgehongerd, hief Germanicus ineens de belegering op en trokken we snel naar het noordoosten. Toen we zagen waarom, begrepen we het.' Hij keek naar Thusnelda. 'U was een beeldschone jonge vrouw en we wisten dat u een groot verlies zou zijn voor Arminius en een trofee voor Germanicus. Het seizoen liep ten einde. Germanicus nam twee van de legioenen per schip mee terug naar het keizerrijk – via de Amisia en verder over de Noordzee, maar dat is een ander verhaal. Wij, het Tweede, Veertiende en Twintigste zouden met zijn rechterhand, Caecina, over de militaire weg langs de Lupia teruggaan.

Maar dat bleek niet zo eenvoudig te zijn; zoals niets eenvoudig is in Germania.

"Verdorie!" zei mijn makker Sextus toen we op de ochtend van ons vertrek voor het kamp aantraden. "Dat ziet er niet goed uit, Magnus, helemaal niet goed."

Nu was Sextus niet de slimste van het gezelschap – de kans is zelfs groot dat hij in elk gezelschap de minst slimme zal zijn – maar nu had hij gelijk: het zag er helemaal niet goed uit. "Dat kun je wel zeggen, vriend," zei ik terwijl ik de lucht tussen mijn tanden door naar binnen zoog. "Dat zijn er godverdomme wel een heleboel." En dat was ook echt zo. Duizenden mannen, zo leek het in elk geval, stonden op een heuvel een paar mijl naar het oosten en zagen eruit alsof ze Romeins bloed wilden zien. "En wij zijn tweehonderd mijl en twintig bruggen van de Rhenus verwijderd."

Sextus vertrok zijn gezicht zoals hij altijd doet als hij eens iets probeert uit te rekenen. "Dat is een brug per zeven mijl," gokte hij uiteindelijk.

"Bijna goed, Sextus, ouwe vriend, bijna goed."

"En wie heeft jou toestemming gegeven om een mening te hebben, soldaat!" schreeuwde Servius, onze optio, van achter me in mijn oor. "Als je nog meer praat in de gelederen, heb je alleen nog een mening over hoeveel pijn de striemen van het riet op je rug doen als ik je de stront van de ene kant van de latrine naar de andere kant laat brengen, en weer terug."

Sextus en ik schoten in de houding en zetten ons meest oprechte militaire gezicht op, met de blik op oneindig. Maar Servius' woede werd gewekt door het angstige gekreun van de hele troep van vier bijna complete legioenen, alsof we allemaal voor de eerste keer in onze reet werden genomen. Links van ons, aan de overkant van de rivier, in de heuvels die hem naar het westen volgden, verschenen nog eens duizenden van die harige klootzakken... eh, pardon, edele Germaanse krijgers, en na een of ander onzichtbaar signaal uitten beide groepen een laag, kwaadaardig gebrul: in elke omstandigheid een rotgeluid, maar ronduit beangstigend als je weet dat je zeker tien dagen marcheren voor de boeg hebt waarin die klootzakken je de hele tijd aanvallen en dan snel wegrennen als we ons omdraaien om uit te vechten wie het scherpste ijzer en de grootste ballen heeft.

Maar goed, de blazers begonnen op hun *cornua* te blazen, de standaarden werden rondgezwaaid en toen omhoog of omlaag gehouden, afhankelijk van wat de primus centurio van het cohort allemaal brulde. De standaard van ons cohort ging naar links en zakte eenmaal omlaag toen de cornua de toon daarvoor aangaven. De centurio van onze centurie, Carrinas Balbillus, of de reetverruimer zoals wij hem liefkozend noemden, vanwege de nieuwe manier waarop hij zijn riet gebruikte als hij het idee had dat een gewone aframmeling niet genoeg was, vroeg ons beleefd om ons om te draaien en honderd passen naar achteren te zetten. Toen we dat hadden gedaan, vroeg hij ons zo vriendelijk te zijn een colonne te vormen. We stonden met het gezicht naar het westen; we zouden niet de strijd aangaan, maar er juist van weglopen. Vanaf onze plek in het Vijfde Alaudae, negende cohort, zevende centurie was het onmogelijk om te zien wat er allemaal gebeurde, maar al snel ging het gerucht door de gelederen dat de vier legioenen een carré vormden met alle vracht in het midden, en dat wij de linkerkant vormden met het Eerste Germanica aan de voorzijde, het Eenentwintigste Rapax aan de rechterkant en het Twintigste als onze rugdekking; iets, zo merkte Servius met een zeldzaam vertoon van gevatheid op, waar ze vast heel goed in moesten zijn, aangezien ze de gewoonte hadden zich achter ons te verschuilen als er een gevecht dreigde.

Alleen Mars weet hoe lang het duurde voor we goed opgesteld waren, maar uiteindelijk besloten de centuriones en optiones dat ze genoeg tegen ons hadden geschreeuwd en wij allemaal op de juiste plek stonden. Aan onze flank zagen we een paar van de Gallische hulpcohorten een verdedigingslinie vormen alsof er een aanval aankwam van een nog niet zichtbare bron terwijl twee van de Spaanse lichte cavalerie-alae om beide flanken heen draaiden, ongetwijfeld om de Germaanse klootzakken ervan te weerhouden een paar Gallische hoofden op te eisen – we weten allemaal dat ze de Galliërs evenzeer haten als de Galliërs de Germanen haten, maar een Galliër in het uniform van Rome vinden ze zo ergerlijk dat ze hun eigen grootmoeders zouden vertrappen om iets aan het weerzinwekkende beeld te doen. Zoals jullie je vast kunnen voorstellen, vonden wij het prima als ze het onderling uitvochten als dat zou betekenen dat wij rustig verder konden marcheren. Eindelijk, na nog meer signalen van de cornua en zwaaien van de standaarden, stelde de reetverruimer voorzichtig voor dat we misschien maar voorwaarts moesten marcheren met de gerieflijke snelheid van een snelle mars. Wij wilden natuurlijk maar al te graag aan dat vriendelijke verzoek voldoen, en met onze bepakking over onze schouders, maar onze schilden in onze handen en niet op onze rug, stapten we tevreden naar het westen.

Maar Germanen staan er niet om bekend dat ze het ons gemakkelijk maken en ze hebben ook een aantal zeer anti-Romeinse goden, waarvan één, Donar, het duidelijk op ons voorzien leek te hebben. Ik geloof dat hij een hamer heeft, en precies op het moment dat wij in beweging kwamen, liet hij die hamer neerkomen op hetgeen waarop hij hem laat neerkomen en er klonk een gedonder in de wolken waarbij onze blazers van zo-even niets voorstelden. Het kwam met bakken uit de lucht en windvlagen bliezen de regen in onze ogen en dwars door onze maliënkolders – ons cohort had nog niet de nieuwe gesegmenteerde harnassen gekregen – zodat we ons nog voordat we een mijl hadden afgelegd allemaal zo ellendig voelden als de reetverruimer ons het liefst zag, en dat was van zijn opgewekte gezicht af te lezen terwijl hij ons speelse tikken met zijn riet gaf om ons vooruit te helpen.

Links van ons onttrok de regen het gevecht zonder eind dat de Galliërs met hun vrienden voerden deels aan het zicht, maar met de hulp van de Spaanse cavalerie en een paar cohorten van Aquitaniërs leken ze elke poging om een maaltijd van onze testikels te maken neer te slaan.' De straatvechter pauzeerde even en keek met een grimmige blik naar de pot van Thumelicatz. 'Dat is gewoon niet normaal.' Hij vervolgde hoofdschuddend: 'Maar goed, wij trokken verder en legden knarsetandend de mijlen af die steeds zwaarder werden. Je moet weten dat we met de vier legioenen een carré vormden, dat in feite een rechthoek van tweehonderd passen breed en meer dan een mijl lang was, en dat we een weg volgden die slechts tien passen breed was, waardoor het moeilijk was om vaste voet te krijgen. Wij liepen in de zevende centurie van het negende cohort, dus elk stuk modder dat we tegenkwamen was al door een paar honderd andere jongens omgeploegd en we kwamen niet bepaald goed vooruit, als je begrijpt wat ik bedoel; het was niet zo'n mooie galop als over de baan van het Circus Maximus in Rome. En dan was er uiteraard ook de kleine kwestie van de bruggen, die alleen door de karren konden worden gebruikt, want die bevonden zich op de weg; de rest van ons moest de rivieren maar op een andere manier zien over te steken. We moesten regelmatig tot aan onze nek door het water, en als we het nog niet koud hadden als we erin gingen, dan hadden we het wel als we aan de overkant de oever op krabbelden.

We zwoegden steeds verder, met longen die op knappen stonden en, ondanks de regen, een brandend gevoel in onze keel. De jongens waren niet eens in staat om te schelden, wat de reetverruimer enorm dwarszat omdat laksheid het enige excuus vormde om ons af te ranselen. Maar niemand wilde schelden als je de keuze had tussen de fysieke kwelling van Balbillus' liefhebbende klappen of gezelschap krijgen van een gezellig stel kerels dat er genoegen in schepte je tenen te verwarmen boven een van hun vuren.

"Halt!" riep de reetverruimer op het moment dat ik net begon te denken dat een vuur misschien toch niet zo erg was. Ik ontwaakte uit de nachtmerrie waarin ik al ik weet niet hoe lang rondliep om tot de ontdekking te komen dat we allemaal stilstonden en werden uitgenodigd een marskamp voor dertigduizend man uit de grond te stampen.

Nou, we hadden nog nooit zo snel zo hard gewerkt. Hoewel elke schep aarde door de enorme hoeveelheid water die erin zat twee keer zo zwaar leek te wegen, hadden we al snel een tweeënhalve mijl lange en vier voet diepe greppel gegraven en van de aarde een vier voet hoge wal gevormd. Terwijl wij werkten, hielden de hulptroepen de stammen op afstand door aan beide kanten van de colonne een lange, defensieve linie te vormen. Maar desondanks wisten ze de klootzakken niet ver genoeg het bos in te drijven zodat wij extra hout konden kappen voor de omheining. Omdat veel van de staken die we hadden verloren waren gegaan, hadden we enkel de greppel en wal om ons achter te verschuilen. Maar we hadden in elk geval nog onze tenten, en niet veel later zaten we daar onze vreugdeloze, koude maaltijden te eten, dankbaar om in elk geval even uit de regen te zijn. Het was ook echt maar even, want twee uur later sloeg de reetverruimer alweer met zijn riet op onze tenten om ons te verzoeken samen met het tiende cohort een aantal uren lang de buitenrand te bewaken zodat de rest van het legioen veilig kon slapen in de wetenschap dat wij als moederkloeken over hen waakten. Wij vertelden de reetverruimer natuurlijk dat het ons een genoegen zou zijn en hij en Servius toonden hun dankbaarheid door ons in positie naast de achtste centurie te rammen.

En het was allesbehalve fijn, want de hulptroepen hadden zich in het kamp teruggetrokken waardoor er niets meer was om die bloeddorstige klootzakken ervan te weerhouden helemaal tot aan de greppel te komen en werpspiesen naar ons te gooien. En dat deden ze dan ook, keer op keer. Ik had Sextus links van me en rechts een Griek, Cassandros, die kort daarvoor vanuit een oostelijk legioen naar het Vijfde was overgeplaatst en allerlei vervelende oostelijke gewoontes had meegenomen. We tuurden in de regen en konden net de schaduw van een massa mannen onderscheiden. Ze kwamen op ons af gerend, roepend en joelend en allerlei afgrijselijke geluiden makend. Wij kropen achter onze schilden weg, die we boven op de borstwering lieten rusten. "Zet je schrap, mijn liefste Sextus," mompelde ik terwijl mijn sluitspieren zich genoeg spanden om een onderzoekende rat te wurgen. "Ik denk niet dat ze komen om een ontbijt te brengen en te vragen of we lekker hebben geslapen."

Mijn makker fronste. "Dat zou stom zijn, want het is nog lang geen tijd om te ontbijten en zij zijn degenen die ons wakker houden."

"Laat maar, Sextus. Laat maar."

"Hij is niet echt snugger, hè?" merkte Cassandros op.

"Dat heeft hij ook nooit beweerd," antwoordde ik.

Een verdere discussie werd afgekapt door een toevloed van werpspiesen. Ze knalden over de hele linie met holle, klinkende klappen op de schilden, als hagel op trommels van ossenhuiden. Ik weet niet hoeveel er in mijn schild bleven steken, maar tegen de tijd dat de harige klootzakken over onze fraaie greppel begonnen te springen, voelde het best wel onhandelbaar, maar ik kon er niets aan doen.

Als je als beginneling bij de legioenen komt, moet je maandenlang dag in, dag uit met een houten zwaard een houten paal aanvallen, als je geen twintig mijl lange afstandsmarsen met volledige uitrusting moet lopen, tenminste. Nou ja, niemand begrijpt helemaal waarom de instructeur je zo'n zinloze oefening laat doen tot je voor het eerst je ijzer moet gebruiken. En zo stak ik die nacht mijn zwaard door de opening tussen mijn schild en dat van Sextus, in de gezichten en borsten van Germaanse stamleden die over de borstwering probeerden te klimmen. Soms gebruikten ze de werpspiesen in onze schilden als houvast om zich aan op te trekken, waardoor wij hard moesten trekken om onze bescherming niet kwijt te raken. Bloed spoot uit doorgesneden aders en afgehakte stompen terwijl wij bleven hakken. Het was inmiddels een automatisme, een tweede natuur, en de uren bij de paal kregen ineens zin en het gescheld van de instructeurs leek op muziek waarvan we met onze zwaarden de maat aangaven. Steek, draai, links, rechts, terug en weer steken, dat deed de hele rij, twee man dik, met de reetverruimer in het midden, zijn hatelijkheden uitstortend over de ongewassen barbaren die het lef hadden om zijn kamp binnen te dringen en de ene na de andere krijger wegsturend naar welk Germaans hiernamaals er maar op zoveel onbeschaamdheid volgt. Achter ons drukte

Servius zijn optiostaf tegen de ruggen van de mannen in de tweede rij om de linie recht te houden, maar ook om de gedachte dat het in de tent misschien wel comfortabeler was de kop in te drukken. Hij schold ons de huid vol om de stemming erin te houden terwijl wij ze neersloegen, dood, stervend op de groeiende stapel in de greppel. En dat was nu juist het probleem: hoe meer we er doodden, hoe ondieper de greppel werd en hoe eenvoudiger het werd om over de wal heen te komen. Ik voelde dat er hard aan mijn schild werd getrokken en moest het uit alle macht vasthouden om het niet kwijt te raken. Toen ik snel omlaag keek, zag ik vingers om de rand geklemd zitten. Met een zijwaartse beweging van mijn pols sneed mijn zwaard ze af; het geschreeuw van de voormalige eigenaar ging verloren in de herrie en ik voelde de druk op mijn schild verdwijnen toen ik vanuit mijn ooghoek iets op me af zag flitsen. Ik hief instinctief mijn schild en hield met de rand een speer tegen die precies op mijn ogen was gericht. Door die beweging ontstond er echter een gat tussen de borstwering en de onderste rand. Ik voelde hoe de lucht uit me werd gedrukt en toen ik omlaag keek zag ik een speerpunt in mijn buik steken. Ik bracht mijn schild erop omlaag en tot mijn opluchting bewoog hij mee; de klap was niet hard genoeg geweest om door de maliën heen te gaan. Ik begon echter flink chagrijnig te worden, net als Sextus en Cassandros naast me. De hele centurie was inmiddels behoorlijk humeurig, en tot Balbillus' grote vreugde uitten we een strijdkreet en namen we zoveel levens als we konden voordat ze zich in de stromende regen terugtrokken.

Het probleem met Germanen is dat als een Germaan iets doet, alle andere zakkenwassers hetzelfde moeten doen om niet als zwakker te worden gezien. Dus toen wij de aanval hadden afgeslagen, was het nog niet afgelopen, nog lang niet. Ze kwamen terug, maar nu waren het frisse krijgers die de vorige aanval hadden uitgezeten en hun verslagen kameraden eens zouden laten zien hoe het echt moest. Wij wisselden van rij, zodat Sextus, Cassandros en ik alleen maar wat hoefden te duwen terwijl we onze schilden boven de mannen voor ons hielden. Alleen de reetverruimer wilde graag in de voorste rij blijven en wij vonden het allemaal prima en hoopten dat een van die barbaren ons een gunst zou verlenen, maar dat deden ze natuurlijk weer niet. Toen we een paar uur later werden afgelost, zat hij onder het bloed en was hij in een opperbeste stemming omdat er een flinke berg lijken voor zijn deel van de borstwering lag. Hij schreeuwde ons met liefde in slaap. Het was echter niet eenvoudig om te slapen terwijl de aanvallen de hele nacht doorgingen en de lucht voortdurend was gevuld met het geschreeuw van de verminkte en stervende mannen. Het overstemde bijna de reveille van de blazers, een uur voor zonsopkomst. Het kamp werd afgebroken, de tenten werden op de muilezels geladen en de grotere vrachten, zoals de graanmolen en de tent van de reetverruimer, gingen op de kar van de centurie, waarop ook de carroballista werd vervoerd. De hulptroepen namen weer hun posities in om ons af te schermen en wij werden in de juiste marsvolgorde geschreeuwd. Om de een of andere reden bleven de stammen nu weg; ze bekeken ons liever van een afstand en joelden en trakteerden ons op een aanblik van hun konten terwijl wij vertrokken.

Pas toen de achterkant van de colonne een paar mijl had afgelegd, begrepen we waarop ze hadden gewacht: ze hadden het die nacht druk gehad en al snel begonnen onze voeten dieper in de modder te zakken. Vervolgens werd de modder steeds vloeibaarder, tot we door een eindeloze plas liepen waarin het water op een gegeven moment tot onze enkels reikte, en even later tot onze knieën. De klootzakken hadden die nacht, als ze ons niet aanvielen, in een aantal rivieren dammen geplaatst waardoor de uiterwaarden ertussen langzaam volliepen. We kregen het steeds zwaarder, en zelfs Sextus, die een os op zijn rug kon krijgen, had er grote moeite mee. De colonne kwam nog maar amper vooruit en de karren liepen steeds vast. Toen liet die verdomde Donar zijn hamer weer vallen en kwam er, net toen de reetverruimer dacht dat we ons niet slechter konden voelen, nog meer water omlaag. Dat luidde een nieuwe reeks aanvallen op de hulptroepen in. Maar nu het waterpeil zo hoog was kon de cavalerie de flanken niet goed beschermen en duurde het niet lang voor het eerste Gallische cohort brak, zich omdraaide en terug naar ons in de colonne kwam plonzen. En toen draaide de rest zich ook om en kwamen die wilden met hun harige konten erachteraan, ze onderweg neermaaiend en zich rot lachend, omdat ze niets zo leuk vinden als een dode Galliër. Zelfs de cavalerie kreeg ervan langs omdat de paarden niet snel door het water wilden lopen en schichtig opzij sprongen als ze werden aangespoord. Veel van de ruiters stegen af om sneller weg te komen.

Nu de dekking weg was konden ze ons gemakkelijk aanvallen, maar ze waren niet uit op een man-tegen-mangevecht. De werpspiesen kletterden bijna even hard als de regen op ons neer en inmiddels dacht iedereen aan wat Varus was overkomen. We hadden de verhalen over de vier dagen durende strijd verschillende keren gehoord en er was geen man in dat leger die niet bang was voor een herhaling. En daar zag het nu naar uit. We waren hulpeloos terwijl de dodelijke stortbui op ons neer kletterde, salvo na salvo op onze omhoog gerichte schilden. Veel projectielen bereikten de mannen, zo groot was de chaos. En wij waren niet in staat iets terug te doen, omdat we al onze energie nodig hadden om onszelf te beschermen en te proberen vooruit te komen. Bovendien hadden we door de chaos van de voorafgaande nacht geen pila uitgereikt gekregen. De weinige boogschutters die we hadden probeerden de wilden op afstand te houden, maar ze waren met zo weinigen dat het nauwelijks verschil maakte; de Germanen ontweken ze als ze ze zagen aankomen en richtten hun aandacht op iets anders.

We waadden urenlang door het water, onze doden achterlatend. De pechvogels die te gewond waren om met opgeheven hoofd verder te gaan, accepteerden dankbaar het zwaard van hun kameraden door hun hart zodat ze niet werden achtergelaten voor de vuren. Maar de doden achtervolgden ons doordat de wilden hun hoofden afsneden en tussen ons in gooiden. Wij waren razend en machteloos en konden niets doen om de verminking van onze doden tegen te gaan.

De dag sleepte zich voort en onze honger nam toe omdat we nergens konden stoppen om te eten. Bovendien konden we onmogelijk een vuur maken in wat inmiddels een uitgestrekt meer was geworden. Zelfs toen we uiteindelijk droger terrein hadden bereikt – met andere woorden: een moeras in plaats van een diepe plas – wisten we dat er geen tijd was om te rusten. Dus kauwden we op de restjes die we in onze uitrusting vonden, wensend dat we de rantsoenen voor elf dagen die we allemaal bij ons hadden mochten aanbreken, maar daarvoor hadden we nog geen order gekregen.

We staken een andere rivier over, een waarin ze geen dam hadden geplaatst, en kwamen op meer open terrein. De blazers begonnen weer te blazen en het duurde niet lang voor de reetverruimer ons vriendelijk verzocht ons deel van de greppel te gaan graven voor het overnachtingskamp. Dat kamp was niets beter dan dat van de vorige nacht en er kwam geen eind aan onze misère, net zomin als aan de aanvallen van die wilden. Maar we waren zo uitgeput dat we, ondanks alle gewonden die in vertwijfeling de goden aanriepen, direct in slaap vielen toen ons deel van de borstwering klaar was. Zelfs Balbillus toonde enige compassie en schreeuwde maar liefst vier hele uren niet tegen ons.

"Ik denk niet dat ik het vandaag red," mompelde Cassandros toen het geschreeuw kort na de reveille was losgebarsten en we pap probeerden te maken van koude bloem en gemalen kikkererwten.

"Tja, je hebt de keus tussen doorgaan, op je zwaard vallen of je tenen warmen aan de vuren," zei ik weinig behulpzaam. "En ik zou persoonlijk voor de eerste optie gaan, want ik hou niet van vuur en ik heb ook geen zin in de enorme uitbrander die ik van de reetverruimer zal krijgen als ik mezelf zonder toestemming van kant maak."

Cassandros mopperde nog wat hoewel hij moest toegeven dat ik de waarheid sprak, terwijl Sextus zijn hersens brak over hoe de reetverruimer hem in het hiernamaals zou kunnen achtervolgen. Hij was er nog steeds niet uit toen we ons opnieuw hadden opgesteld en de blazers van ons legioen het bevel gaven een snelle mars in te zetten.

Ik weet niet wat er vervolgens gebeurde, want in die tijd stelde ik nergens vragen over om het leven gemakkelijker te maken en te voorkomen dat Balbillus me, voor iedereen die het maar wilde zien, te grazen nam – daaraan dankt hij zijn bijnaam. Ik denk trouwens dat de reetverruimer zelf ook niet wist hoe het gebeurde; maar het gebeurde en het zorgde er bijna voor dat we er allemaal aangingen.

We begonnen te lopen, zoveel mopperend als we durfden over het feit dat we op een lege maag zo'n hoog tempo moesten aanhouden. De reetverruimer toonde zijn medeleven alleen met bemoedigende tikken van zijn riet. We trokken voorwaarts, denkend dat we goed bezig waren, over de steeds droger wordende grond – Donar had die dag blijkbaar besloten om een rustdag in te lassen – en we hadden alleen te lijden onder een sterke, koude noordenwind die het ons heel lastig had kunnen maken in onze vochtige kleren als we niet het geluk hadden gehad dat we flink zweetten door de inspanning van het rennen met volledige bepakking.

Het leek er echter op dat niemand lette op wat de rest van het leger deed, want zij deden absoluut niet hetzelfde als wij – behalve het Eenentwintigste aan de rechterflank, dat er enthousiast vandoor rende. Het Eerste en het Veertiende hadden echter besloten om rustiger van start te gaan en kuierden voort alsof ze met hun liefjes van de omgeving liepen te genieten. Het duurde dus niet lang voor het onvermijdelijke gebeurde en wij en het Eenentwintigste uitliepen op de rest van de colonne, waardoor de bagagekaravaan niet langer werd gedekt. En als er één ding is dat de Germanen meer plezier doet dan een dode Galliër neuken, dan is het wel een ongedekte goederenkaravaan; en deze was onweerstaanbaar. Ze doken uit de ochtendmist op, roepend en...'

'Vanaf hier moeten we weer naar mijn vaders verhaal luisteren,' onderbrak Thumelicatz hem. Hij wierp een blik op zijn twee slaven, die ijverig aantekeningen hadden zitten maken. Ze legden hun schrijfstiften neer op tafel. 'Jullie kunnen de aantekeningen later ordenen en dan zal ik bepalen wat we aan mijn vaders verslag zullen toevoegen. Aius, lees verder van de elfde rol, vanaf het moment dat Erminatz de onbeveiligde bagagekaravaan ziet. Tiburtius, vul de lampen en kaarsen aan.'

Na een tijdje had Aius de passage gevonden en begon hij te lezen terwijl Tiburtius in de tent rondliep en voor de kaarsen en lampen zorgde.

Ik snapte niet hoe zo'n bevel kon worden uitgevaardigd; ik vond het waanzin, maar het gebeurde, en het was een kans die ik niet kon laten schieten: dit was mijn kans om de Romeinse colonne in tweeën te breken, precies door het midden, en elk deel dan op zijn beurt aan te pakken. Dit was mijn kans om een nog verpletterendere overwinning te boeken dan bij de Kalkreus. Ik stond met mijn vader en zijn persoonlijke krijgers aan het hoofd van de Cherusken, ten noorden van de Romeinse formatie. Zonder aarzelen stak ik mijn zwaard omhoog en riep ik onze strijdkreet naar de goden, waarin ik hen prees en onze vijanden bespotte. Ik begon te rennen, met mijn zwaard in beide handen boven mijn rechterschouder en mijn ogen gericht op de aansluiting van de bagagekaravaan en het Veertiende Legioen, achter de carré niet meer dan vierhonderd passen voor hen. Mijn krijgers volgden mij maar wat graag, gretig om bloed te laten vloeien en een buit binnen te halen, maar op dat moment zag het commando van het Veertiende, voor ons, plotseling het gevaar. Zij marcheerden nu het terrein opener was in een rij van vijf cohorten breed en twee diep om de vierde zijde van de formatie dicht te maken, maar de zijkanten waren verdwenen. Er was geen tijd om te manoeuvreren en ons frontaal op te vangen, dus ze konden hooguit halt houden en zich negentig graden omdraaien zodat de rij een colonne werd. Op het moment dat ze dat deden, vielen de Chatten en Bructeren vanuit het zuiden aan en voegden de Chauken zich achter ons.

De paniek in de Romeinse gelederen was duidelijk te zien, zelfs van tweehonderd passen afstand; ze werden van twee kanten aangevallen. De rijen botsten tegen elkaar doordat ze tegenstrijdige bevelen kregen over welke kant ze op moesten draaien, en hun samenhang had daaronder te lijden. De bagagekaravaan viel uit elkaar toen de menners zich bij de twee legioenen probeerden te voegen die hen om onverklaarbare reden hadden blootgesteld; ze kozen het dichtstbijzijnde legioen aan de voor- of achterkant. Maar ze konden zichzelf niet in veiligheid brengen; onze aanval had succes. Bijna vierduizend van mijn krijgers troffen het Veertiende in zijn verstoorde flank en stroomden toen uit in de achterzijde van de bagagekaravaan. In de chaos konden ze geen salvo van pila afvuren, dus wij konden met zeer weinig slachtoffers de aanval doordrukken.

Ik trok mijn zwaard boven mijn rechterschouder vandaan en hakte me een weg door de lukraak gevormde voorste rij, anderhalf hoofd de lucht in sturend en alle omstanders met bloed bedekkend. Aan de andere kant braken mijn vaders krijgers op talloze plaatsen door de muur van schilden heen om het gevecht aan te gaan op de manier die hun het beste lag: als individuen. We trokken door de gelederen, dood en verderf zaaiend. De harmonieuze krijgsmachine viel uiteen en veranderde in een verzameling doodsbange, onverdedigde soldaten.

Maar zelfs in zo'n uitzichtloze situatie kan het Romeinse leger nog een eenheid vormen door de discipline die de mannen door jaren van trainen hebben gekregen en, nog meer, door de professionaliteit van de centuriones. Tegen de tijd dat wij de eerste twee cohorten aan de flank hadden afgesneden, hadden de cohorten in het midden zich verenigd; de centuriones beseften dat niets doen voor iedereen een doodsvonnis zou betekenen. We sloegen tegen hun muur van schilden zoals een golf op een klip slaat en niet lang daarna realiseerde ik me dat we niet verder zouden komen; het was zinloos om de levens van mijn mannen op het spel te zetten in een poging een harde noot te kraken die we niet eerder hadden gekraakt, en bovendien lag het grootste deel van de bagage nog voor het grijpen. En dus vielen de menners bij bosjes en werden vluchtende ezels met speren geveld alsof we een jachtpartij hielden op een van de heilige dagen van de goden, en veroverden we voor de tweede keer de bagage van een compleet leger. Tijdens onze plundering vluchtten de drie voorste legioenen naar het westen terwijl het Veertiende zich verenigde in een carré en zo langs ons optrok, de doden in hopen achterlatend op de met bloed doordrenkte grond. Ik vond het geen probleem om hen te laten gaan, want ik wist dat er in de dagen die het zou kosten om de Rhenus te bereiken andere kansen zouden komen. Nog even en ze zouden niet meer bestaan en dan zou Tiberius, net als zijn voorganger Augustus, om zijn legioenen moeten rouwen.

Maar het liep anders. Opnieuw werd ik dwarsgezeten door mijn familie, maar dit keer was het niet Segestes, die veilig in Rome zat; deze man stond nog dichter bij me. De volgende ochtend, toen de krijgers van de vijf stammen ontwaakten met de houten koppen van mannen die veel te veel wijn hebben gedronken terwijl ze alleen bier gewend zijn, stond ik met mijn vader, Inguiomer, Adgandestrius en Engilram toe te kijken hoe de Romeinen hun kamp verlieten. Ze hadden het opgebouwd op open, vlak terrein op ongeveer drie mijl van de plaats waar wij de bagagekaravaan hadden geplunderd. Toen we ons alles van waarde hadden toegeeigend, de vrouwen en kinderen tot slaven hadden gemaakt en alle gevangenen hadden geofferd om de goden voor hun goedheid te bedanken, waren we achter hen aan gegaan. We hadden ons kamp aan de oostkant opgeslagen, zodat zij de volgende ochtend hun reis in westelijke richting konden vervolgen en met een beetje geluk dezelfde fout zouden maken. Ik wist dat het moreel slecht was; er was die nacht tumult geweest in het kamp terwijl wij niet in de buurt waren gekomen.

'Inderdaad,' zei Thumelicatz, het verhaal onderbrekend en de straatvechter aankijkend. 'Ik heb me altijd afgevraagd waar dat over ging. Misschien kun jij het me vertellen?'

De straatvechter haalde zijn hand door zijn haren en schudde mistroostig zijn hoofd. 'Het was niet ons beste moment, dat is een ding dat zeker is. Er was een paard losgebroken en de slaven die het probeerden te vangen, joegen het dier zoveel angst aan dat het op hol sloeg in het deel van het kamp waar het Eenentwintigste zat – niet dat het een echt kamp was, want we waren al onze tenten kwijt. Maar goed, zoals je je kunt voorstellen, waren de jongens erg schrikachtig na de ervaringen van de voorgaande dagen. Veel van hen dachten dat de versterking het had begeven en raakten, tot mijn schaamte, in paniek. Omdat er geen tenten waren, waren er ook geen paden en was er dus weinig structuur, en daardoor verspreidde de paniek zich snel toen veel van de jongens via de poort aan de westkant, het verst bij de vijand vandaan, probeerden te ontkomen. Nou ja, Caecina was een dag eerder gewond geraakt, zijn paard was onder hem uit geschoten, dus hij was aan zijn bed gekluisterd en kon niets doen om de jongens tot rust te manen en uit te leggen dat ze waren geschrokken van een bang paard en ze met hangende pootjes te laten terugkeren naar het modderige stukje grond dat ze toegewezen hadden gekregen. Er ontstond dus een flinke schermutseling bij de poort toen de bewaker weigerde hem open te zetten, en pas toen de legaat van het Eenentwintigste, op wiens naam ik even niet kan komen, erbij kwam en de angstige dames liet inzien hoe de situatie er werkelijk voorstond, begon de rust terug te keren. Toen iedereen uit elkaar was, lagen er acht lichamen op de grond; allemaal doodgetrapt. Als ik het me goed herinner, schaamde de legaat zich zo voor zijn mannen dat hij alle betrokkenen strafte door ze een jaar lang buiten het kamp te sluiten. Dat betekende dat ze 's nachts niet van de bescherming en steun van hun makkers konden profiteren en er buiten het kamp het beste van moesten maken. Geen van hen heeft het einde van dat jaar gehaald.'

Thumelicatz glimlachte in het lamplicht; zijn tanden glinsterden vaag in zijn baard. 'Wat heerlijk om te horen dat het beste van Rome zich op dat moment liet opschrikken door een paard. Ik weet zeker dat mijn vader het erg amusant zou hebben gevonden. Alleen had hij die ochtend wel wat anders aan zijn hoofd. Lees verder, Aius.'

Tot mijn verrassing besloot Caecina echter niet te vluchten, maar ging hij met zijn gedemoraliseerde leger de strijd aan. Ik bekeek zijn positie en lachte. 'Als hij denkt dat we zo stom zijn om een frontale aanval in te zetten terwijl we alleen maar op een geschikt moment hoeven te wachten om zijn flanken uit elkaar te slaan en het restant van zijn colonne af te maken, is hij gek.'

Maar al snel bleek dat ik als enige deze mening was toegedaan. Inguiomer, mijn eigen oom, spuugde op de grond. 'Je bent te lang uit je vaderland weggeweest, Erminatz; je begrijpt niets meer van de Germaanse trots, de Cheruskische trots. Moeten we echt blijven rondsluipen, onze vijand van achteren en opzij bestoken, proberen hem te breken en meer van dat behalve de strijd aanbinden zoals de trotse zonen van Alle Mannen horen te doen? Hij daagt ons uit; zijn wij zo slap dat we er niet op ingaan?'

Ik staarde hem vol ongeloof aan. 'Je bent net zo gek als Caecina. Heb je dan niets geleerd van de gevechten tegen Romeinen? Bestook ze van opzij, lok ze in de val, stuur salvo's van werpspiesen op hun formaties af, deel hier en daar wat steken uit en je doet hun kracht teniet. Maar val ze frontaal aan, man tegen man, en zij zullen altijd winnen, zelfs als ze tegenover tien keer zoveel mannen staan. Altijd!'

'Niet dit keer, Erminatz. Ze zijn moe, uitgehongerd en somber. Wij zullen zegevieren, en dan is het een triomf van de mannen, anders dan de stiekeme hinderlaag van de Teutoburgerpas. Dit wordt een overwinning waarover we met opgeheven hoofd kunnen opscheppen. Als we de uitdaging nu niet aangaan, zullen we als zwak worden gezien en door onze vrouwen worden beschimpt.'

Mijn vader legde een hand op mijn schouder. 'Hij heeft gelijk, mijn zoon: we moeten ons volk laten zien dat we onze vijand kunnen verslaan als mannen, en niet alleen als rondsluipende dieven. Om te heersen moet je respect hebben, en dat kun je alleen verdienen in een eerlijk gevecht. Dat uitgeputte, hongerige, gedemoraliseerde leger is onze kans en die moeten we grijpen.'

Toen ik de gezichten van de koningen en hun stamhoofden bekeek, zag ik dat dit argument hen had overtuigd, en ik vervloekte in mezelf de trots van de Germaanse man die hem aanzet tot het doen van volkomen onlogische dingen. Maar toen besefte ik dat ze nooit hadden kunnen profiteren van de lessen van Lucius Caesar. Ik zou deze zelfmoord nooit uit hun hoofden kunnen praten. Het had totaal geen zin. 'Goed dan, we nemen zijn uitdaging aan. Moge het bloed van de krijgers die we vandaag zullen verliezen zwaar aan jullie handen kleven, want het zal veel zijn.'

Ik wilde dit niet, maar ik had geen andere keus dan samen met mijn vader en oom aan het hoofd van de stam te vechten. Onze hoorns klonken en aan alle kanten begonnen onze krijgers zich in hun clangroepen op te stellen, en vervolgens in hun stammen. Er ging bier rond en ze dronken zichzelf moed in terwijl voor ons Caecina – dat dacht ik tenminste, want ik wist niet dat hij gewond was – zijn strategie voltooide. We stonden tegenover vier legioenen, zij het incomplete, en bijna eenzelfde aantal hulptroepen en wij waren met niet veel meer dan zij. Het was een onbezonnen besluit, maar we konden nu niet meer terug zonder gezichtsverlies te lijden. Met een grimmige lach bedacht ik dat een Germaanse krijger liever zijn leven verliest dan zijn aanzien.

En zo trokken we op, onze mannen joelend en schreeuwend en lurkend aan huiden met bier of veroverde wijn, opscheppend over hun wapenfeiten en hun kameraden aansporend om grote daden te verrichten. We kwamen steeds dichter bij de Romeinse linie, drie legioenen breed – het vierde werd apart gehouden – van elk drie cohorten diep en aan de flanken gesteund door hulptroepen van Galliërs, Aquitaniërs en wat Iberiërs en aan de achterzijde door lichte cavalerie. De linie verroerde zich niet; er klonk zelfs geen enkel geluid. Ze stonden in stilte te wachten; en ik wist dat met elke stap die wij in hun richting zetten hun zelfvertrouwen zou toenemen, want dit was de manier van vechten die zij het beste kenden en ze keken ernaar uit om ons de vernederingen van de afgelopen dagen betaald te zetten. En zo, met een onbestemd voorgevoel, leidde ik de aanval.

'Hoe zag die aanval eruit?' vroeg Thumelicatz met oprechte belangstelling.

'Net zoals elke andere aanval van schreeuwende barbaren,' antwoordde de straatvechter terwijl hij zijn beker nog eens volschonk. 'We hadden weinig geslapen en het was zo lang geleden dat we een warme maaltijd hadden gehad dat het laatste waar we zin in hadden een man-tegen-mangevecht was, maar we wisten dat het onze enige kans was om terug te keren naar de Rhenus. Dus bleven we staan en zei niemand van ons een woord, zelf de reetverruimer niet; zelfs hij verzuimde het tegen ons te snauwen toen de massa krijgers op ons afkwam. Ik voelde Sextus rechts van me en Cassandros aan mijn linkerschouder. Om ons heen hoorde ik onze makkers zwaar ademhalen; ze zogen de lucht naar binnen waarvan ze uit ervaring wisten dat die snel schaars zou worden. De palm van mijn rechterhand was plakkerig toen ik de eerste van mijn twee pila pakte, klaar voor het bevel. Ik keek omlaag naar mijn linkeronderarm, de dikke spieren doordat ik mijn schild stevig voor me hield, de tweede pilum in dezelfde hand, en ik herinnerde me de kracht van de inslag van alle andere man-tegen-mangevechten die ik had meegemaakt. Maar hoe vaak je ook, over de rand van je schild, een menigte bezwete wilden op je af hebt zien komen, schreeuwend om je bloed, over elkaar heen buitelend om als eerste een poging te kunnen wagen je kop eraf te hakken, het wordt nooit gemakkelijker. Je kon de pis van de minder ervaren jongens ruiken en ik hoopte voor hen dat de reetverruimer niet wist wie de boosdoeners waren, want dat was een van de dingen die hij het meest haatte: als je op je eigen grond piste, werd die glibberig en hij maakte naderhand met behulp van zijn riet graag duidelijk wat het verschil tussen glibberig en droog was – als de boosdoener dan tenminste nog in leven was.

De cornua klonken en de reetverruimer brulde. Wij stampten onze linkervoet naar voren en trokken onze rechterarm naar achteren en daarna slingerden we, na nog een gebruld bevel, onze pila weg. Zonder te kijken wat ons werk aanrichtte, hieven we ons tweede projectiel in onze werphand op en voor er vier hartslagen waren verstreken vlogen die pila in een lagere baan op de schreeuwende haat slechts twintig passen voor ons af en hadden wij onze zwaarden al getrokken. Het was een fraai gezicht, een salvo van pila dat doel trof. Tientallen van die klootzakken gingen neer, het bloed spoot en spatte terwijl gezichten werden verpulverd en borsten doorboord. Ze vielen bij bosjes neer, eerlijk waar, en ze lieten allemaal zeker een van de klootzakken achter hen struikelen. Maar mijn ervaring is dat slachtoffers voor barbaren geen reden zijn de aanval te staken. "Zet jezelf schrap, waardeloze zakken," schreeuwde de reetverruimer bemoedigend. "Jullie speelkameraadjes zijn er. Schouders laag!"

Het is simpel: gewicht op de linkervoet, linkerschouder stevig tegen de achterkant van je schild, waarvan de rand zich net op ooghoogte bevindt, en je voelt het schild van de man achter je tegen je rug drukken, om je met alle andere jongens in de rij extra gewicht te geven. Met hun baarden, lange haren en tatoeages waren ze een vreselijk schouwspel dat op ons afkwam. En toen, *bam*, geen tijd meer om na te denken; ze treffen je in allerijl en dan draait het om timing. Omhoog en naar voren gingen de schilden van onze voorste rij, om de uitstulping tegen hun borst te stoten en de neerwaartse hakbewegingen van zwaarden of bovenhandse steken van speren met de rand op te vangen. Een moment later ram je je zwaard door de opening, biddend om vlees, en het was er. Ik draaide mijn pols naar links en rechts, precies zoals het me op de eerste dag van mijn training was voorgedaan. Bloed spoot over mijn arm en ik trok hem terug en voelde de zuigende werking van de wond toen ik mijn lemmet eruit trok terwijl Sextus, naast me, als een of ander onnatuurlijk wezen begon te janken terwijl hij ramde met zijn schild en stak met zijn zwaard. Onze hele rij zwoegde en gromde. We keken nauwelijks boven de rand uit, want een speer kon zomaar het laatste zijn wat je zag. We lieten onze zwaarden en schilden het werk doen en bekommerden ons om niets anders dan onze formatie in stand houden, want we wisten dat een solide muur van Romeinse zware infanteristen versterkt door de zeven rijen erachter de veiligste plek is tijdens een slag – tenzij je gezeten op een paard van ergens achteraan bevelen uitdeelt, natuurlijk.

Nou was ik maar één soldaat in een centurie ergens in het midden van onze linie, dus ik heb geen idee wat er gebeurde, maar binnen de tijd die nodig is om een paar hoeren te neuken, rende die hele harige meute weg en lag de grond bezaaid met talloze doden en gewonden. Ik heb er nog nooit zoveel gezien na zo'n relatief kort gevecht; er lagen er duizenden, terwijl honderden anderen probeerden weg te kruipen. De Gallische hulptroepen langs de flanken gingen achter de menigte aan en genoten van hun favoriete tijdverdrijf Germaantje prikken terwijl de cavalerie om hen heen cirkelde en er met de ene na de andere werpspies nog eens een heleboel uitschakelde. Het was een prachtig schouwspel, dat kan ik wel zeggen.

"Waag het niet erachteraan te gaan, stelletje varkens," waarschuwde de reetverruimer; de gestoorde grijns op zijn gezicht en het volume van zijn gebrul verrieden dat hij het enorm naar zijn zin had. "Niet voordat ik het zeg!"

Maar hij verspilde zijn adem, want geen van ons had zin om achter die klootzakken aan te gaan. Laat de hulptroepen dat maar doen, dachten wij, dan kijken wij wel toe. Zo stonden we daar een uur lang, stinkend naar pis en stront, lekker helemaal niks te doen. En toen begonnen de blazers, maar het waren niet de cornicen, het waren de *bucinatoren*; we gingen weer marcheren. Geleidelijk kwam het leger in beweging en trok het naar het westen...'

'En mijn vader zag het gaan, niet in staat het tegen te houden,' zei Thumelicatz. 'Bedekt met bloed dat meer Germaans dan Latijns was zag hij jullie vertrekken, terwijl Inguiomer naast hem op de grond langzaam lag dood te bloeden; hij had een gapende snee in zijn buik. Ik herinner me deze passage bijna woord voor woord. "Terwijl ik de legioenen een voor een het slagveld zag verlaten, keek ik neer op de man die, door zijn trots, onze kans op een overwinning had vergooid en ik kon mezelf er niet toe brengen hem iets kwalijk te nemen: hij had volgens de Germaanse denkwijze correct gehandeld. Die dag had me, hoezeer ik Rome ook haatte, laten zien hoeveel invloed Rome had gehad op mijn denkwijze, hoeveel ik, ondanks mezelf, deel van hen uitmaakte. Ik wendde me tot mijn vader, die zijn broers hand vasthield. 'We hebben ze nu laten ontkomen en kunnen ze op geen enkele manier meer tegenhouden. Ze zullen volgend voorjaar terugkomen en dan zullen meer van onze mannen moeten sterven.' Mijn vader haalde zijn schouders op; de tranen drupten in zijn baard. 'Laat ze maar komen, en dan doen we het misschien op jouw manier.' Maar dat zou niet gebeuren, want toen ik de achterhoede in westelijke richting zag verdwijnen, wist ik dat we nooit meer de kans zouden krijgen een Romeins leger onderweg te verwoesten. Het was afgelopen, tenzij er een wonder gebeurde. Maar er gebeurde een wonder in de vorm van een vrouw op een brug."'

De straatvechter fronste. 'Bedoel je de oudere Agrippina, de vrouw van Germanicus?'

'Ik niet, maar mijn vader wel, ja,' antwoordde Thumelicatz. 'En hij had gelijk. Wat gebeurde er toen jullie de Rhenus bereikten?'

'Nou, we waren kapot. In de vijf dagen na de veldslag hadden die wilden zich niet laten zien, maar we marcheerden zo snel we konden. Zelfs de reetverruimer leek tevreden over onze voortgang. Op de avond van de vijfde dag kwamen we bij de brug die we hadden gebouwd om de rivier over te steken en op die brug, aan de oostkant, stond een vrouw. Toen we dichterbij kwamen, zagen we dat het Agrippina was en toen we begonnen over te steken, ging het gerucht rond dat de prefect van Castra Vetera in paniek was geraakt toen hij hoorde dat we tijdens onze reis naar het westen op de Weg van de Lange Bruggen waren aangevallen. Hij ging ervan uit dat we zouden worden verslagen en dat Germania Inferior zou worden geplunderd als hij de brug niet sloopte. Maar Agrippina stond hem niet toe dat te doen en stond dagenlang op de brug met haar pasgeboren dochter met dezelfde naam in haar armen. Toen wij langs haar marcheerden, juichten we haar toe, want dankzij haar waren we niet aan de andere kant gestrand, als een gemakkelijke prooi die moest wachten tot een schip ons kwam oppikken. We hielden van haar om wat ze had gedaan.'

'Dat kan ik wel geloven,' zei Thumelicatz. 'Maar stel je eens voor wat die liefde van de Rhenus-legioenen voor de vrouw van een generaal die al als een gevaarlijke rivaal werd gezien deed met de tobbende keizer in Rome. Stel je eens voor hoeveel jaloezie en angst dat opwekte toen het Tiberius ter ore kwam.'

HOOFDSTUK XVI

'Het maakte een einde aan de Romeinse ambities ten oosten van de Rhenus,' beantwoordde Thumelicatz zijn eigen retorische vraag.

'Maar we kwamen het jaar erop terug,' stelde de straatvechter terwijl hij zijn beker weer leegdronk. 'En we hebben Arminius twee keer verslagen.'

'Is dat zo? Hebben jullie dat wel echt gedaan?'

'Ik weet dat het zo is. Ik was erbij en heb een flink aantal kameraden op de oevers van de Visurgis achtergelaten.'

Thumelicatz schoof de kan met bier over de tafel. 'Daar twijfel ik niet aan. Mijn punt is dat wat voor jou en Germanicus een overwinning leek in feite de laatste factor was van het wonder waarvoor mijn vader had gebeden.'

De oudste broer snoof. 'Een wonder dat voortkomt uit een nederlaag. Dat lijkt me onwaarschijnlijk.'

'En toch was het zo. Lees verder vanaf het moment vlak voor de ontmoeting van de broers, Tiburtius.'

De voormalige aquilifer schraapte zijn keel terwijl hij het laatste overgebleven perkament op de tafel uitrolde.

Chlodochar, mijn jongere broer, was het jaar na de Slag van de Lange Bruggen met Germanicus' leger teruggekomen. De gedachte eraan maakte me misselijk: mijn eigen vlees en bloed vocht aan de kant van de vijand. En toch was hij niet de eerste in de familie die het Vaderland verraadde: Segestes, mijn vaders neef, had mij persoonlijk veel meer geschaad toen hij mijn zwangere vrouw had overgedragen aan de vijand, en zij had inmiddels een zoon gebaard die ze Thumelicatz had genoemd – een goede Germaanse naam. Maar ondanks zijn afschuwelijke verraad stelde Segestes' vergrijp niets voor vergeleken bij de bereidheid om de wapens op te pakken tegen je eigen stam. Ik twijfelde er niet aan dat Chlodochar daartoe bereid was en dat stuitte mij enorm tegen de borst, hoewel ik sinds onze laatste ontmoeting in Rome, voordat ik terugging naar Germania, altijd had geweten dat ik op het slagveld tegenover hem zou komen te staan. Desondanks vond ik het, toen Germanicus' leger de Amisia af zeilde en in oostelijke richting naar de Visurgis marcheerde om ons opnieuw uit te dagen voor de strijd, mijn plicht om met de afvallige te praten.

We wachtten hen op aan de oostkant, op een stuk verdronken land dat was gewijd aan de godin Idis. Ik stond op de oever en zag de cohorten aankomen. Achter me bevonden zich vijfentwintigduizend krijgers van drie stammen die op open terrein wilden vechten. Ik kon het hun niet uit het hoofd praten en moest daarom met hen meegaan. Ik hoopte Germanicus te kunnen overhalen de rivier over te steken en hem dan aan te vallen; maar ik wist dat die kans klein was, want hij was veel te voorzichtig om zich tijdens zo'n gevoelige operatie te laten aanvallen. Ik zag al snel dat zijn commandotent werd opgebouwd en riep naar de centurio die aan de overkant met zijn centurie boogschutters bezig was of hij kon vertellen of Germanicus zelf ook aanwezig was. Hij vroeg me mijn naam en toen hij het antwoord hoorde, stuurde hij direct een boodschapper weg. Het duurde niet lang voor ik een bekende gedaante naar de westelijke oever zag lopen.

'Volhard je nog altijd in verraad, Arminius?' riep Germanicus over de vijftig passen brede rivier die ons van elkaar scheidde.

Ik lachte om zijn Romeinse arrogantie en tot mijn verrassing lachte hij met me mee.

'Ik weet dat je mij ziet als een stomme, stijfkoppige Romein die niets van jouw motivatie begrijpt, Arminius; maar je hebt het mis. Ik begrijp je volkomen en weet dat je jezelf ziet als een Germaanse patriot en niet als verrader van Rome. Zo is het toch, Erminatz?'

Het gebruik van mijn Germaanse naam bracht me van mijn stuk, maar ik was geïntrigeerd door zijn erkenning dat je niet alles met Romeinse ogen moest bekijken. 'Dat ben ik altijd geweest, ook al werd ik gedwongen het diep weg te stoppen toen ik, slechts in naam, in Romeinse dienst was.'

'En toen je de kans kreeg om die Romeinse dienst, zo zullen we het maar noemen, de rug toe te keren, greep je hem. En ik moet toegeven, Erminatz, je hebt je best gedaan: je hebt drie legioenen verwoest en de grootste strijdmacht van het westen vernederd. We hebben je goed opgeleid, of, liever gezegd, wijlen mijn zwager Lucius heeft je goed opgeleid; hij ging altijd voor het grootse gebaar, en wat een groots gebaar was de slag in het Teutoburgerwoud. Zelfs als ik jullie morgen of de dag erna allemaal dood, wat ik vast van plan ben te doen, zal ik de herinnering eraan nooit kunnen uitwissen en zal ik ook nooit bij een volledige vergelding in de buurt komen, zo enorm was de omvang. Ik salueer voor je, Erminatz, en wil dat je weet dat als er een manier was om samen tot een schappelijke overeenkomst te komen, ik dat zou doen. Maar Tiberius zal het nooit toestaan. Er zal geen vrede zijn voor jij dood bent. Het zal je echter een plezier doen te horen dat Tiberius een aanbod van een onbekende persoon om jou te vergiftigen heeft afgeslagen, omdat dat volgens hem niet de Romeinse manier is om met onze vijanden af te rekenen, en ik kan dat alleen maar toejuichen. Jij zult sterven door het zwaard, Erminatz, en het zal snel zijn en hopelijk door mijn hand. Pas dan kunnen we eervol vrede sluiten. Ik wens je al het goede voor wat er van je leven over is.'

Toen hij zich omdraaide om weg te lopen riep ik hem na: 'Voordat we elkaar op het slagveld treffen, zou ik graag met mijn broer willen spreken, Germanicus – als hij bij je is, natuurlijk.'

Germanicus keek over zijn schouder. 'Hij is hier; hij wijkt nooit van mijn zijde, zoals het een goede vriend betaamt. Hij is sinds jullie laatste ontmoeting in rang gestegen; hij is nu prefect over een hulpcohort, een Germaans cohort.'

Ik haalde mijn schouders op, want dat was geen nieuws. De Bataven en Ubiërs waren Rome altijd blijven dienen, en sinds Varus' nederlaag waren de Frisii en een aantal andere stammen opnieuw in de hulptroepen gaan dienen.

'Je kunt je schouders wel ophalen, Erminatz, maar dit is niet een hulpcohort met rekruten uit de gebruikelijke stammen.' Hij glimlachte, en zelfs vanaf die afstand kon ik zien dat het de lach was van een man die op het punt stond een verbluffend stukje kennis te delen. 'Je broer voert het bevel over het nieuwe cohort van Chauken.'

Mijn verbazing moest zelfs vanaf die afstand te zien zijn geweest.

'Inderdaad. En als ze het in de aanstaande strijd goed doen, zal ik zorgen voor een prefect van hun eigen stam en wordt je broer de prefect van het nieuw te vormen Cheruskische cohort. En dat zal gebeuren, Erminatz, als jij dood bent en de Cherusken zijn verslagen. Maar laten we het daar niet meer over hebben; ik zal je broer laten halen en dan kan hij je zelf vertellen hoe het zal gaan. Mogen de goden met je zijn, mijn oude vriend.'

Met die woorden liep hij weg, en ik zag hem nooit meer terug. Ik had niet veel tijd om over zijn woorden na te denken voordat mijn broer er was, en toen hij verscheen schrok ik van zijn verschijning. Ik draaide me om naar mijn lijfwachten en stuurde ze weg zodat mijn broer en ik onder vier ogen konden praten – voor zover dat ging als je schreeuwend een vijftig passen brede rivier moest overbruggen.

Toen we alleen waren keek ik mijn broer een tijdje aan en bestudeerde ik hoofdschuddend zijn verminking. 'Hoe ben je je oog kwijtgeraakt, Chlodochar?'

Zijn moedertaal verwerpend antwoordde hij in het Latijn: 'Tegen de Marsi, vorig jaar; verpletterd door een katapultschot.'

Ik was niet onder de indruk; ik ging verder in het Cheruskische dialect. 'Dus je hebt deelgenomen aan dat beschamende bloedbad?'

'Het was een gerechtvaardigde straf voor hun hulp bij de aanslag in het Teutoburgerwoud; en aangezien jij de bedenker van die aanslag was, kun je jezelf verantwoordelijk houden voor wat er met de Marsi is gebeurd.'

Ik wilde me niet laten meeslepen in deze schijnbaar oprechte woordenwisseling. 'Ik hoop dat je flink bent beloond voor het afslachten van vrouwen en kinderen en het opofferen van de helft van je zicht.'

Maar Chlodochar deed alsof hij het sarcasme in mijn stem niet hoorde. 'Afgezien van het feit dat ik nu prefect van hulptroepen ben en daar erg goed voor betaald krijg, zoals jij ook weet, Arminius, heb ik het recht om in Rome een militaire kroon te dragen en heb ik verschillende andere giften ontvangen, zoals deze gouden ketting uit de handen van Germanicus zelf.'

Ik lachte om zoveel ijdelheid. 'Goedkope prullen als miserabele beloning voor je dienstbaarheid, Chlodochar.'

'Dienstbaarheid! Hoe kan ik een slaaf zijn als ik de leiding heb over mijn eigen cohort in het grootste leger dat ooit heeft bestaan? Kijk naar de macht van Rome, Arminius, kijk naar hoe lang de arm van de keizer is als hij je hier kan bereiken. Morgen zul je samen met duizenden mannen van je stam sterven; maar zo hoeft het niet te gaan. Geef jezelf over aan de genade van Tiberius, misschien stelt hij zich edelmoedig op. Rome heeft het beleid altijd clementie te bieden aan wie zich overgeeft; tegenover de meedogenloosheid die wie zich niet overgeeft verdient. Je weet dat dit waar is, Arminius. Vertel me anders eens waarom Thusnelda en je zoon worden behandeld als vrienden van Rome en niet als vijanden. Ik heb ze zelfs onder mijn hoede gekregen en ze horen nu bij mijn huishouding.'

'Breng ze dan bij me terug als je enig eergevoel hebt! Dit is de plaats, in ons voorouderlijke Vaderland, onder de hoede van Germaanse goden, waar mijn zoon zou moeten opgroeien, niet in de familie van een afvallige. Dit is ook de plaats waar jij hoort te zijn, Chlodochar. Hoe lang is het geleden dat je onze moeder hebt gezien? Ze heeft verdriet om je en verlangt naar je terugkeer zodat je de rest van onze stam tegemoet kunt treden zonder je te hoeven schamen om je verraad. En onze zuster, Chlodochar, denk je nog wel eens aan haar?'

Ik zag mijn broer nadenken en realiseerde me dat hij zo lang was weggeweest dat hij zelfs was vergeten dat hij een zus had.

'Ja,' zei hij alsof hij diep in het verleden groef. 'Hoe gaat het met Erminhild?'

'Ze is dood, Chlodochar! Ze is al tien jaar dood en jij hebt nooit de moeite genomen om dat te weten te komen, hè? Nee, dat heb je niet gedaan omdat wij voor jou allemaal dood zijn. Je hebt je bloedverwanten verraden, je stam. Je hebt zelfs je ras verraden en bent niets meer dan een slaaf zonder eergevoel. Chlodochar, de pad die zich wentelt in het slijm van kruiperigheid.'

Dat was meer dan mijn broer aankon, en hij schreeuwde dat

iemand hem zijn paard en wapens moest brengen. Ik haatte hem op dat moment meer dan ik hem ooit in mijn leven had gehaat en lachte om het zinloze van zijn gebaar aangezien we werden gescheiden door een vijftig passen brede rivier. 'Als je met je paard hiernaartoe wilt zwemmen, moet je dat vooral doen. Maar ik waarschuw je, Chlodochar, ik gun je niet het privilege van een man-tegen-mangevecht met mij. Ik schakel je met een pijl uit nog voordat je halverwege bent.'

Dit maakte hem nog razender en hij moest door een krijgstribuun worden weggesleept terwijl hij mij allerlei bedreigingen naar mijn hoofd slingerde.

'We zullen morgen wel met elkaar afrekenen,' riep ik hem na. 'Als je de rivier kunt oversteken terwijl je wordt opgewacht door een leger dat toekijkt hoe je aan de overkant de oever op krabbelt.'

Natuurlijk kon een Romeins leger dat door een van hun grootste generaals werd aangevoerd dat, en ze deden het dus ook.

Die nacht maakten ze een begin met hun plannen, en nu ik ze, enige jaren later, zit te dicteren voel ik nog altijd bewondering voor Germanicus en moet ik toegeven dat het me verdriet deed toen ik hoorde van zijn dood, vergiftigd in het Oosten, ogenschijnlijk in opdracht van de jaloerse Tiberius.

We ontwaakten in een bleke dageraad, vochtig van de dauw en gehuld in een riviermist die zich vasthechtte aan bomen en over het wateroppervlak gleed. De overkant was slechts vaag zichtbaar; wat we door de mistflarden heen konden zien waren een paar cohorten van de hulpinfanterie en een cavalerie-ala die hun positie innamen op de westelijke oever.

'Bataven,' zei ik tegen Aldhard toen we op onze paarden zaten en onze ogen tot spleetjes knepen om hun standaarden te kunnen onderscheiden. 'Ze gaan proberen de rivier over te zwemmen.'

'Laat ze het maar proberen,' zei Aldhard met een grijns. 'Ze zijn dood voordat...'

Geschreeuw, gedempt door de mist, maar hoorbaar genoeg om de pijn erin te herkennen, bereikte ons vanuit het noorden. Aldhard en ik keken elkaar vluchtig aan en stuurden onze paarden toen in de richting van het geluid. Ons kamp, dat al langzaam aan het ontwaken was, gonsde ineens van de bedrijvigheid; elk van de mannen was ervan overtuigd dat we werden aangevallen door het voltallige Romeinse leger dat op de een of andere manier onhoorbaar de rivier was overgestoken. Opnieuw vervloekte ik de ongedisciplineerdheid van mijn volk toen clanleiders en strijdtroepen elkaar probeerden af te troeven en zo snel mogelijk de plaats waar de vijand zich volgens hen ophield wilden bereiken.

'Stop!' riep ik toen we door het begin van een chaos reden. 'Blijf in jullie posities!' Maar ik had net zo goed kunnen proberen hen een dansje te laten doen; mijn geschreeuw had geen zin. Ze begonnen naar het noorden uit te zwermen, met duizenden tegelijk, en ik kon niets doen om hen tegen te houden. En toen doemden uit de mist ten zuiden van ons de spookachtige gedaantes van paarden op. De krijgers die zich er het dichtstbij bevonden, draaiden zich om en renden met machtige strijdkreten op de nieuwe vijand af, die zich pardoes omkeerde en in de mist verdween. Maar dat weerhield de krijgers er niet van hen verder te achtervolgen en ik zag wanhopig hoe honderden van hen verdwenen in de nevel waar ze vast en zeker de dood zouden vinden. Er was niets wat ik kon doen, want ik besefte dat de Bataven op datzelfde moment hun schilden op hun opgeblazen waterzakken legden om ze te laten drijven, en de rivier over zouden steken. Deze mannen, die bekendstonden om hun vermogen volledig bewapend te zwemmen, zouden binnen een paar honderd hartslagen met zovelen de overkant bereiken dat ze een bruggenhoofd konden vormen.

Ik keek naar de overkant en een licht briesje verdreef heel even de mist, lang genoeg om mijn angst bewaarheid te zien. Er lagen mannen en paarden in de rivier en achter hen werden boten te water gelaten. Maar deze boten waren niet zomaar vervoersmiddelen. Nee, ze waren meer dan dat; het waren ook met elkaar verbonden sloepen die samen de Visurgis zouden overspannen en een pontonbrug eroverheen zouden vormen. En mijn leger was in tweeën gesplitst door een paar kleine groepen die 's nachts de rivier al waren overgestoken. Ik keek naar het zuiden en wist dat het geen zin had om de mannen terug te roepen die achter de ruiters aan waren gegaan. Degenen die het hadden overleefd zouden op de Bataven stuiten als ze probeerden terug te keren, en zouden dan zonder twijfel omkomen of vluchten. Dus restte me alleen het noorden. Ik reed naar het noorden om van mijn leger weer een soort gedisciplineerde eenheid te maken in plaats van een onhandelbare verzameling eerzuchtige types die geen idee hadden hoe ze als samenhangende strijdmacht moesten optreden, maar blind achter Germanicus' list aan waren gegaan. Mijn voordeel was me ontnomen en ik kon nu onmogelijk Germanicus aanvallen als hij de rivier overstak. Ik had de oostelijke oever zonder vechten uit handen gegeven en stond voor gek. Ik wist dat onze enige hoop nog was dat we positie innamen met het dichte woud langs de noordrand van Idis' vlakte als rugdekking, de rivier als bescherming van onze rechterflank en onze linkerflank beschut door de heuvels die een mijl ten oosten van de rivier oprezen. In die heuvels had ik het overgrote deel van de Cheruskische krijgers laten plaatsnemen, terwijl ik de vlakte had laten bemannen door de andere stammen. En zo, biddend dat de godin ons zou beschermen als we voor het machtige Rome stonden, wachtten we tot Germanicus naar ons toe kwam.

Maar hoeveel macht kan een relatief onbeduidende godin uitoefenen op acht legioenen en hun hulptroepen? Toen de zon opkwam en de mist wegtrok zagen we de ene na de andere rij over de vier pontonbruggen marcheren die schijnbaar uit het niets waren verschenen, afgeschermd door cohorten van hulptroepen. Het complete leger had de overkant bereikt toen het achtste uur was aangebroken, maar in plaats van het gevecht te beginnen besloot Germanicus een kamp op te slaan en zijn mannen te laten rusten.

Op dat moment had iedereen met enig verstand ervoor gekozen te wachten tot het donker was en zich dan teruggetrokken. Ik moest echter blijven en de superieure strijdmacht het hoofd bieden, want terugtrekken zou worden gezien als een laffe daad en mijn leven zou niets meer waard zijn. Ik zou er niets mee bereiken, omdat mijn Cheruskische leger dan onder leiding van een ander zou worden afgeslacht.

Dus we bleven en sliepen in de open lucht onder de vele sterren die de hemel boven ons land vulden. Ik vermoedde dat het voor velen van ons de laatste keer zou zijn.

In een poging die nacht het onvermijdelijke af te wenden, probeerde ik een list uit die eerder uit wanhoop dan logica was ontstaan. Met een klein aantal lijfwachten reed ik door de duisternis tot we op gehoorsafstand van het kamp waren. Omdat ik wist dat mijn stem zou worden herkend, liet ik Vulferam proberen de legioensoldaten over te halen tot desertie. Het was absurd...

'En het was beledigend,' onderbrak de straatvechter het verhaal. 'We hoorden een stem in de nacht die ons honderd sestertiën per dag, maar ook land en een Germaanse vrouw beloofde als we onze maten in de steek zouden laten en deserteerden.' Hij pauzeerde om te rochelen en op de houten vloer te spugen. '"Gelul!" riepen we terug. "We krijgen jullie land en vrouwen toch wel; waarom zouden we onze eer verspelen voor iets dat toch al binnen handbereik is?" Zoals je je wel kunt voorstellen, wonden de jongens zich hier flink over op en ze begonnen steeds meer zin te krijgen in de veldslag van de volgende dag. Ze bedachten manieren om de eerste wilde met een harige kont die ze tegenkwamen die beledigingen betaald te zetten.' De straatvechter keek zijn metgezellen grijnzend aan. 'Het was een enorme inschattingsfout van Arminius, want eerder wilden we allemaal zo snel mogelijk naar huis; niemand had veel zin om nog verder naar het oosten te trekken. Maar dit gaf ons energie en Germanicus hoorde hoe de stemming omsloeg omdat hij zichzelf als een gewone soldaat had vermomd en 's nachts in het kamp rondliep om onze gesprekken af te luisteren.

Goed, toen een uur voor zonsopkomst de reveille klonk, waren de meesten van ons al op en druk aan het ontbijten, zo graag wilden we beginnen. Ze moesten ons bijna tegenhouden toen we in onze cohorten het defilé liepen en de poorten werden geopend – het was heel anders dan bij de Slag van de Lange Bruggen, dat is een ding dat zeker is. Maar goed, we namen onze posities in tegenover de menigte grommende barbaren en Germanicus trakteerde ons op een van zijn bezielende toespraken waarin hij zei dat teruggaan naar de Rhenus verder was dan doorgaan naar de Albis, maar dat er geen gevechten meer zouden zijn als we die dag wonnen en de autoriteit van Rome in deze provincie opnieuw lieten gelden. Het hoeft geen betoog dat wij daar wel voor in waren en we juichten tot we schor waren. Toen we eindelijk ophielden, hoorden we onze vijand juichen en we vroegen ons af wat Arminius had gezegd om ze zoveel zelfvertrouwen te geven in het vooruitzicht van vele rijen opgefokte, zwaarbewapende infanteristen. Niet dat we het echt moesten weten, het was vooral nieuwsgierigheid, die verdween toen de blazers hun ding deden en de reetverruimer, die twee plaatsen naast mij stond, aan de andere kant van Cassandros, zo opgewonden raakte dat hij kwijlde en met zijn ogen draaide toen hij ons op zijn vriendelijkste toon vroeg of we wilden oprukken naar de menigte krijgers die niets anders dan onze ondergang in gedachten hadden. Ik denk dat hij schrok toen hij doorkreeg dat we op dat moment niets liever wilden en zijn riet in de nabije toekomst niet schoongeveegd hoefde te worden.

We rukten op met de Gallische en Germaanse hulpcohorten in de eerste linie, ondersteund door de boogschutters, en wij, het Vijfde, samen met drie andere legioenen als onderdeel van de tweede linie, en de andere vier legioenen in de derde linie. De hele formatie werd bijgestaan door rondlopende cavaleristen – hoofdzakelijk Bataven, Galliërs en Spanjaarden en een paar Illyriërs – aan onze rechterflank om te voorkomen dat al die klootzakken in de heuvels omlaag zouden denderen en ons ernstige schade zouden toebrengen. Als we al dachten dat we niet enthousiaster aan een dag van moorden konden beginnen, deed de aanblik van acht Adelaars, hetzelfde aantal als onze legioenen, die over onze hoofden naar de zweterige massa vlogen, ons overkoken van enthousiasme. Sommige jongens beweerden naderhand zelfs dat ze tranen van geluk over het gezicht van de reetverruimer hadden zien stromen toen hij ons toeschreeuwde dat we moesten ophouden ons te gedragen als een stel Mesopotamische kontjongetjes, onze duimen uit onze reten moesten halen en moesten doen als Romeinse legioensoldaten die op het punt stonden iedereen die kwaadsprak over Rome en haar geliefde keizer gerechtvaardigd af te slachten.

Toen de hulptroepen in contact kwamen met de voorhoede van de Germaanse horde, klonk er een luid geschreeuw van rechts en begonnen de heuvels eruit te zien alsof ze krioelden van duizenden reusachtige mieren, zoveel krijgers renden er omlaag om ons in de flank te treffen. Dat bracht de reetverruimer nog meer vreugde, want wij, het Vijfde, bevonden ons in de rechterflank van de tweede linie en ons cohort, het negende, bevond zich aan de rechterflank van het legioen. Maar wat Balbillus pas echt blij maakte, was dat onze centurie, zijn centurie, de buitenste flank van het cohort vormde en de van haat vervulde aanval dus recht op ons afkwam. De blazers deden hun ding en de standaarden gingen alle kanten op toen onze legaat ons het bevel gaf om te draaien en de aanval te beantwoorden. De reetverruimer en Servius scholden ons de huid vol en wij draaiden, zonder te pauzeren of zelfs maar te vertragen, toen de aanval nog maar een paar honderd passen van ons verwijderd was. Maar er klonken geen bevelen om te blijven staan en de vijand op te vangen; het leek erop dat we gewoon verder moesten wandelen alsof we een aangename middag in de tuinen van Lucullus doorbrachten, en wie waren wij om daar vraagtekens bij te plaatsen? Dus wij liepen gewoon verder terwijl de cavalerie erg opgewonden begon te raken en in een grote cirkel weg galoppeerde alsof ze de klootzakken die op ons afkwamen van achteren wilden aanvallen. Het moge duidelijk zijn dat we dankbaar waren voor alle hulp die we konden krijgen. Het was dus in de volle overtuiging dat we tegenover een vijand stonden die snel zou worden omsingeld dat de reetverruimer, met een overslaande stem van alle emoties, voorstelde dat we onze pila wierpen, wat we vol overgave deden en even later herhaalden met een tweede salvo. Toen trokken we ons zwaard ter voorbereiding op de op één na favoriete bezigheid van de reetverruimer, waarbij wij ervoor moesten zorgen dat er zo veel mogelijk bloed en stront op zijn sandalen terechtkwam.

Daar kwamen ze, schreeuwend en joelend en al onder het bloed van de slachtoffers die onze pila geheel gerechtvaardigd hadden gemaakt. Zwaaiend met zwaarden en speren, met wapperende haren, bedekt met hun vreemde tatoeages en aangevoerd door een grote rotzak in een van de hulptroepen gepikte maliënkolder gingen ze het gevecht met ons aan. Met een onverholen blijdschap schreeuwde de reetverruimer dat de grote rotzak voor hem was, en op dat moment ramden ze met een snelheid die ons deed wankelen tegen onze muur van schilden aan en waren we dankbaar voor elk van de zeven rijen achter ons die tegen onze ruggen duwden. Mijn linkerarm aanspannend om mijn schild recht te houden en met Sextus rechts van me grommend als een hondsdolle hond sloeg ik de punt van mijn gladius naar voren en voelde ik hoe hij in maliën bleef steken. Ik dook onder de rand van mijn schild toen ik een klap van boven voelde aankomen; vonken spatten in mijn ogen toen ijzer over ijzer schraapte en mijn oren registreerden een donderend kabaal. Ik stak nog eens en dit keer brak ik een ringetje en doorboorde ik vlees, niet diep, maar genoeg om mijn tegenstander een stap terug te laten doen. Sextus brulde als een bronstige beer terwijl hij op het schild van een jonge krijger stond te beuken, en Cassandros schold in het Grieks tegen zijn tegenstander die terug krijste in hun obscene taal.

Toen steeg boven al dat kabaal een geraas van haat en wapengekletter uit dat zo intens was dat mannen aan beide kanten zich omdraaiden om te zien waar het vandaan kwam. Het was een gruwelijke aanblik: de reetverruimer en de grote rotzak waren de strijd met elkaar aangegaan en dat ging met zoveel geweld gepaard dat ze een eigen kleine arena van een paar passen breed hadden gecreëerd en boven iedereen uit leken te torenen. Met een wreedheid die voortkwam uit een voorliefde voor geweld gingen ze elkaar te lijf door hun lichamen naar voren te slingeren en op elkaar in te hakken en te slaan. Ze draaiden om elkaar heen in hun eigen dodendans en niemand durfde zich erin te mengen. Ik herinner me zelfs dat alle gevechten om hen heen heel even stopten terwijl we ons verwonderden over de gewelddadigheid. Maar al snel herinnerden we ons weer waar we mee bezig waren en flitste het ijzer weer door de lucht. Ik was als een van de eersten weer bij de les en met een achterwaartse zwaai sneed ik de keel van de man tegenover me open. De grote rotzak keek vluchtig naar links toen mijn slachtoffer op zijn knieën zakte en schreeuwde om wat hij zag, wat de reetverruimer net de tijd gaf om naar zijn bovenbeen uit te halen, maar zijn timing was verkeerd en zijn zwaard bleef hangen in de rand van de maliënkolder. De grote rotzak werd overspoeld door haat en met een oorverdovende brul en een razendsnelle beweging zwaaide hij zijn zwaardarm rond en omlaag, en de pluim op de helm van de reetverruimer spleet doormidden, net als zijn helm en schedel, waar het lemmet tussen de boventanden bleef steken. Ik zweer dat de laatste blik in de ogen van de reetverruimer er een was van verrukking toen hij naar de man opkeek die het licht had uitgedoofd.

Je kunt over de reetverruimer zeggen wat je wilt, zoals wij vaak deden, maar hij was wel onze centurio en dat hij door zo'n bebaarde klootzak werd afgemaakt, maakte de jongens echt woest, mezelf meegerekend. Ik wierp mezelf op de dichtstbijzijnde vijand, een grauwe grijsbaard, en ramde mijn zwaardvuist in zijn gezicht, waardoor zijn tanden braken, en toen ramde ik mijn schild onder zijn kaak omhoog en verbrijzelde ik zijn luchtpijp. Cassandros, naast me, rekende met een van de andere lijfwachten van die grote rotzak af door uit te halen naar zijn bovenbeen. Ik maakte het af met mijn lemmet in zijn oog, en toen vloog ik met mijn schild vooruit op die enorme woesteling af. Ik knalde tegen zijn borst aan toen hij zijn zwaard uit het misvormde hoofd van de reetverruimer probeerde te wrikken en sloeg alle lucht uit zijn lijf. Daar liet ik een rechte steek naar de keel op volgen, maar hij dook weg zodat de punt door zijn maliënkolder in zijn schouder ging en bleef hangen op het bot. Hij wankelde naar achteren, het zwaard bijna uit mijn handen trekkend, met draaiende ogen en een hevig bloedende wond. Ik probeerde hem nog eens te raken, maar Sextus had hetzelfde idee en we botsten tegen elkaar terwijl handen de grote rotzak vastgrepen en wegtrokken en andere krijgers zijn plaats innamen. Maar we waren op dreef en gingen hen te lijf met niets anders dan wraak in ons hart, voor de reetverruimer en alle vernederingen die we over ons heen hadden gekregen toen we de Rhenus overstaken naar dit land van vreemde goden en donkere bossen.

Ik weet niet hoe lang het daarna nog doorging, het leek niet lang. En ik heb ook geen idee wat er gebeurde, want we konden erg weinig zien in ons afgesloten hoekje van het slagveld. Ik wist alleen dat het gemak waarmee we ze terugdreven nadat de grote rotzak gewond was geraakt verrassend was. Maar we dreven ze terug, terug naar onze cavalerie die hen van achteren aanviel, en voor we het wisten renden ze weg en gingen wij achter hen aan, de een na de ander uitschakelend en genietend van het meest fantastische gevoel dat een soldaat kan hebben.'

'Ik denk dat ik antwoord kan geven op je vraag hoe lang het gevecht doorging voor de aftocht,' zei Thumelicatz terwijl hij de straatvechter geïnteresseerd aankeek. Hij nam de perkamentrol van Tiburtius over, zocht even en begon toen te lezen:

Mijn protesten bereikten dovemansoren; niemand liet me teruggaan om hem te wreken. Aldhard, bij wie de tranen over het gezicht stroomden, hield me stevig vast, net als de anderen, die ik in een waas zag. Ik gaf me aan hen over en zag hoe de aanval eerst haperde en toen, met de onvermijdelijkheid van het weifelen van ongedisciplineerde troepen, brak. Maar het neerslaan van onze aanval op de flank had niet het einde hoeven betekenen als het middendeel had geprobeerd overeind te blijven – maar dat deed het niet. Binnen een paar honderd hartslagen was het voorbij; waarom is me nooit helemaal duidelijk geworden, omdat iedereen die eraan had deelgenomen zich te veel schaamde om er maar aan te denken, laat staan te praten over de oorzaken. Het gros van het Germaanse leger brak, zonder strijd te leveren, in twee delen; het ene vluchtte noordwaarts het bos in en het andere rende naar de heuvels. Maar als je vlucht, valt je rugdekking weg, en duizenden mannen vielen met eerloze verwondingen en plaveiden de weg van hun beschamende aftocht met de dood.

Ik rouwde om mijn mannen en ik rouwde om mijn vader toen ik voelde dat Aldhard me naar achteren trok, nog steeds huilend om zijn verlies. Ik wist dat ik met hem mee moest gaan en mijn verdriet opzij moest zetten om mijn leger in het noorden te hergroeperen bij de laatste verdedigingslinie die ik kon bedenken. Ik keek achterom naar de plek waar mijn vader en Vulferam waren gevallen, waar het nu wemelde van de tegenstanders, en kromp toen ineen van de pijn in mijn schouder. Ik vervloekte de lelijke, kleine legionair die zijn door mij gedode centurio zo grondig had gewroken.

Thumelicatz keek de straatvechter weer aan. 'Het waren dus maar een paar honderd hartslagen; dat is het antwoord op je vraag hoe lang het doorging nadat jij de grote rotzak, zoals jij hem noemt, had verwond. Maar dat is volkomen oninteressant vergeleken bij de levensdraden die de Nornen hebben geweven. Dat jij deel moet uitmaken van deze groep die mijn hulp nodig heeft – uitgerekend jij – geeft aan dat het juist was om jullie te ontvangen en dat de goden een groter plan hebben waar ik geen weet van heb. Het sterkt me in mijn besluit om jullie te helpen. Waarom zouden de goden anders de lelijke, kleine legionair sturen die zijn centurio wreekte door mijn grootvader Siegimeri en mijn bloedverwant Vulferam te doden, en mijn vader, Erminatz, te verwonden?'

HOOFDSTUK XVII

'Heb ik Arminius gespietst?' De straatvechter kon zijn trots niet verbergen. 'Wie had dat gedacht?' Hij keek de jongste broer aan. 'Wat denkt u daarvan, meneer?'

'Na alles wat we hebben gehoord, verbaast het toeval me eigenlijk niet meer zo. Eerst escorteert mijn vader de jonge Arminius naar Rome en dan geeft hij ons het zwaard om het terug te brengen naar de zoon die hij nooit heeft gezien. Het lijkt erop dat we allemaal in zijn verhaal verweven zijn.'

Thumelicatz knikte langzaam. 'Ja, zo werken de goden. Maar daarbij was de wond meer dan een kwelling voor Erminatz: hij kon niet meer op zijn best functioneren toen zijn leger in noordelijke richting werd opgejaagd naar een richel die de Angrivariërs hadden opgetrokken langs de zuidgrens van hun grondgebied op de oostelijke oever van de Visurgis. Hij had daar stelling willen nemen; als zijn plan was geslaagd en hij Germanicus had kunnen verslaan, was alles misschien anders verlopen. Maar het mocht niet zo zijn en die wond was de belangrijkste reden waarom het mislukte: hij zorgde ervoor dat mijn vader de verdedigingslinie niet met zijn gebruikelijke energie kon samenstellen. En zo viel de laatste factor voor het wonder op zijn plaats: Germanicus' tweede overwinning in evenzoveel dagen was meer dan de jaloerse Tiberius aankon. Uit angst voor Germanicus' rijzende ster en de macht die zijn vrouw Agrippina over de troepen aan de Rhenus had, riep hij hem terug, zogenaamd om zijn triomf te vieren. Germanicus smeekte om nog een jaar campagne te mogen voeren, maar dat werd afgewezen. Als hij wel toestemming had gekregen, zou dat ene jaar genoeg zijn geweest om het werk af te maken en Germania Magna weer in het keizerrijk op te nemen.

Rome trok zich terug en wij vervielen in onze oude gewoonte van oorlog voeren tegen elkaar. Mijn vader streed tegen Maroboduus van de Marcomannen, maar kwam niet door de natuurlijke verdediging van Bojohaemum heen en de strijd eindigde als een onbeduidend voorval dat geen enkele invloed op de loop van de geschiedenis had; net als alle andere oorlogen die de stammen onderling uitvochten.

En zo was ons land veilig en hadden we weer de vrijheid om te doen waar we zin in hadden. Mijn vader realiseerde zich dat hij de stammen nooit zou kunnen verenigen en een gevaar voor Rome zou kunnen vormen. Hij nam Siegimeri's plaats in als koning van de Cherusken en besteedde veel tijd aan het dicteren van zijn verhaal aan zijn twee slaven. Wat we nu hebben gehoord is amper een derde van het totaal, maar het is genoeg geweest. Aangezien ik het manuscript nu in mijn handen heb, zal ik de laatste regels voorlezen die hij heeft gedicteerd. "Als ik nadenk over Chlodochars boodschap en Segestes' verzekering van mijn vrije doorgang, in zijn dochters belang, weet ik dat ze vals zijn. Maar hoe kan ik niet gaan als er een kleine kans bestaat dat ik het mis heb en mijn broer me echt mijn vrouw en zoon wil teruggeven? Maar als ze me echt bedriegen en van plan zijn me te doden, dan zal ik hen, met mijn al jaren dode vriend Lucius in gedachten, trakteren op het grootste gebaar."' Thumelicatz keek naar Thusnelda. 'Waar was jij, moeder? Heeft Flavus jou teruggebracht naar dit land? Hij heeft mij in elk geval niet teruggebracht.'

Thusnelda spuugde. 'Hij was een bedrieger en dat hebben we hem betaald gezet. Nee, het was vooral een manier om Erminatz in de val te lokken. Vanwege zijn liefde voor mij moest hij wel gaan.'

'Vertel onze gasten eens wat er gebeurde,' beval Thumelicatz de twee slaven.

Aius sprak als eerste. 'Het was zo overduidelijk een val dat er een gerede kans leek te bestaan dat het zuiver was. Wie geloofde er nou dat je de grote Erminatz zo eenvoudig in de val kon lokken? En dus ging hij en nam hij ons mee om op te treden als getuigen als hij inderdaad werd verraden. We reisden af naar de afgesproken ontmoetingsplek op de oever van een kleine zijrivier van de Rhenus en daar gaf hij ons opdracht ons te verstoppen en te kijken wat er zou gebeuren. Zo zagen wij, bibberend in de dageraad, want het was de tijd van de IJsgoden, van een afstand hoe twee mannen op onze meester afliepen.'

Tiburtius onderbrak hem. 'Het waren niet alleen twee mannen; achter hen stonden een stuk of tien krijgers en hoewel ze er Germaans uitzagen, was het duidelijk dat ze in het keizerrijk waren uitgerust. Ze bleven echter op een afstand toen Erminatz de twee mannen naderde. "Chlodochar, Segestes," riep mijn meester toen ze dichter bij elkaar kwamen, "waar zijn mijn vrouw en zoon?" Ze gaven geen antwoord.'

Aius nam het verhaal weer van Tiburtius over, die duidelijk van streek was door het oprakelen van de herinnering. 'Nu wist onze meester dat waar hij tegen beter weten in op had gehoopt niet zou gebeuren, en op dat moment verloor hij de wil om te leven. Hij stapte naar voren, spreidde zijn armen, met een zwaard in een hand, en toonde zijn borst aan zijn broer en bloedverwant. "Ik vlucht niet voor verraders," schreeuwde hij, "en ik verlaag mezelf ook niet door met hen te vechten. De lafaard velt de man die weigert zichzelf te verdedigen en de vervloekten vermoorden hun eigen bloedverwanten. Ik roep Donars vloek over jullie af, Flavus en Segestes, en ik bezegel die vloek met mijn eigen bloed." En met een schreeuw naar de goden om hem in dit leven of het volgende te wreken, liet hij zich door hen vellen met een wapen in zijn hand, zodat hij het Walhalla zou bereiken.'

'Het allergrootste gebaar, dat zullen jullie met me eens zijn,' zei Thumelicatz. 'Als het leven geen waarde meer voor je heeft, offer je het op om je vijanden te vervloeken. Zijn moeder begreep dat ook. Vertel ons hoe het afliep, slaven.'

Aius begon. 'Toen ze weg waren, kropen wij uit onze schuilplaats en brachten we het lichaam van onze meester terug naar zijn moeder. We vertelden haar dat haar jongste zoon verantwoordelijk was voor de dood van haar oudste zoon.'

Tiburtius besloot het verhaal. 'Ze zag toe op Erminatz' begrafenisriten, legde met veel magie een vloek op haar jongste zoon en al zijn nakomelingen en bezegelde het met haar eigen bloed door zich op de brandstapel te werpen.'

Niemand zei iets toen de twee oude mannen klaar waren en het perkament begonnen op te rollen en terug te stoppen in de houders, hun ogen voortdurend gericht op het werk voor hen.

Thumelicatz staarde bedachtzaam in zijn beker bier. 'Mijn vader was een groot man en het is zonde dat ik hem nooit heb ontmoet.' Zijn blik schoot omhoog en boorde zich een voor een in de Romeinen. 'Maar ik heb jullie hier niet samen met mij naar dit verhaal laten luisteren zodat ik me kan wentelen in zelfmedelijden. Ik wilde dat jullie het hoorden zodat jullie begrijpen met welke motieven ik mijn volgende stap neem. Ik ben van plan tegen alles in te gaan waarvoor mijn vader stond.'

De oudste broer keek hem met een emotionele blik aan. 'Ga je ons vertellen waar de Adelaar verborgen is?'

Thumelicatz voelde de vertwijfelde hoop achter die vraag. 'Ik kan jullie vertellen welke stam hem heeft, dat is simpel. De Chauken aan de kust ten noorden van hier hebben hem, maar hoe en waar ze hem hebben verborgen is iets dat alleen zij weten. Maar ik zal meer doen dan dat: ik zal jullie helpen hem te vinden.'

'Waarom zou je dat doen?'

'Mijn vader heeft geprobeerd zichzelf koning van Groot-Germanië te maken, om alle stammen te verenigen onder één leider. Stel je eens voor hoeveel macht hij zou hebben gehad als hij daarin was geslaagd. Hij was misschien sterk genoeg geweest om Gallië te veroveren; maar was hij sterk genoeg geweest om het te behouden? Ik denk het niet; nog niet, met het machtige Rome. Maar dat was zijn droom, niet de mijne. Ik kijk ver in de toekomst naar een tijd waarin Rome aan de onvermijdelijke ondergang begint, zoals met alle imperiums in het verleden is gebeurd. Voor nu zie ik het idee van een Groot-Germanië als een gevaar voor alle stammen die er deel van zouden uitmaken. Het zou een oorzaak kunnen zijn van een honderdjarige oorlog met Rome; een oorlog waarvoor we de komende generaties niet genoeg mankracht hebben om hem te kunnen winnen.

Ik heb dus niet de ambitie om de leider te zijn van een verenigd Germaans volk, maar veel van mijn landgenoten verdenken me ervan dat ik die wel heb. Sommigen stimuleren me met bemoedigende boodschappen, maar anderen zijn jaloers op me en zien mijn dood als een manier om hun eigen ambities door te zetten. Maar ik wil gewoon met rust worden gelaten en mijn leven leiden op de manier die me mijn hele jeugd is ontzegd, ik wil leven als een Cherusk in een vrij Germania. Ik wil niets van Rome, noch wraak, noch gerechtigheid. We hebben onszelf eenmaal van haar bevrijd; het zou stom zijn om onszelf in de positie te brengen waarin we opnieuw voor onze vrijheid moeten vechten.

Rome zal echter haar Adelaar terug willen hebben en zolang die zich in ons land bevindt, zullen ze steeds terugkomen om ernaar te zoeken. De Chauken zullen hem niet zomaar afgeven, en waarom zouden ze? Maar daarmee brengen ze ons allemaal in gevaar. Ik wil dat jullie hem heroveren, Romeinen. Neem hem mee en gebruik hem voor jullie invasie en laat ons met rust. Ik zal jullie helpen hem te stelen en de stammen zullen horen dat ik Rome heb geholpen en dan zullen ze niet langer willen – of vrezen – dat ik de belichaming van mijn vader word.'

'Zullen de Chauken dat niet als een oorlogsverklaring zien?' vroeg de jongste broer.

'Alleen als er geen andere omstandigheden meespeelden. Kijk, in mijn positie hoor ik nog wel eens iets: ik weet dat Rome belasting int bij veel van de stammen in Germania en ik weet ook dat Publius Gabinius, de gouverneur van Germania Inferior, onlangs schepen van de kuststammen heeft geëist, in plaats van goud. De buren van de Chauken, de Frisii, zijn erg op hun schepen gesteld en ik heb gehoord dat ze, om te voorkomen dat ze er te veel van moeten afstaan, het geheim van de verblijfplaats van de laatste Adelaar hebben verkocht aan...'

'Publius Gabinius!'

'Precies. De Chauken zullen hun Adelaar hoe dan ook snel kwijtraken, maar als wij hem kunnen bemachtigen voordat Publius Gabinius met een Romeins leger komt aanzetten, worden er vele Chaukische levens gespaard.'

'Hoe ver is het?'

'Dertig mijl ten oosten van hier ligt de rivier de Visurgis. Die brengt ons helemaal naar het land van de Chauken aan de noordkust. Als we per boot gaan, kunnen we er overmorgen zijn.'

Thumelicatz hield zijn moeders handen vast en keek haar in de ogen. Hij had Varus' uniform uitgetrokken en droeg een simpele tuniek en broek. De vlam van de enige talgkaars die nog in de tent brandde flakkerde in Thusnelda's pupillen. De tranen stroomden over haar wangen. Van buiten kwam het gedempte geluid van mannen die hun kamp opbraken terwijl de zon aan de oostelijke horizon opkwam.

'Deze ochtend is kouder dan gisteren,' fluisterde Thusnelda. 'De IJsgoden zullen hier morgen zijn, dat is altijd een slecht voorteken geweest voor onze familie. Kun je niet drie dagen wachten tot ze weer onder de grond zijn verdwenen?'

Thumelicatz legde zijn hand achter in haar nek en trok haar tegen zich aan. Hij kuste haar voorhoofd. 'Nee, moeder. Dit moet nu gebeuren zodat we levens kunnen redden. Ik heb bovendien al met Romeinen gepraat en het uniform van een van hun gouverneurs gedragen. Donar heeft me nog niet met een bliksemschicht getroffen, en als hij me aan mijn eed houdt zal hij me treffen, of de IJsgoden nu over de aarde trekken of niet.'

'Hun kilte zal zijn toorn erger maken.'

'Nee, moeder, het zal geen verschil maken. Wat geeft de Donderaar nou om de IJsgoden?'

Aldhard kwam de tent in. 'De Romeinen zijn bijna zover, mijn heer. We moeten snel vertrekken als we halverwege de ochtend bij de rivier willen zijn.'

'Ik kom er zo aan.'

Aldhard boog zijn hoofd en vertrok.

Thumelicatz keek weer naar zijn moeder. 'Herinner je je de verhalen nog die je me altijd vertelde toen ik jong was?'

'Stuk voor stuk.'

'Als ik niet terugkom, moet je er een verzinnen over mij. Vertel hoe ik de toorn van de Donderaar heb getrotseerd om ons land te behouden, het land van Alle Mannen, vrij tot we sterk genoeg zijn om Rome uit te dagen en haar te verslaan.' Hij kuste haar opnieuw en de tranen bleven over haar door ouderdom getekende gezicht stromen. Hij draaide zich om en liep bij haar weg.

Halverwege de ochtend bereikte de colonne de vervallen resten van een kleine Romeinse militaire rivierhaven die niet meer was gebruikt sinds de legioenen zich vijfentwintig jaar eerder over de Rhenus hadden teruggetrokken. Hoewel de daken van de lage barakken en pakhuizen nog redelijk intact waren, waren de bakstenen muren aangetast door compacte, donkergroene klimop en andere klimplanten. Boerenzwaluwen vlogen af en aan door open ramen, waarvan de luiken lang geleden waren weggerot, en bouwden hun nesten onder de dakranden van de verlaten gebouwen. Een roedel wilde honden, die de enige andere bewoners leken te zijn, volgde de colonne door een met gras overwoekerde klinkerstraat naar de rivier.

'Mijn volk heeft deze haven niet in brand gestoken omdat mijn vader dacht dat hij van strategisch belang kon zijn,' legde Thumelicatz uit. 'Hij heeft er een voorraaddepot van gemaakt van waaruit hij zijn troepen snel over de rivier kon bevoorraden, maar na zijn moord werd het verlaten.'

'Waarom?' vroeg de jongste broer. 'Je zou er nog heel goed gebruik van kunnen maken.'

'Dat zou je wel denken, ja. Maar het probleem is: wie moet het bevoorraden en wie moet het bewaken?' stelde de straatvechter. 'Ik kan me zo voorstellen dat er veel gegadigden zullen zijn voor het laatste, maar erg weinig vrijwilligers voor het eerste.'

Thumelicatz lachte. 'Ik ben bang dat je mijn landgenoten maar al te goed begrijpt. Geen enkele clanbaas laat zijn graan en gezouten vlees bewaken door mannen van een andere clan, ook al zijn het allemaal Cherusken. Mijn vader had de macht om hen ertoe over te halen, maar sinds zijn dood zijn ze vervallen in hun oude gewoontes van onderling ruziemaken en verenigen ze zich alleen bij een dreiging van buitenaf door een andere stam.'

'Je kunt hier zien hoe ver we al waren met het onderwerpen van de hele provincie,' zei de aristocraat toen ze langs de resten van een bakstenen tempel kwamen. 'Dat ze dit allemaal zo diep in Germania hebben gebouwd, geeft aan dat ze vol vertrouwen waren dat ze hier zouden blijven.'

'Dat vertrouwen, of liever een teveel aan vertrouwen, was Varus' probleem.'

De straatvechter gromde. 'Eerder arrogantie. Hij was gewoon een opgeblazen eikel.'

Eventuele andere meningen van de Romeinen werden niet meer uitgesproken, want toen ze tussen een aantal pakhuizen door waren gelopen, kwamen ze op de kade. Voor hen lagen vier ranke boten vastgebonden aan een houten steiger. Lange boten met een flink ruim en hoge voor- en achterstevens, een enkele mast in het midden en aan elke kant banken voor vijftien roeiers.

'Wij wonen in langhuizen en varen in lange boten,' grapte Thumelicatz. 'Dat vinden wij Germanen erg komisch.'

Geen van de Romeinen leek het amusant te vinden. Op hun gezichten was hetzelfde af te lezen: verwarring.

'Wat is het probleem?'

De aristocraat draaide zich naar hem om. 'Paarden, Thumelicus, dat is het probleem. Hoe moeten we onze paarden meenemen?'

'Die neem je niet mee. De paarden zijn de prijs voor de boten.'

'Hoe komen we dan weer aan de andere kant van de Rhenus?'

'Jullie gaan naar huis door naar zee te zeilen en dan de kust in westelijke richting te volgen. Jullie Bataven kunnen met deze soort boten omgaan, dat zijn goede zeelieden.'

'Maar een goede zeeman beschermt ons niet tegen stormen,' mompelde de straatvechter. 'De laatste keer dat Germanicus terug naar Gallië zeilde, verloor hij de helft van zijn vloot op de Noordzee. Een paar van die arme drommels zijn zelfs in Britannia aan land gekomen.'

'Dan ben je daar alvast voor als de invasie eindelijk begint.'

De oudste broer keek Thumelicatz nors aan. 'Is dat ook een Germaanse grap? Want ik vind het niet bepaald grappig.'

'Nee, het is gewoon een vaststelling. Maar dat is de deal: je verruilt de paarden voor de boten en dan ben je morgen in het land van de Chauken.'

De Romeinen stuurden hun paarden dichter naar elkaar toe en spraken op gedempte toon met elkaar.

'Zo zijn die Romeinen,' merkte Thumelicatz op tegen Aldhard. 'Ze willen alles hebben, maar weigeren er iets voor terug te geven.'

'En als ze er niet mee instemmen?'

'Dat doen ze wel; ze hebben geen keus. De beloning is uiteindelijk te groot om zich erg druk te maken over een paar paarden; ze zijn gewoon niet goed in dingen loslaten. Laat de paarden in een van de pakhuizen zetten en laat iemand achter om ze te verzorgen tot we terugkomen.'

De jongste broer keek naar Thumelicatz. 'We doen het.'

'Maar mijn paarden dan?' vroeg de aristocraat met opeengeklemde kaken. 'Het kost maanden om ze te trainen en...'

'En je doet gewoon wat je gezegd wordt, prefect,' beet de jongste broer hem toe voordat hij zich weer tot Thumelicatz richtte. 'Maar we nemen de zadels en hoofdstellen mee.'

'Afgesproken.' Thumelicatz glimlachte in zichzelf en toen de Romeinen afstegen, fluisterde hij vanuit zijn mondhoek: 'Wat heb ik gezegd?'

'Hij wil zijn paard echt niet opgeven,' zei Aldhard toen hij zag dat de straatvechter stoïcijns in zijn zadel bleef zitten.

Thumelicatz richtte zich met een ernstige gezichtsuitdrukking tot Aldhard. 'Die man die eruit ziet als een straatvechter...'

Aldhard onderbrak hem door zijn hand op te steken. 'Ik weet het. Hij heeft mijn vader en jouw grootvader vermoord en Erminatz verwond. Ik heb het gehoord. Ik heb het hele verhaal gehoord en vreemd genoeg vond ik het geen verrassing. Ik wist dat het meer dan alleen toeval was. Jouw vaders leven was zo geweven dat het nog steeds invloed heeft in deze Midden-Aarde, ook al viert hij feest in het Walhalla.'

Thumelicatz liet zich van zijn paard af glijden en stapte in een van de boten. 'Het verhaal van Erminatz' wapenfeiten en hun gevolgen voor het Romeinse Rijk en Germania zal eeuwenlang worden verteld, daar twijfel ik niet aan.'

De volgende ochtend, op de tweede dag van hun reis naar het noorden, hing er een dunne, ijskoude mist op beide oevers; de IJsgoden waren die nacht voorbijgekomen. Het vlakke land aan beide kanten van de rivier was bedekt met hun rijp. Hun ijskoude adem, die in zijn vlees beet, maakte Thumelicatz op onaangename wijze bewust van hun nabijheid en de slechte voortekenen die ze altijd voor zijn familie hadden meegebracht. Hij huiverde en raakte de hameramulet aan die aan een leren koord om zijn nek hing en bad tot Donar om vergiffenis, al wist hij dat hij, of hij die kreeg of niet, deze weg moest afleggen voor zijn vader.

Het zweet van de Bataafse hulptroepen die ijverig aan de riemen trokken begon door te trekken in de koude lucht, die al zwaar was van hun melancholische, op lage toon gezongen lied dat zich vermengde met dat van de roeiers in de volgende boten.

'Wat vind je ervan, Aldhard, nu je er even over hebt kunnen nadenken, dat hij de lelijke kleine legionair was die je vader heeft gedood?' vroeg Thumelicatz met een blik op de straatvechter, die met zijn metgezellen in de boeg van het schip achter hen stond.

Aldhard haalde zijn schouders op. 'Het was in de strijd, en zoals hij het vertelt, heeft hij het op eerzame wijze gedaan. Ik kan hem onmogelijk verantwoordelijk houden voor iets dat in een eerlijk gevecht is gebeurd. Net zomin als dat jij hem verantwoordelijk kunt houden voor de dood van je grootvader.'

'Dat klopt. We zouden hem misschien juist dankbaar moeten zijn dat hij mijn vader heeft verwond, waardoor hij niet op zijn best was in de slag bij de Angrivarische richel. Germanicus eiste de simpele overwinning op die kan worden gezien als de laatste druppel waardoor Tiberius hem terugriep. Misschien kijken we nu wel naar de onbekende verlosser van Germania.'

Aldhard grijnsde. 'Of we kijken gewoon naar een lelijke kleine legionair.'

Thumelicatz lachte met zijn neef mee. 'Dat ook, maar het is wel mal dat de Nornen hem in mijn leven hebben verweven. Dat kan alleen maar betekenen dat ik deze weg moest inslaan.' Een kreet van de uitkijkpost in de boeg van het schip toen ze een bocht om gingen trok zijn aandacht. Een mijl verderop lagen aan de oostelijke oever talloze schepen die troepen aan wal lieten gaan. Thumelicatz' blik verhardde. 'Het lijkt erop dat Publius Gabinius de Adelaar komt halen. We mogen wel opschieten als wij hem te pakken willen krijgen.' Hij wendde zich tot de roerganger. 'We gaan hier aan land; zet ons af bij de oever.'

'Dat is de belangrijkste stad van de Chauken,' fluisterde Thumelicatz terwijl hij wees naar een grote nederzetting die een mijl verderop langs een lage bergkam was gebouwd. Het enige hooggelegen land in het verder vlakke, troosteloze landschap was nog gehuld in een lichte mist. Ten noordwesten daarvan stelden zes cohorten van de hulpinfanterie zich in een rij op op het bevroren boerenland. Ze schermden een legioen af dat zich opstelde in slagorde. Voor de Romeinse strijdmacht bevond zich een wanordelijke formatie van Chauken die steeds werd aangevuld met mannen die uit de omgeving kwamen aansnellen als reactie op het dreunende, waarschuwende geluid van hoorns. 'Hun heilige bossen liggen in het woud aan de oostkant, daar zullen ze de Adelaar hebben verstopt.'

'Dit kan voor ons een welkome afleiding zijn,' stelde de jongste broer terwijl er stoomwolkjes uit zijn mond kwamen.

De straatvechter grijnsde. 'Eindelijk een beetje geluk; het ziet ernaar uit dat zij elkaar wel even bezig zullen houden.'

De oudste broer keek al net zo tevreden. 'We moesten maar eens gaan, voor onze ballen eraf vriezen. Als we een omtrekkende beweging naar het zuiden maken, verdwijnen we in de mist en kunnen we het bos ongezien bereiken.'

Thumelicatz was er niet zo zeker van. 'Het is geen ideale situatie. De Chauken zullen weten waarvoor ze komen en zullen de Adelaar verplaatsen of een flinke troep mannen sturen om hem te verdedigen.'

De jongste broer blies in zijn koude handen. 'Dan moeten we dit zo snel mogelijk doen. Het is een mijl terug naar de boten en anderhalve mijl naar dat bos. Met een beetje geluk zitten we binnen een uur weer op de rivier.' Terwijl hij dat zei kwam er een groep krijgers te paard uit de groep Chauken naar voren die langzaam op de Romeinse linie af stapten. Een van hen hield een tak met bladeren omhoog.

Thumelicatz glimlachte. 'Ze gaan onderhandelen, dat geeft ons misschien meer tijd. Laten we gaan.'

De Romeinen trokken zich terug in het kreupelbosje waar hun Bataafse hulptroepen stonden te wachten en Aldhard hurkte naast Thumelicatz. 'Wil je dit nog doorzetten, heer? Het maakt nu geen verschil welke Romeinen de Adelaar als eerste te pakken krijgen, die van ons of het legioen. Er zal hoe dan ook bloed vloeien. Dat kun je nu niet meer voorkomen; we kunnen gewoon weggaan.'

'Dat kan. Maar zouden we dan zeker weten dat ze hem vinden? De Chauken houden hem goed verborgen. Ik moet zeker weten dat hij wordt gevonden, dus ik moet doorzetten. Ik heb gezien welke weg er voor mij is geweven, Aldhard, en net als mijn vader moet ik de moed hebben om hem te volgen.'

Thumelicatz en Aldhard leidden de Romeinen en hun hulptroepen in snelle looppas over het vlakke terrein. Ten noorden van hen werden de twee legers deels verborgen door de mist, maar die trok op naarmate de zon hoger kwam te staan. Af en toe verplaatsten de flarden zich en werden er gestaltes zichtbaar, maar ze stonden nog steeds stil.

Toen ze bijna een mijl hadden afgelegd klonk er een harde kreet.

'De Nornen zullen de levensdraden van een groot aantal mannen gaan doorsnijden,' zei Aldhard toen de Chauken met hun zwaarden op hun schilden begonnen te slaan en tegen de indringers begonnen te schreeuwen.

Thumelicatz verhoogde zijn snelheid. 'De Chauken zijn dapper, maar kunnen het nooit heel lang volhouden tegen een legioen.'

Ze begonnen te rennen, plonsden door een ijskoud stroompje, bruin van het afval van de nederzetting, en spoedden zich verder, ervoor zorgend dat ze ten zuiden van de richel bleven.

Romeinse cornua lieten hun lage bromgeluid horen om bevelen aan de cohorten door te geven. Ze werden beantwoord door het getetter van

Chaukische hoorns die eerder bedoeld waren om de vijand te intimideren dan om kameraden te informeren.

De lucht werd gevuld met meer geschreeuw en gejoel, tot de onmiskenbare kreten van een Germaanse aanval klonken. Op het moment dat Thumelicatz de groep het bos in leidde, resoneerden de eerste kletterende geluiden van ijzer op ijzer en de doffe dreunen van schilden die klappen opvingen in de lucht. Ze werden al snel opgevolgd door het gekrijs van de gewonden en stervenden.

Thumelicatz richtte zich tot de jongste broer. 'Het eerste bosje ligt naar het oosten, op ongeveer vierhonderd passen hiervandaan.'

Ze renden verder, over een kronkelend pad, verder het bos in. Soms moesten ze over een afgevallen tak van een eik of beuk heen springen. Achter hen probeerden de Bataafse decuriones hun turmae in een twee man brede colonne te houden, maar het was vergeefse moeite, want hun mannen waren het niet gewend om als infanterie op te treden.

Thumelicatz begon te vertragen. Achter hem gaven de officieren hun troepen het teken dat ze moesten uitwaaieren in een rij. Zo gingen ze verder, gebukt, zorgvuldig hun voeten neerzettend, tussen de bomen door met hun werpspiesen in de hand. 'Het is recht voor ons,' fluisterde Thumelicatz terwijl hij het signaal gaf om te stoppen.

Voor hen, door de lichte nevel waar de zon vanwege het dichte bladerdek niet tot het bos kon doordringen, zagen ze een lichtere plek waar de zon direct op de optrekkende mist scheen. In de verte waren vaag de geluiden van de veldslag te horen, maar dichterbij werd de rust alleen verstoord door fluitende vogels. Thumelicatz sloop vooruit. De twee broers en de straatvechter volgden hem nadat ze de hulptroepen instructies hadden gegeven om te wachten.

Toen ze dichter bij het bosje kwamen, werd de mist doorschijnender en verscheen er een open plek met in het midden vier eeuwenoude eiken. Tussen die bomen, op twee grote, platte stenen, lag een grijze granieten plaat en daarnaast was een berg hout opgestapeld. Erboven bungelde een kooi, zachtjes heen en weer wiegend, gemaakt van dik vlechtwerk in de vorm van een uitvergrote gekruisigde man.

De straatvechter spuugde en stak zijn rechterduim tussen zijn vingers terwijl hij wat in zichzelf mompelde.

De jongste broer hurkte naast Thumelicatz. 'Er zit niemand in, ik zie licht door de openingen heen. Wat denk jij, Thumelicus?'

'Er lijkt hier niemand te zijn. Als de Adelaar hier is, bevindt hij zich dicht bij het altaar, maar omdat er geen bewakers zijn, lijkt me dat onwaarschijnlijk.' Hij stapte de open ruimte in, met Aldhard en zijn mannen aan weerskanten van hem. De drie Romeinen volgden, zenuwachtig met hun spiesen in de aarde prikkend uit angst voor staken in verborgen valkuilen.

Rond het altaar was niets te vinden. Ze keken of de aarde ergens was omgewoeld, doorzochten de stapel hout en controleerden of er holtes in de bomen zaten.

'Onze Romeinse vrienden lijken bang te zijn voor de rijshouten man,' fluisterde Thumelicatz tegen Aldhard na het zien van de zenuwachtige blikken op het onheilspellende bouwwerk dat boven hen zachtjes heen en weer schommelde.

'En terecht. Ik heb heel wat Romeinen horen gillen als eerbetoon aan de goden.'

'Hij is hier niet,' concludeerde Thumelicatz ten slotte. 'We moeten door naar de volgende plek, ongeveer een halve mijl naar het noorden.'

Thumelicatz en zijn mannen wezen de weg, bijgestaan door een turma, die in tweetallen de flanken verkende. De rest van de Romeinen kwam achter hen aan, net zichtbaar in de steeds verder optrekkende mist. De kakofonie van de veldslag was verhevigd, maar het geluid was niet dichterbij gekomen. De geuren van vochtige vegetatie, muffe bladmulch die vanaf de grond oprees en de zuivere lucht een scherp accent gaf, gaven Thumelicatz energie. De geuren van zijn vaderland waren compleet anders dan die van de moerassen rond Ravenna waar hij zo'n groot deel van zijn leven had doorgebracht. Hij stak een hand omhoog en liet zich op een knie zakken. De twee broers kwamen bij hem zitten.

'Heilige paarden,' fluisterde Thumelicatz, door een opening tussen de bomen heen wijzend.

De tweede open plek was groter dan de eerste, en dit keer stond er een groepje iepen in het midden. Daaromheen stond een kring van ruwe houten palen, elk tien voet hoog en een pas uit elkaar. Op elke paal stond een schedel. Vier vastgebonden witte paarden graasden op het weelderige gras rond de cirkel. Boven een houten altaar hingen drie hoofden aan de takken van de iepen, een ervan was vers, de andere twee deels ontbonden.

Nadat ze een paar hartslagen hadden gewacht, werd het duidelijk dat ook hier niemand anders was. De paarden bekeken hen nieuwsgierig toen ze naar het bosje liepen en graasden toen verder, ervan overtuigd dat de indringers geen gevaar vormden, maar ook niets lekkers bij zich hadden.

Thumelicatz leidde de Romeinen tussen twee van de houten palen door naar het bosje. Over de grond verspreid lagen meer hoofden in verschillende stadia van verrotting. Bossen haar aan de takken boven hen gaven aan waar ze hadden gehangen tot de hoofdhuid was weggevreten en ze omlaag waren gevallen.

'Wie waren die mannen, Thumelicus?' vroeg de jongste broer.

'Waarschijnlijk slaven. Soms een krijger van een andere stam die tijdens een schermutseling gevangen is genomen. Elke man die gevangen wordt genomen weet wat hij kan verwachten.' Thumelicatz gebaarde naar het altaar. Het hout was doortrokken van opgedroogd bloed.

'Fraai,' mompelde de straatvechter, terwijl hij met een spies in de grond prikte op zoek naar tekenen die erop wezen dat daar onlangs iets was begraven. 'Jullie goden komen niets tekort.'

'Onze goden zorgen ervoor dat we vrij zijn, dus ze zullen die mensenoffers wel waarderen, ja.'

'Vrij om elkaar te bevechten,' schimpte de oudste broer terwijl hij keek of er iets onder het altaar was vastgemaakt.

'Zo gaat het overal: je grootste vijand is het dichtstbij tot een invasie van buitenstaanders die vijand tot je meest waardevolle bondgenoot maakt. Maar kom, hij is hier niet. In het oosten ligt nog een bosje dat we kunnen doorzoeken.'

Ze trokken dieper het woud in. Hier waren nog wat mistflarden aan varens en laaghangende takken blijven hangen. Hoewel ze zich van de veldslag verwijderden, leek het lawaai juist aan te zwellen. Thumelicatz negeerde het, net zoals het geprevel van de Romeinen achter hem, en sloop vooruit terwijl hij al zijn zintuigen op wat er voor hem lag richtte. Er dreef een flard van gemompel door de lucht. Hij gebaarde dat iedereen stil moest zijn en maakte zich klein.

'Wat is er?' fluisterde de jongste broer terwijl hij naast hem hurkte.

Thumelicatz spitste zijn oren en wees voor zich. Door de mist waren stemmen te horen die zachtjes praatten. 'Ze bevinden zich niet meer dan honderd passen voor ons, wat betekent dat ze waarschijnlijk het bosje bewaken. Ik denk dat we beet hebben.'

De Romein knikte en stuurde een verkenner vooruit. Iets later kroop een Bataaf de mist in.

Thumelicatz liet de Romeinen plannen maken voor hun aanval en liep naar Aldhard en zijn mannen. 'Dit is niet jullie zorg; jullie hoeven niet met deze mannen mee te vechten.'

'Vecht jij met ze mee, heer?' vroeg Aldhard.

'Ja, hoewel ik liever geen Chauken wil doden. Ik heb deze Romeinen hier echter naartoe gebracht om hun Adelaar te heroveren en dan is het mijn eer te na om toe te kijken hoe zij hun leven riskeren voor iets waarvan ikzelf en mijn volk veel meer zullen profiteren dan zijzelf.'

'Dan vechten we met je mee.'

Thumelicatz legde zijn hand op Aldhards schouder. 'Afgesproken, mijn vriend.' Met een knikje naar de andere mannen draaide hij zich om en voegde hij zich weer bij de Romeinen.

Niet lang daarna kwam de verkenner terug. 'Vijftig, misschien zestig,' zei hij in Latijn met een zwaar accent.

De jongste broer leek opgelucht. 'Dank je, soldaat.' Hij richtte zich tot de aristocraat. 'Dat kunnen we wel aan. Vooruit, wij tellen tot vijfhonderd en cirkelen dan om hen heen.'

'Deze mannen schenken geen genade,' waarschuwde Thumelicatz de aristocraat toen die met de helft van de Bataven wilde vertrekken. 'Ze hebben gezworen de Adelaar met hun leven te beschermen.'

'Als die hier is,' mompelde de straatvechter.

'O, die is hier wel. Waarom zouden ze anders dit bos wel bewaken en de andere twee niet?'

'Daar zit wat in.'

De oudste broer kwam overeind. 'Kom op dan, ertegenaan.'

De open plek werd afwisselend zichtbaar en onzichtbaar toen er een briesje opstak en met de mist begon te spelen. Met tussenpozen waren de Chaukische krijgers aan de noordoostkant van het bosje met een stuk of twintig verschillende bomen te zien.

'Donar, scherp onze zwaarden en gun ons de overwinning,' prevelde Thumelicatz met een hand om de hameramulet om zijn nek. 'Met deze Adelaar zullen we ons Vaderland voorgoed van Rome verlossen.'

'En dat is jullie gegund,' voegde de straatvechter eraan toe.

Thumelicatz negeerde de beledigende ondertoon.

In de gehele linie doorliepen mannen hun gevechtsrituelen, ze controleerden hun wapens, maakten riemen vast en prevelden gebeden aan hun beschermgoden.

'Goed, daar gaan we,' zei de jongste broer en hij gebaarde links en rechts dat zijn mannen moesten oprukken.

Ongeveer zestig mannen slopen in twee rijen naar de rand van de open plek. Voor hen stonden de Chauken wat met elkaar te praten, hun zwaarden en speerpunten te slijpen op stenen en hun spieren op te rekken, nietsvermoedend terwijl in de verte de veldslag voortraasde.

De jongste broer stak zijn arm omhoog, haalde diep adem, keek naar links en rechts, en zwiepte hem toen naar voren. Als één man uitten de Bataven hun strijdkreet en schoten ze tussen de bomen uit op hun vijand af, schild aan schild en met de werpspiesen gereed.

De Chauken werden compleet overrompeld en probeerden snel twee rijen te vormen. De kapiteins schreeuwden en duwden hun mannen in positie terwijl een laag salvo van werpspiesen op hen af vloog en doel trof door de gaten in de incomplete muur van schilden. Het bos werd gevuld met kreten toen meer dan tien krijgers omver werden geworpen en de spitse, bebloede punten van de spiesen door hun ruggen naar buiten staken.

Thumelicatz en zijn mannen stroomden langs de linkerflank van de Bataven naar voren. Ze trokken hun zwaarden uit de scheden en vormden een kleine wig met Thumelicatz aan het hoofd. Keurig in formatie troffen de Bataven de verwarde Chauken. Ze ramden hun schilden in gezichten en haalden met hun zwaarden uit naar vlezige lendenen en buiken, waardoor de glibberige, grijze inhoud naar buiten kwam. Op een paar plaatsen was een muur gevormd, en die krijgers vochten terug met de felheid der wanhoop. Ze staken hun lange speren met zoveel kracht over de schildranden van de toesnellende vijand heen dat de punten dwars door de maliën heen gingen en een halve duimlengte in de borst van een paar schreeuwende Bataven staken; niet diep genoeg om ze direct te doden, maar pijnlijk genoeg om ze uit te schakelen terwijl de genadeklap werd toegediend.

Met een snelle, neerwaartse haal van zijn zwaard sneed Thumelicatz in de schouder van een grommende man met wijd open ogen en versplinterde hij het sleutelbeen, onderwijl een andere klap afwerend met een opwaartse beweging van zijn schild. Het bloed spoot uit de diepe wond over de baard van de man die zijn hoofd met een vertrokken, wijd open mond naar de hemel oprichtte en een schreeuw voortbracht waarmee je de Walkuren zou kunnen oproepen. Thumelicatz gebruikte het gewicht van het op de grond vallende lichaam om zijn zwaard uit het verbrijzelde bot los te krijgen, terwijl Aldhard rechts van hem onder een maaiende steek door dook en de punt van zijn zwaard met kracht omhoog in de onbeschermde nek van de boosdoener stak.

Met een harde stoot naar links brak Thumelicatz met zijn schild een schedel en sprong hij over zijn kronkelende slachtoffer heen, met zijn zwaardhand vooruit tegen de tanden van de volgende krijger die hij tegenkwam. De pijn van zijn geschaafde knokkels negerend haalde hij met zijn zwaard uit naar links, dwars door de rechterpols van de krijger die zijn eigen zwaard omlaag wilde bewegen. In een rode golf viel de hand omlaag, met het zwaard er nog in terwijl de arm de neergaande beweging afmaakte. Het bloed spoot uit de stomp, die de krijger nog niet had opgemerkt door de pijn in zijn geruïneerde mond. Zijn ogen begonnen te draaien toen zijn blik op zijn ingekorte arm viel; hij schreeuwde en besproeide Thumelicatz met een rood waas en stukjes bebloede tanden. Met een ruk bracht Thumelicatz zijn knie omhoog tegen de testikels van de man, waardoor die dubbelklapte en de schreeuw abrupt overging in een diep gegrom toen de lucht uit zijn lichaam stroomde. De scherpe klap van Thumelicatz' zwaardgevest maakte een gat in de achterkant van zijn hoofd en hij zakte ineen.

Ineens trok er een schokgolf door het strijdgewoel. De omtrekkende hulptroepen hadden de Chauken van achteren getroffen. Het was nu een kwestie van tijd. De Bataven rukten steeds verder op terwijl de steeds kleiner wordende groep Chauken uit alle macht bleef terugvechten, tot de laatste van hen op het omgewoelde gras zakte met een schedel waarin de hersenen zichtbaar waren.

'Stoppen en opnieuw opstellen!' riep iemand toen de twee Bataafse groepen bij een berg dode en kreunende, gewonde Chauken op elkaar stuitten. De officieren riepen hun verbaasde, hijgende mannen terug in de gelederen voordat ze in het heetst van de strijd hun eigen kameraden iets zouden aandoen.

Thumelicatz keek naar zijn zwaardarm; die zat onder het bloed.

'We moeten gaan zoeken,' zei de jongste broer naar lucht happend.

Thumelicatz knikte en beval Aldhard en zijn vier mannen om hem te volgen naar het bosje.

Het bosje bestond uit een stuk of twintig bomen van verschillende soorten die vele jaren eerder door de mens waren geplant. Thumelicatz beende naar een stenen altaar in het donkere hart van het bosje, tussen een eeuwenoude hulstboom en een eerbiedwaardige taxusboom.

Het altaar was leeg.

De Romeinen kwamen bij hem staan; Thumelicatz keek hen verbaasd aan. 'Er is hier geen spoor van de Adelaar.' Hij stampte op de bemoste grond, maar die was compact en vertoonde geen tekenen van recente graafwerkzaamheden.

'Misschien in de omringende bomen?' vroeg de oudste broer.

Na een vergeefse zoektocht schudde Thumelicatz zijn hoofd. 'Hij is hier niet.'

'Maar jij dacht van wel,' schreeuwde de jongste broer bijna in zijn frustratie.

'Dan hoeft het nog niet zo te zijn. Misschien hebben ze hem dieper het land in gebracht.'

'Waarom werd dit bosje dan bewaakt?'

'Dat weet ik niet.'

'Misschien wilden ze dat we zouden denken dat hij hier was,' opperde de straatvechter. 'Een stuk of vijftig mannen zullen mensen die hun zinnen op de Adelaar hebben gezet immers niet kunnen tegenhouden, maar ze kunnen mensen er wel toe overhalen op de verkeerde plek te gaan zoeken.'

De jongste broer fronste. 'Waar kunnen ze hem dan hebben verstopt?'

'Ik weet het niet, misschien moeten we het aan een van hun gewonden vragen.'

'Die praten niet, waarmee je ze ook bedreigt,' stelde Thumelicatz.

'En het vooruitzicht van een onaangename periode in die gevlochten pop op de eerste open plek? Dat helpt misschien...'

'Maar natuurlijk!' riep de jongste broer uit met zijn blik op de straatvechter gericht. 'Je hebt gelijk. Ze probeerden de aandacht af te leiden van de plaats waar ze hem hebben verborgen door het verkeerde bos te bewaken. Hij is in het eerste bos; we hebben overal gezocht, maar we hebben niet in de gevlochten pop gekeken. Die leek leeg doordat het licht erdoorheen scheen, en omdat het zo'n angstaanjagende aanblik was zijn we er met een grote boog omheen gelopen. Maar waarom bewoog hij heen en weer terwijl er geen wind stond? Omdat ze hem net hadden opgehangen toen wij daar aankwamen! We moeten ze net hebben gemist. Hij zit daarin.'

De oudste broer sloeg zichzelf voor zijn hoofd. 'Natuurlijk, wat stom. Ik had nog bijna als grap gezegd dat het een goede plek zou zijn om hem te verstoppen.'

'Was dat dan grappig geweest?' vroeg Thumelicatz. Hij had de Romeinse humor nooit begrepen.

'Niet echt.'

'Mooi, dat dacht ik ook niet. We moeten gaan.'

Thumelicatz leidde ze langs de rand van de driehoek die ze nog niet hadden gehad naar het zuidwesten. Het geluid van de strijd, dat rechts van hem steeds dichterbij kwam, gaf hem het gevoel dat hij een eindspurt moest maken.

Nadat ze zich een mijl lang de longen uit het lijf hadden gerend, bereikten ze de eerste open plek vanaf de andere kant. De gevlochten pop hing nog steeds boven het altaar tussen de vier eiken die het bosje vormden. Thumelicatz rende ernaartoe en bleef staan, opkijkend naar het angstaanjagende ding.

'Kun je het zien?' vroeg de jongste broer toen hij naast hem kwam staan.

'Nee, ik kan er niks in zien. We moeten hem naar beneden halen.'

'Wel heel voorzichtig.'

'Denk je nou werkelijk dat ik niet weet met wat voor valstrikken dit ding kan zijn beveiligd?' Thumelicatz richtte zich tot Aldhard. 'Hrulfstan is het lichtst. Laat hem in de boom klimmen om de valstrikken af te laten gaan.'

Met hun ineengeslagen handen als opstapjes begonnen Aldhard en zijn mannen de lichtste man uit hun midden op de onderste tak van het bosje te helpen. 'Ga uit de buurt van het altaar staan,' adviseerde Thumelicatz de Romeinen.

Ze stapten naar achteren, nerveus opkijkend toen de bladeren boven hun hoofden begonnen te ritselen en de gevlochten pop begon te draaien en te schommelen terwijl de man hoger klom.

Thumelicatz keek naar de pop. 'Voorzichtig, Hrulfstan, schud de takken niet zo op en neer.' De man verlaagde zijn tempo en de pop bewoog minder.

Toen klonk er een geschrokken kreet, gevolgd door het gekraak van samentrekkende touwen, en Thumelicatz sprong naar achteren. 'Bukken!'

Het gekraak nam toe; twee enorme houtblokken, met aan beide kanten scherpe punten, zwiepten vanuit de boomtoppen omlaag, met een boog door de open plek zodat ze zich op hun laagste punt, aan weerskanten van het altaar, op borsthoogte bevonden. Het gekraak kreeg een hogere toon en volume toen de blokken door zwaaiden naar hun hoogste punt en het uiterste vergden van de henneptouwen. Op het hoogste punt hingen ze een hartslag stil voordat ze in omgekeerde richting weer omlaag zwiepten.

Toen ze opnieuw door de open plek schoten, werd duidelijk dat ze niet los van elkaar werkten, maar in het midden waren verbonden met een dun ijzeren blad dat tussen het altaar en de voeten van de gevlochten pop door ging. 'Dat is ontworpen om iemand die de pop naar beneden probeert te halen doormidden te snijden.'

'Leuke lui, die Germanen,' gromde de straatvechter toen de houtblokken met een afnemende vaart terug zwiepten.

'Denk je dat Romeinen leuker zijn omdat jullie mensen kruisigen of voor de wilde dieren gooien?' vroeg Thumelicatz toen hij weer overeind kwam.

'Daar zit ook wat in.'

'Aldhard, snijd de touwen door.'

Het zwiepen nam af. Aldhard greep de blokken vast en bracht ze tot stilstand. Zijn mannen begonnen met hun zwaarden voorzichtig de touwen door te zagen. Ze stapten snel naar achteren als er eentje door was en keken dan gespannen omhoog naar de bomen, maar er kwamen geen andere valstrikken naar beneden.

'Kun je daarboven nog meer touwen zien, Hrulfstan?' riep Thumelicatz.

'Alleen het touw van de pop, heer.'

'Hij ziet geen andere touwen dan het touw waar de pop aan hangt,' vertaalde Thumelicatz voor de Romeinen. 'We kunnen er veilig naartoe.' Hij klom op het altaar en richtte zich op totdat zijn hoofd tot de knieën van de pop kwam. 'Ze worden zo gemaakt dat ze open kunnen; jullie snappen wel waarom,' zei hij terwijl hij het dikke vlechtwerk bekeek. 'Deze gaat aan beide zijkanten open; we moeten hem omlaag halen.' Hij trok zijn zwaard en ging op zijn tenen staan. De punt van het lemmet kwam net tot het touw dat exact in het midden van de vier bomen hing en verdween in een dunne nevel die nog tussen de donkere, hoge takken in hing. Hij begon te zagen. Twee van zijn mannen gingen aan weerskanten van het altaar staan om de pop op te vangen. Het touw begon te rafelen terwijl het scherpe lemmet erdoorheen ging.

Thumelicatz begon harder te zagen toen de strengen van het touw een voor een knapten, tot er nog maar een paar over waren. Hij keek omlaag naar zijn mannen om te controleren of ze klaarstonden en maakte zich toen op voor het laatste stukje. Het touw knapte; het losse uiteinde schoot omhoog de bomen in en de pop viel naar beneden. Zijn voeten belandden met een klap op het altaar. Zijn mannen grepen de benen om te voorkomen dat hij zou omvallen, en op dat moment klonk er boven hen een vaag metalig gerinkel. Thumelicatz keek bedenkelijk en draaide toen zijn hoofd in de richting van het geluid. Op datzelfde moment brak de zon door de mist heen. Zijn ogen en mond gingen geschrokken open toen flitsen van gepolijst ijzer als bliksemschichten uit het bladerdak omlaag vielen. 'Donar!' riep hij naar de lucht.

Twee zwaarden vielen razendsnel omlaag.

Eén van de lemmeten schoot loodrecht in zijn keel, sneed door de inwendige organen heen en kwam met een schok tot stilstand op de onderkant van het bekken. Het tweede raakte het altaar, boog door en sprong met een oorverdovende dreun terug. Thumelicatz huiverde. Zijn ogen keken vol ongeloof naar het gevest dat uit zijn mond omhoogstak, als een kruis op een heuvel waar executies worden uitgevoerd. Bloed stroomde alle kanten op en drupte in zijn baard. Hij wist dat zijn eed niet was uitgewist. Zijn benen werden slap. Er ontsnapte een raspend, gorgelend geluid uit zijn keel en bloed klotste over het zwaardgevest en het daaraan vastzittende touw, dat omhoog liep tussen de in nevel gehulde takken. Hij viel tegen de gevlochten pop aan, waardoor die van het altaar schoof; het zwaartepunt lag zo hoog dat de geschokte mannen hem niet konden tegenhouden. Een gebogen spoor van bloeddruppels achterlatend viel Thumelicatz erachteraan. Hij stortte op de borst van de pop neer en veerde een stukje omhoog door de elasticiteit van de in elkaar geweven takken. Toen hij de tweede keer neerviel, brak de borst van de pop open en rolde er een in zacht leer gewikkeld pakket uit. Zijn ogen werden wazig, wit en vaag. Toen de jongste broer het pakket oppakte, merkte hij dat het zwaar was; het was de Adelaar, hij wist het.

Thumelicatz keek naar de jongste broer met de Adelaar in zijn handen en voelde zich triomfantelijk terwijl het leven uit hem wegstroomde; Rome had haar trofee en zou hem gebruiken om haar legers weg te leiden naar het noorden. Rome stond op het punt haar grootste fout te begaan. Germania, het land van Alle Mannen, het land dat zijn vader had bevrijd van het onderwerpende keizerrijk, zou generaties lang veilig zijn. Veilig om krijgers op te leiden, veilig om sterk te worden, veilig om te wachten tot de tijd rijp was en de stammen van Germania uit hun donkere bossen tevoorschijn konden komen om het gehate keizerrijk te verpletteren.

De witte mist werd dikker en Thumelicatz wist dat hij zijn vader, Erminatz, snel voor het eerst zou ontmoeten; hij zou hem met opgeheven hoofd in de ogen kunnen kijken en trots zijn op het feit dat zij samen, vader en zoon, een Germaanse toekomst voor het westen mogelijk hadden gemaakt. Met een laatste krachtsinspanning greep hij het gevest van het zwaard vast om er zeker van te zijn dat hij naar het Walhalla zou gaan.

De mist werd allesoverheersend en alles was wit; wit als de vorst van de IJsgoden.

NAWOORD VAN DE AUTEUR

Deze historische roman is gebaseerd op de geschriften van Tacitus, Suetonius, Cassius Dio, Josephus en Velleius Paterculus.

Thumelicus werd in Rome geboren en werd gedwongen om een gladiator te worden. Tacitus zegt dat hij op het juiste moment over zijn lot zal vertellen; het feit dat hij dat nooit doet, wijst erop dat het deel uitmaakt van de ontbrekende tekst, 30-31 of 37-47, en geeft mij de vrijheid om hem nog in leven te laten zijn ten tijde van het verhaal.

Als gijzelaar in Rome zou Arminius, hoogstwaarschijnlijk, in Drusus' huis hebben gewoond, omdat hij degene was aan wie Siegimeri zich had overgegeven en een onderpand had afgegeven. Om die reden heb ik de vrijheid genomen om hem deel te laten uitmaken van de hogere kringen van Rome en bevriend te raken met Lucius Caesar. Lucius' buitensporige karakter is een verzinsel van mij, maar niet ondenkbaar.

Arminius kreeg van Augustus een ridderlijke rang.

Gaius Caesar ging inderdaad op een missie naar Parthië om een verdrag met Phraates V te sluiten; er is niets wat erop wijst dat Lucius met hem meeging, hoewel Sejanus er wel bij was als een van de tribunen. Phraates was de zoon van Musa, een hetaira die Augustus, onrechtmatig, aan Phraates IV had gegeven als onderdeel van de onderhandelingen over de terugkeer van de Adelaars die verloren waren gegaan bij Carrhae. Josephus vertelt ons dat ze met haar zoon trouwde, maar dat ging de Parthen te ver en ze werden ten val gebracht.

Lucius overleed in 2 n.C. onder verdachte omstandigheden in Massalia; dat Sejanus deel uitmaakte van zijn gevolg is een bedenksel van mij. Gaius stierf twee jaar later, waardoor Augustus gedwongen was Tiberius terug te halen – toeval?

Tiberius smeedde plannen voor een massale invasie in het land van de Marcomannen in 6 n.C. en wilde oprukken tot aan Maroboden, het moderne Praag, toen het nieuws van de opstand in Pannonia hem bereikte. Hij besteedde de daaropvolgende jaren aan het neerslaan van de opstand en Arminius diende onder hem als prefect van de hulpcavalerie. Dat Varus bij de invasie van Bojohaemum aanwezig was, heb ik verzonnen.

De Slag in het Teutoburgerwoud heb ik hoofdzakelijk gebaseerd op Cassius Dio's relaas van de vier dagen durende veldslag, die zich grotendeels zoals hier is beschreven heeft afgespeeld. De stammen mengden zich, een voor een, in de strijd en het regende verschrikkelijk. Dankzij het fantastische werk van majoor Tony Clunn, waardoor hij de locatie van de laatste dag bij de Teutoburgerpas kon vaststellen, is het nu mogelijk om een groot deel van het terrein te bewandelen – ik kan een bezoek aan het museum van harte aanbevelen als u er ooit in de buurt bent. Paterculus vertelt ons over Eggius' overgave, Vala's vlucht met de cavalerie en Caedicius' volharding in Aliso.

Strabo is de enige auteur die Thusnelda's naam levend houdt, maar het is Tacitus die ons laat weten dat Arminius haar heeft ontvoerd terwijl ze met een ander verloofd was; dat dat Adgandestrius was, heb ik verzonnen.

Tacitus biedt ons goede verslagen van de campagnes van Germanicus en daar heb ik mijn verhaal grotendeels op gebaseerd. Voor wie meer over dit onderwerp wil lezen, kan ik *Rome's Greatest Defeat* van Adrian Murdoch aanbevelen.

Arminius en Flavus hebben elkaar voor de Slag van Idistavisus echt vanaf de oevers van de rivier gesproken en Flavus verloor daarbij zijn geduld. Arminius raakte voor de laatste slag bij de Angrivarische richel gewond, en dat werd gezien als de oorzaak van zijn niet bepaald glansrijke verdediging. Tiberius riep Germanicus terug voordat de herovering voltooid was; zogenaamd om zijn overwinning te vieren, maar waarschijnlijk was hij jaloers op Germanicus' successen.

Arminius werd door een bloedverwant vermoord; of dat Flavus en Segestes waren weten we niet, maar ik vond hen de geschikte personen voor deze daad.

Publius Gabinius haalde in 41 n.C. de Adelaar van het Zeventiende Legioen terug. Om erachter te komen hoe hem dat is gelukt, moet u *Adelaar van Rome* lezen.

Hoewel dit een op zichzelf staande roman is, hangt hij samen met *Adelaar van Rome*; ik kwam op het idee om over Arminius' leven te schrijven toen Vespasianus en Thumelicus elkaar in dat boek ontmoetten. Beide boeken hebben daarom een aantal hoofdstukken met elkaar gemeen, maar ze worden vanuit een ander standpunt verteld, dat van Thumelicus en van Vespasianus. Ik hoop, beste lezer, dat u me het zult vergeven dat ik soms in herhaling val.

DANKWOORD

Ik bedank, zoals altijd, mijn agent Ian Drury van Sheil Land Associates; ik heb dit boek in de loop van vier zomers geschreven en zijn steun in de derde zomer, toen ik compleet was vastgelopen, was van onschatbare waarde. Mijn dank gaat ook uit naar Gaia Banks en Melissa Mahi van de afdeling buitenlandse rechten. Veel succes met je nieuwe baan, Melissa.

Ik dank iedereen van Atlantic/Corvus, in het bijzonder Sara O'Keeffe en Will Atkinson en hun voortdurende steun voor mijn boeken. Ik bedank ook Louise Cullen, Alison Davies en Lucy Howkins, om maar een paar mensen te noemen, voor al het werk dat ze voor mij hebben verzet.

Wederom bedankt, Tamsin Shelton, voor het persklaar maken en het spotten van al die kleine foutjes waar ik overheen heb gekeken.

Ten slotte bedank ik de twee mensen die me steeds weer vergezellen: u, beste lezer, en mijn lieftallige echtgenote Anja.

Lees ook van Karakter Uitgevers B.V.

Robert Fabbri

Broederschap van de Kruising

'Boeiend en visueel geschreven.' – NBD Biblion

ISBN 978 90 452 0585 4 | ISBN e-book 978 90 452 0595 3

Vespasianus I – Tribuun van Rome

'Geschiedenisles boordevol actie! Een van de beste boeken van 2011.'
– *NRC Handelsblad*

ISBN 978 90 452 0075 0 | ISBN e-book 978 90 452 0245 7

Vespasianus II – Scherprechter van Rome

'Historische thrillerreeks van zeer hoog niveau.' – Spentakel.nl

ISBN 978 90 452 0346 1 | ISBN e-book 978 90 452 0356 0

Vespasianus III – Afgod van Rome

'Zo'n boek dat je het liefste in één ruk uitleest.' – *De Telegraaf*

ISBN 978 90 452 0230 2 | ISBN e-book 978 90 452 0370 6

Vespasianus IV – Adelaar van Rome

'Spannend, meeslepend en vrijwel waarheidsgetrouw. Een absolute must voor geïnteresseerden in het klassieke Rome.' – NBD Biblion

ISBN 978 90 452 0534 2 | ISBN e-book 978 90 452 0714 8

Vespasianus V – Heersers van Rome

'Boeiend tot het einde!' – Bangersisters.nl

ISBN 978 90 452 0518 2 | ISBN e-book 978 90 452 0658 5

Vespasianus VI – Verloren zoon van Rome

'Heel filmisch. Fabbri zet de personages goed neer, de intriges worden goed en volledig uitgewerkt en de plot is boeiend.' – Hebban.nl

ISBN 978 90 452 0872 5 | ISBN e-book 978 90 452 1042 1

Vespasianus VII – Furie van Rome

'*Furie van Rome* is weer vol vaart geschreven, in een heel filmische stijl. Het beeld dat hij geeft van het Rome van toen is sfeervol en intens.' – Hebban.nl

ISBN 978 90 452 1025 4 | ISBN e-book 978 90 452 1165 7

Lees ook van Karakter Uitgevers B.V.

NICHOLAS GUILD

Dolk van Sparta

'Guild beschrijft meesterlijk de intriges aan het hof en de koortsachtige strijd op het slagveld, maar de echte indrukwekkende verdienste van het boek is zijn tijdloosheid en veelzijdigheid.'
– *Publishers Weekly*

Van alle Griekse stadstaten spreekt Sparta het meest tot de verbeelding. De ijzeren discipline, moed en de aan waanzin grenzende toewijding aan oorlog voeren, zijn al talloze malen beschreven en verfilmd. Tot nu toe echter nog nooit zo nauwkeurig, meeslepend en levensecht als in *Dolk van Sparta.*

In de 4e eeuw voor Christus had Sparta het leeuwendeel van Griekenland veroverd en nergens was deze heerschappij wreder dan op eigen grondgebied. Drie eeuwen eerder hadden de Spartanen de heloten overwonnen en elk jaar herinnerden ze hen aan hun onderwerping door jonge soldaten eropuit te sturen om weerloze slaven te vermoorden.

Op een van deze avonden ziet de heloot Protos hoe zijn ouders als dieren worden opgejaagd en vermoord. Hij weet ternauwernood te ontkomen en doodt daarbij een van zijn achtervolgers. Daarmee zet Protos een reeks gebeurtenissen in gang die het lot van Griekenland voor altijd zullen veranderen: die jongen die hij doodde was namelijk een Spartaanse prins. De Spartanen jagen Protos dag en nacht op, maar hij blijkt een niet te onderschatten tegenstander.

Dankzij een mysterieuze Egyptische vrouw weet Protos naar Thebe te ontsnappen, dat op het punt staat het Spartaanse juk van zich af te werpen. Door een daad waarvan de heldhaftigheid grenst aan zelfmoord, lukt het Protos Thebe te bevrijden. En daarmee komen de twee machtige stadstaten op een ramkoers te liggen waar maar een van de twee als winnaar uit zal komen.

ISBN 978 90 452 1189 3 | ISBN e-book 978 90 452 1199 2

Lees ook van Karakter Uitgevers B.V.

Historische thrillers

Deze series staan stuk voor stuk voor spanning, avontuur en geschiedenis, en bieden uren vermaak – voor jong en oud – voor een zachte prijs!

De Vespasianus-serie van Robert Fabbri:

'Geschiedenisles boordevol actie!' – *NRC Handelsblad*

Broederschap van de Kruising (prequel)
ISBN 978 90 452 0585 4 | ISBN e-book 978 90 452 0595 3
Vespasianus I: Tribuun van Rome
ISBN 978 90 452 0075 0 | ISBN e-book 978 90 452 0245 7
Vespasianus II: Scherprechter van Rome
ISBN 978 90 452 0346 1 | ISBN e-book 978 90 452 0356 0
Vespasianus III: Afgod van Rome
ISBN 978 90 452 0230 3 | ISBN e-book 978 90 452 0370 6
Vespasianus IV: Adelaar van Rome
ISBN 978 90 452 0534 2 | ISBN e-book 978 90 452 0714 8
Vespasianus V: Heersers van Rome
ISBN 978 90 452 0518 2 | ISBN e-book 978 90 452 0658 5
Vespasianus VI: Verloren zoon van Rome
ISBN 978 90 452 0872 5 | ISBN e-book 978 90 452 1042 1
Vespasianus VII: Furie van Rome
ISBN 978 90 452 1025 4 | ISBN e-book 978 90 452 1165 7

De Saladin-trilogie van Jack Hight:

'Boordevol spanning, actie romantiek en avontuur.'
– *Lancashire Evening Post*

Arend
ISBN 978 90 452 0268 6 | ISBN e-book 978 90 452 0129 0
Koninkrijk
ISBN 978 90 452 0250 1 | ISBN e-book 978 90 452 0390 4
Heilige oorlog
ISBN 978 90 452 0616 5 | ISBN e-book 978 90 452 0776 6

De Strijder voor Rome-serie van Nick Brown:

'Brown groeit uit tot een meester in zijn genre.'
– *Lancashire Evening Post*

Het beleg
ISBN 978 90 452 0246 4 | ISBN e-book 978 90 452 0256 3

Het koninklijk vaandel
ISBN 978 90 452 0288 4 | ISBN e-book 978 90 452 0119 1
De verre kust
ISBN 978 90 452 0524 3 | ISBN e-book 978 90 452 0704 9

De Viking-serie van Tim Severin:

'Een episch avontuur over moed, verraad en onverschrokkenheid.'
– *The Times*

Zoon van het Noorden
ISBN 978 90 452 0791 9 | ISBN e-book 978 90 452 0522 9
Wapenbroeders
ISBN 978 90 452 0633 2 | ISBN e-book 978 90 452 0674 5
Bericht voor de koning
ISBN 978 90 452 0747 6 | ISBN e-book 978 90 452 0708 7

De Walhalla-saga van S. Kristjansson:

'Dit belooft een fantastische serie te worden… Kristjansson voert het tempo hoog op en houdt dat tot aan het einde toe vol.'
– *Historical Novel Society*

Strijd om Stenvik
ISBN 978 90 452 0487 1 | ISBN e-book 978 90 452 0497 0
Bloed zal vloeien
ISBN 978 90 452 0520 5 | ISBN e-book 978 90 452 0730 8

De Valerius Verrens-serie van Douglas Jackson:

'Een meester in zijn vak en terecht beschouwd als een van de beste historische schrijvers van nu.' – *Daily Express*

Held van Rome
ISBN 978 90 452 0630 1 | ISBN e-book 978 90 452 0821 3
Beschermer van Rome
ISBN 978 90 452 0804 6 | ISBN e-book 978 90 452 0914 2
Wreker van Rome
ISBN 978 90 452 0955 5 | ISBN e-book 978 90 452 1095 7
Zwaard van Rome verschijnt september 2016

De Germanen-saga van Jörg Kastner

'De Duitse Dan Brown.' – *Frankfurter Allgemeine*

Thorag de Germaan
ISBN 978 90 452 0882 4 | ISBN e-book 978 90 452 1052 0
Wolvenbroeders
ISBN 978 90 452 0892 3 | ISBN e-book 978 90 452 1062 9
De val van Varus
ISBN 978 90 452 0973 9 | ISBN e-book 978 90 452 0924 1

Lees ook van Karakter Uitgevers B.V.

DAVID KIRK

De erecode van de samoerai

Deel één van de Musashi-serie

Leerling. Krijger. Samoerai. Zijn naam is Bennosuke, zoon van de grote Munisai Shinmen, die eind zestiende eeuw in het Japanse keizerrijk bekendstaat als een van de grootste krijgers die ooit geleefd heeft. Het is zijn lot om, net als zijn vader, een grote krijger te worden. Zijn moeder is gestorven toen hij nog klein was en zijn vader heeft hem verlaten om zijn meester te dienen.

Nieuwe allianties leiden ertoe dat Munisai schuldplichtig wordt aan de gehate Nakata-clan. De escalerende gevolgen van deze vete zorgen ervoor dat ook Bennosuke zich gedwongen ziet het pad van de samoerai te betreden. Dat pad leidt hem naar de slag van Sekigahara, waar zal blijken of Bennosuke uit het juiste hout is gesneden om in de voetsporen van zijn vader te treden...

ISBN 978 90 452 0576 2 | ISBN e-book 978 90 452 0586 1

De wraak van de katana

Deel twee van de Musashi-serie

Musashi Miyamotos reputatie gaat hem voor. Daar komt verandering in als Miyamoto en zijn kameraden worden verslagen tijdens de grote slag bij Sekigahara. Tienduizenden mannen blijven achter op het slagveld en het oostelijk leger eist de glorieuze overwinning op. Miyamoto brengt het er levend van af, maar moet zijn toekomst overdenken.

Hij heeft altijd, trots op de eeuwenoude traditie, geleefd en gevochten als een samoerai, en volgt de Weg met eerbied. Maar na de nederlaag trekt hij alles in twijfel, en wat hij ooit zag als eer komt nu als onwetendheid op hem over. Hoezeer hij het verleden ook van zich af probeert te schudden, hij komt er niet zomaar vanaf.

Miyamoto komt op de lijst van hen die de Yoshioka-samoerai beschaamd hebben, en er wordt een man op hem afgestuurd om in hun naam zijn hoofd te claimen. Dus moet hij, hoewel hij geweld heeft afgezworen, zichzelf beschermen en wraak nemen op hen die hem dood willen hebben...

ISBN 978 90 452 0814 5 | ISBN e-book 978 90 452 0934 0